Petite Philocalie de la prière du cœur

Petite Philocalie de la prière du cœur

traduite et présentée
par Jean Gouillard

Éditions du Seuil

La première édition de cet ouvrage a été publiée en 1953, par les Éditions des Cahiers du Sud.

ISBN 978-2-02-005348-8
(ISBN 2-02-000539-5, 1re publication)

Introduction

Les *Récits d'un Pèlerin russe* (trad. J. Gauvain, Neuchâtel, 1943) ont révélé la *Philocalie* au grand public. L'aventure de cet attachant vagabond de Jésus l'a d'emblée auréolée d'un prestige, relevé encore par un titre hermétique et la rareté du livre. Réfractée par la confession du Pèlerin, la *Philocalie* est apparue comme l'Évangile d'une prière, étrange à la fois et familière, naïve et amicale comme une page des *Fioretti*. La réalité est moins simple, sans être tout à fait différente.

Philocalie signifie " amour de la beauté ", de celle qui se confond avec le bien. Le mot avait déjà servi à saint Basile et à son ami Grégoire de Nazianze pour leur anthologie d'Origène. Mais, hormis quelques érudits, qui connaît ce recueil ? En 1782, parut à Venise une autre *Philocalie*, promise à un autre destin, dont tous les exemplaires furent rapatriés en bloc en Orient. Rien là que de banal. Il n'est que de feuilleter la *Bibliographie hellénique* de Pernot-Petit pour constater que le livre grec s'imprimait presque nécessairement à Venise. La situation ne devait changer qu'après la guerre d'Indépendance.

C'était un in-folio de 16-1207 pages sur deux colonnes, qui s'annonçait ainsi : " Philocalie des Saints Nêptiques [1] recueillie parmi les Saints Pères théophores,

1. De *nêpsis* : la sobriété, un terme qui reviendra sans cesse dans ces pages. La sobriété, c'est ce jeûne de l'âme, attentive à se dépouiller de ses pensées; c'est l'état qui en résulte, la vigilance, la condition d'*éveillé*.

où l'on voit comment, par la philosophie de la vie active et de la contemplation [1], l'esprit se purifie, est illuminé et rendu parfait... »

L'ouvrage était financé par un riche Smyrniote, Jean Mavrocordato, dont on a fait abusivement un prince moldovalaque. L'édition avait été élaborée par l'évêque de Corinthe Macaire (1731-1805) et par le moine Nicodème dit l'Hagiorite (1749-1809). Le premier avait découvert le recueil en manuscrit et en avait amendé les leçons, le second avait assumé préface et notices. Aussi apostoliques l'un et l'autre que cultivés, ils rêvaient de rappeler aux moines et aux fidèles orthodoxes la grande tradition de prière illustrée par une chaîne ininterrompue de contemplatifs, depuis le Désert jusqu'aux restaurateurs du XIII-XIVe siècle, Nicéphore, Grégoire, etc. Des esprits ouverts d'ailleurs : Macaire ne prônait-il pas contre tous les usages un retour à la communion fréquente. Quant à Nicodème, on le voyait traduire et adapter les *Exercices* de saint Ignace et le *Combat spirituel* de Scupoli.

Ils croyaient à leur entreprise. Le livre qui paraît, nous dit Nicodème, n'est ni plus ni moins que le « trésor de la sobriété, la sauvegarde de l'intelligence, le mystique didascalée de la prière de l'esprit, le modèle éminent de la vie active, le guide infaillible de la contemplation, le paradis des Pères et la chaîne des vertus. Un livre qui est le souvenir familier et assidu de Jésus »... (Préface, p. IV, col. 2).

Ce véritable concile des « Pères Nêptiques » convoque toute la tradition, depuis l'âge du Désert avec Antoine et Évagre jusqu'à Syméon de Thessalonique

1. Action, contemplation : les deux volets complémentaires de la vie spirituelle. L'action, c'est la purification des passions mais c'est également la pratique des vertus, les austérités, la prière vocale (la psalmodie suivant sa désignation habituelle) etc. La contemplation n'en dispense pas. Il y a simultanéité, à cela près que l'action se simplifie de plus en plus.

(1410-1429). Ils sont là plus de trente : Antoine le Grand, Isaïe, Évagre, Cassien, Marc, Hésychius, Nil, Diadoque, Jean de Carpathos, Théodore d'Édesse, Maxime le Confesseur, Thalassius, Jean Damascène, Philémon, Théognoste, Philothée le Sinaïte, Élie l'Ecdicos, Théophane de l'Échelle, Pierre le Damascène, Macaire, Syméon le Nouveau Théologien, Nicétas Stéthatos, Théolepte, Nicéphore l'Hésychaste, Grégoire le Sinaïte, Grégoire Palamas, Calliste II, Ignace des Xanthopouloi, Calliste Cataphygiotès, Syméon de Thessalonique, Marc d'Éphèse, Maxime le Cavsocalybite.

Certaines présences sont discrètes : deux pages pour Théophane; d'autres envahissantes : Pierre Damascène remplit plus de 140 pages. Ces préséances n'ont rien à faire avec l'importance des auteurs. Leur nom ou telles circonstances particulières peuvent tenir lieu du reste.

L'authenticité est un problème qui n'existe pas pour nos éditeurs. Antoine le Grand ouvre les séances de ce synode par des *Exhortations* qui démarquent — si peu — un bréviaire stoïcien; Théodore d'Édesse, dont l'œuvre n'est peut-être qu'un concours de supercheries ou de quiproquos, apporte une anthologie évagrienne réalisée au prix d'un découpage héroïque et puéril ainsi qu'un petit *Contemplativum* d'allure bien scolastique. Calliste Télicoudès ne fait que répéter, ou peu s'en faut, la Centurie de Calliste et Ignace de Xanthopoulos.

Et que de redites ! Chaque Père ayant lu tous ceux qui sont venus avant lui, les mêmes pensées reviennent comme des rengaines. Pourquoi s'offusquer ? Comme on comprend ces moines pour lesquels le temps compte si peu, ruminant (l'expression est d'eux) tranquillement le plat unique, la manne d'une prière invariable, la prière du pauvre. Détachée de sa fonction, la *Philocalie* est la plus fastidieuse des bibliothèques. Insérée dans son contexte vivant, elle prend une étrange saveur. On peut l'ouvrir au hasard, on y trouvera toujours la " parole qui sauve ". C'est d'ailleurs si peu un livre. Plutôt un " verre fumé ", suivant l'expression du Pèlerin, pour soutenir l'éclat du soleil.

On aimerait connaître la destinée de la *Philocalie* grecque. On n'en sait autant dire rien. Une édition légèrement augmentée paraîtra à Athènes en 1893, suivie d'une troisième, enrichie d'un index, en 1957-1963. L'édition *princeps* est devenue rarissime.

En Occident, l'abbé Migne, plus exactement le cardinal Pitra, découvrit la *Philocalie* " après maintes vaines recherches " alors que la *Patrologie grecque* était parvenue au tome 85. La grande bibliothèque patristique absorba alors peu à peu les textes de Macaire de Corinthe. Sans l'incendie qui détruisit le tome 161 au moment où il sortait des presses, nous aurions toute la *Philocalie* à portée de main. Il reste que la majeure partie de la fameuse compilation se retrouve dans Migne. A part l'absence de Philothée le Sinaïte, de Théognoste, et de Calliste Cataphygiotès, le dommage n'est pas irréparable.

La *Philocalie* devait, au contraire, connaître en Russie, un succès extraordinaire grâce à un grand starets, Paisie Velitchkovski (1722-1794), l'animateur d'une véritable renaissance spirituelle aussi bien dans le pays moldave qu'en Russie. Il prépara sans perdre de temps une traduction slavonne, la *Dobrotoljubié* (Saint-Pétersbourg, 1793; huit rééditions). C'est un exemplaire miteux de cette édition que le Pèlerin russe acheta deux roubles — toute sa fortune — à un sacristain. Elle " fut, pendant la première moitié du XIXe siècle, avec la Bible et le Grand Ménologe de Dimitri de Rostov, la nourriture spirituelle préférée des moines russes [1] ".

La version slavonne respectait fidèlement l'original.

1. E. Behr-Siegel, *La prière à Jésus* in *Dieu Vivant*, n° 8, p. 71.

En 1877, Théophane le Reclus entreprit la publication d'une monumentale *Dobrotoljubié* en russe (quatre rééditions depuis). Théophane à la fois retranche et augmente considérablement. Pierre Damascène vient d'être édité en russe ; il l'exclut donc. D'autres traités sont jugés trop subtils, par exemple les *Chapitres syllogistiques* de Calliste Cataphygiotès *sur l'union à Dieu* (cf. *P. G.* vol. 147)[1] ou trop spéculatifs comme les *Chapitres pratiques*... de Palamas (*P. G.* vol. 150) : il y renonce. Il émonde et passe sous silence, comme il s'en explique lui-même à propos des méthodes respiratoires de Nicéphore et de " Syméon ", " certaines méthodes extérieures qu'on n'expose plus de la même manière de nos jours ou qui risquent d'égarer ou de dégoûter, faute de maîtres avertis. Ce ne sont d'ailleurs que des accessoires que l'on peut omettre. Ce qui est indispensable, c'est de faire descendre son esprit dans le cœur et de fixer ou, suivant le mot d'un Père, d'unir l'esprit au cœur. Comment y parvenir ? Cherchez et vous trouverez... "

En revanche, Théophane puise largement dans les œuvres d'Éphrem, Barsanuphe, Climaque, Dorothée, Zosime, absorbe tout le quatrième volume des Catéchèses de Théodore Studite, le représentant d'un courant assez différent que le triomphe des solitaires devait finalement refouler et qui a d'ailleurs, assez paradoxalement, produit des fils aussi peu ressemblants que Syméon le Nouveau Théologien.

L'âge de la *Philocalie* n'est pas clos. En 1946 le R.P. D. Staniloae lançait une traduction roumaine (Sibiu) annotée, qui en est aujourd'hui à son huitième volume. C'était reprendre un projet amorcé par les disciples du starets Paisie et poursuivi par l'évêque Gherasim Safirim.

Pour le Pèlerin russe et la foule innombrable qui

1. Nous emploierons régulièrement ce sigle pour désigner la Patrologie grecque de Migne.

se raconte par sa bouche, la *Philocalie* est avant tout le livre de la prière, entendez la prière de Jésus ou du cœur. Non sans raison, car c'est bien elle, en définitive, que ses compilateurs rêvaient de ramener en triomphe, escortée de la tradition tout entière. D'autre part, si la *Philocalie* a franchi le camp retranché de l'érudition pour devenir l'écho d'une puissante expérience religieuse (le mot n'est pas trop fort, si l'on songe à la pléiade des mystiques russes du XIXe siècle), elle le doit encore à cette prière.

E. Kadloubovsky et G. E. H. Palmer furent donc excellemment inspirés en réunissant leurs *Writings from the Philokalia on prayer of the heart* (London, 1951). Il n'était pas question de les démarquer ici mais leur exemple ne nous a pas été inutile. Les *Writings* suivent le texte russe, épousent ses interprétations généralement très pertinentes, mais reproduisent des notices biographiques totalement périmées. Ils ignorent des noms aussi décisifs — et répandus dans la Russie de la *Dobrotoljubié* — que Diadoque de Photicé. Nous avons préféré aller constamment au grec, remanier les notices, adopter un ordre chronologique approximatif et surtout étendre le choix. C'est le seul moyen de situer la prière du cœur au carrefour des avenues qui convergent naturellement vers elle ou qu'elle a peu à peu déviées vers elle. Pour cela, on n'a pas hésité à sortir, à l'occasion, des limites de la *Philocalie* et même à faire une incursion dans le soufisme.

La prière du cœur, qu'est-ce à dire ? Essayons d'abord d'en dégager la notion générale, quoi qu'il en soit de l'âge de l'expression elle-même.

La prière du cœur est essentiellement cette interprétation contemplative de la « vie cachée dans le Christ » qui passe par Origène et les Alexandrins, Grégoire de Nysse, Évagre et les Pères du désert, les Sinaïtes (Jean Climaque et ses héritiers), Syméon le Nouveau Théologien et les grands hésychastes athonites des XIIIe et XIVe siècles, Nicéphore, Grégoire le Sinaïte, etc. En simplifiant à l'extrême et en faisant abstraction des différences qui séparent un Évagre, par exemple, du Nouveau Théologien ou de Nicéphore, on peut dire que la prière du cœur oppose le courant intellectualiste et monastique au courant actif et cénobitique, Évagre et Antoine à Basile, Pacôme et plus tard Théodore Studite.

Un Père du désert, Jean Colobos, exalte déjà (apophthegme no 1) l'*œuvre de Dieu* par rapport à l'*œuvre du corps*, qui embrasse certes le travail des mains mais encore, et peut-être surtout, dans la tradition de la prière du cœur, les austérités, l'action extérieure et la psalmodie. La psalmodie, cette sorte de prière manuelle, discursive, qui n'arrête pas de décomposer l'esprit et l'attention; prière debout de l'ascète encore imparfait en regard de la prière assise du contemplatif. Climaque et Grégoire le Sinaïte, pour s'en tenir aux grands jalons, répéteront Évagre sur ce point. Plus on avance dans le temps, plus la prière (*proseuchè*) est entendue au sens d'oraison contemplative, le reste est psalmodie [1].

C'est déjà l'hésychasme. Une routine a rattaché le mot à la renaissance athonite de l'époque des Paléologues et aux remous politiques et religieux qu'elle souleva à Byzance. En réalité le mot hésychaste est courant à l'époque de Jean Climaque et l'*hésychia* est un vieux terme familier aux Pères du désert. L'*hésychia*, c'est tout à la fois un état de vie et l'état correspondant de l'âme : la réclusion et la solitude d'une

1. C'est délibérément qu'on a maintenu partout *prière* là où le lecteur " occidental " s'attendrait à lire contemplation. Il est vrai que les spirituels rassemblés dans la *Philocalie* n'ignorent pas la demande mais il n'y a pour eux, au fond, qu'une prière. La psalmodie, c'est-à-dire toute prière vocale, la méditation : tout cela n'est qu'une trêve accordée à la faiblesse d'un esprit malaisé à fixer.

part, et de l'autre le repos, le silence des pensées et des mouvements, la quiétude (si le mot n'avait pris un renom fâcheux), la suspension qui rend l'âme et particulièrement l'esprit (" l'œil de l'âme ") et le cœur (" la racine des puissances ") disponibles pour une contemplation aussi ininterrompue qu'il est possible. Contemplation, on dirait aussi justement prière car c'est tout un. On s'explique que l'*hésychia*, comme la prière du cœur dont elle est à la fois le climat et l'émanation, en soit venue à embrasser toute la richesse de la mystique et de l'ascèse depuis l'insouciance, l'apathie, la nudité de l'esprit jusqu'à cette inconscience de soi dans la prière pure célébrée par Évagre et aussi l'inconnaissance qui en forme l'expérience suprême.

Les Pères du désert disaient " œuvre de Dieu ". Climaque, très évagrien quoi qu'il en ait, disait " l'activité de l'intellect " (degré 20), l' " activité inviolable du cœur ", la " prière du cœur " (degré 15) — nous y voilà ! et Hésychius de Batos, l' " activité cachée " (II, 53). Ne nous abusons pas : l'idée, plus exactement le complexe, se leste insensiblement de valeurs nouvelles et s'équilibre autrement, un peu comme le centre de gravité d'une masse dont les éléments subissent une redistribution. On y reviendra plus bas, à propos des thèmes qui ont présidé à cette évolution. Mieux vaut passer d'emblée à sa crise la plus voyante, qui se place, dans l'état actuel de nos connaissances, à la fin du XIIIe siècle. La prière du cœur découvre alors des aspects nouveaux. Elle s'impose avec une insistance qui n'a pas eu sa pareille depuis Hésychius et surtout elle s'accompagne d'une technique respiratoire jusque-là, faut-il dire inconnue ? en tout cas bien discrète.

La réforme part de l'Athos, alors en pleine décadence si l'on en croit les sources contemporaines, miné par les routines du cénobitisme et l'anarchie des moines indépendants (idiorythmes). Ses artisans paraissent être deux moines, l'obscur Nicéphore l'Hésychaste, et Grégoire le Sinaïte, défini par une œuvre plus variée et une biographie assez nourrie due à la plume d'un disciple, Calliste I. Leur influence serait peut-être demeurée contenue dans les limites des cercles monastiques. La controverse l'en fit sortir et peut-être s'imposa-t-elle surtout par la réaction qu'elle suscita dans la capitale. L'insurrection des théologiens scolastiques (Barlaam) ou laïcs (Grégoras) ne réussit qu'à cimenter l'unité du corps monastique et à lui recruter un redoutable défenseur, Grégoire Palamas.

Les trois principaux théoriciens — car il faut ajouter le pseudo-Syméon le Nouveau Théologien — s'accordent à préconiser une voie plus courte et plus facile de prière, d'*hésychie*, de retour au Royaume intérieur pour employer leurs expressions familières.

La méthode — ils insistent sur le caractère scientifique — ne se prétend pas inédite. Nicéphore invoque toute une tradition, il est vrai relative plutôt à la vie de prière solitaire en général. Elle comporte deux phases. Pour la commodité nous escamotons l'ensemble de dispositions qui précèdent et enveloppent l'usage de la méthode : foi, humilité, détachement, pensée de la mort, obéissance absolue au père, etc.

1. Une phase proprement psychotechnique caractérisée par une discipline respiratoire qui a pour objet de fixer l'attention et d'unifier les facultés. Le sujet « ramène son esprit dans son cœur », l' « unit à l'âme ». Variantes de formules classiques dont on retrouverait l'équivalent, par exemple dans Climaque, (« J'ai accoutumé de recueillir mes pensées et mon esprit avec mon âme », Degré 4) et bien avant lui. Le pseudo-Syméon appelle cela « garder son cœur par l'esprit » et Grégoire invite à « ramener l'esprit de la raison (entendez des opérations discursives) dans le cœur ».

Comment ? En synchronisant, nous dit-on, l'entrée de l'esprit dans le cœur avec l'inspiration de l'air que l'on ralentit et espace de manière à finir par lui commander entièrement. L'expiration équivaut, nous dit Grégoire le Sinaïte, à une certaine rémission et dissipation de l'attention.

L'exercice réclame certaines attitudes, hélas ! trop peu détaillées à notre gré. On s'accorde à recommander un lieu tranquille et solitaire, la position assise et les yeux clos. « Syméon » précise qu'on se calera le menton sur la poitrine et que l'on arrêtera son regard sur son nombril. Grégoire recommande un siège bas, l'attitude courbée et insiste sur la douleur qu'elle ne peut manquer de provoquer dans la nuque et les épaules.

Les deux premiers parlent équivalemment d'une exploration du cœur et des entrailles en des termes qui font penser aux méthodes des soufis dont on trouvera un spécimen suggestif à la fin de cette anthologie. Grégoire qui paraît avoir moins de penchant pour l'expression physiologique parle de se mettre en quête de l'*énergie* du cœur. Il aime le mot d'énergie qui désigne essentiellement pour lui l'activité divine dans l'âme humaine restaurée par le baptême et qu'il faut rejoindre et libérer ineffablement en en prenant conscience dans la prière.

Cette unification de l'esprit, pénible au début, produit peu à peu un sentiment de merveilleux bonheur et une expérience lumineuse de soi-même et de Dieu à travers soi-même (pseudo-Syméon).

2. Une phase d'ordre beaucoup plus élevé et quasi sacramentelle, l'invocation du nom de Jésus : « Seigneur Jésus-Christ, Fils de Dieu, ayez pitié de moi. » On observera qu'elle n'est jamais séparée de la première phase, même chez un Nicéphore ou un pseudo-Syméon qui paraissent reconnaître pourtant à la méthode respiratoire des effets indépendants et très caractéristiques, comme on vient de le voir. Ou bien la discipline respiratoire est ordonnée à la prière de Jésus qu'elle prépare en instaurant l'unité des puis-

sances, ou bien elle lui est simultanée et en forme comme le canevas psycho-physiologique.

Nicéphore et surtout “ Syméon ” paraissent amorcer d'abord l'exercice respiratoire de concentration et ne passer qu'ensuite à l'invocation mentale de Jésus. Grégoire le Sinaïte souligne davantage la simultanéité. Il admet une alternance des formules, réduite au minimum car on ne saurait trop redouter la détente de l'attention déjà entraînée par la simple expiration. D'autre part, l'invocation finit par devenir spontanée mais non pas mécanique : elle est directement opérée par Dieu ou, si l'on veut, par cette énergie du cœur enfin dégagée et libérée comme une source au terme d'un forage. Un bon demi-siècle plus tard Calliste et Ignace recommanderont d'introduire les mots en même temps que le souffle (voir plus bas nº 45). Évolution de la méthode ou simplement précision occasionnelle ? La seconde hypothèse semble la plus juste. Il ne faut pas oublier que la description des méthodes n'a jamais prétendu se substituer au maître. Les théoriciens sont d'accord pour récuser tout autodidactisme. Ils exigent absolument une soumission exacte à un *père* comme on l'exige ailleurs au *guru* ou au *cheikh*.

La technique respiratoire n'est d'ailleurs pas indispensable. Nicéphore prévoit qu'elle puisse échouer. On y suppléera alors par une invocation intérieure doublée d'une considération de moins en moins discursive des paroles.

Théolepte de Philadelphie qui appartient à la génération du renouveau hésychaste ne souffle mot de la technique respiratoire, peut-être parce que, directeur de moniales, il est tenu à plus de prudence. Chez lui, l'unification intérieure est poursuivie par une sorte de convergence des puissances : l'intellect adhère au souvenir de Dieu (sentiment simple de sa présence), la raison (la faculté du discours) parcourt les mots de l'invocation du Seigneur, qui est certainement la prière de Jésus, enfin le *pneuma* (cette sorte de sensibilité spirituelle émue par l'Esprit) se dénoue dans une expérience de componction et d'amour.

La divulgation de la technique respiratoire ainsi que des expériences lumineuses déchaîna la controverse. Après des retours de fortune liés dans une certaine mesure aux vicissitudes des partis politiques, l'Église orthodoxe canonisa le bon droit des hésychastes, sur le chef en particulier de la lumière et du rôle du cœur.

Barlaam le Calabrais, l'un des protagonistes de l'opposition félicite quelque part un moine Ignace de n' " avoir pas l'esprit réfugié dans une partie du corps ", délicate périphrase pour " omphalopsyques ", ceux qui ont l'âme ou qui mettent l'âme dans le nombril. Il raille " ces va-et-vient spirituels dans les narines conjugués avec ceux du souffle " (voir *Correspondance* de Barlaam éditée par G. Schiro dans l'*Archivio per la Calabria* et analysée dans les *Échos d'Orient*, vol. 37, 1938, p. 424 s.). Palamas réplique longuement en accumulant les témoignages de la théologie, de la métaphysique et de la physiologie en y ajoutant de très habiles considérations psychologiques que l'on pourra lire plus loin.

Les temps ont changé. Certes des théologiens aussi avertis que le P. I. Hausherr ou le P. Martin Jugie tenaient encore, il n'y a pas si longtemps des propos bien sévères pour ce que l'un d'eux, d'ordinaire plus modéré, a appelé formes de l' " humaine bêtise " (*La Méthode d'oraison hésychaste*, p. 146). Je ne pense pas qu'ils seraient aujourd'hui aussi tranchants. La méthode, trop aisément démonétisée à la faveur de certains détails physiologiques, de l'enthousiasme assez maladroit de tel de ses adeptes, d'expressions arrachées inconsciemment au contexte historique, commence aujourd'hui d'intéresser des cercles de plus en plus étendus. Elle s'impose toujours davantage à l'attention des psychologues, des historiens des religions et des théologiens.

On ne récuse pas un fait. La méthode est un fait beaucoup plus universel qu'on ne l'avait soupçonné. D'une recette obscure consignée dans des textes introuvables elle devient le cadre d'une expérience religieuse attestée dans les aires confessionnelles les plus diverses et pour des époques plus que proches de nous, contemporaines.

Il est vrai que l'Occident est moins riche à cet égard que d'autres contrées. Comment résister cependant à l'aubaine d'un texte comme celui de saint Ignace de Loyola sur la " troisième manière de prier par rythme " : " La troisième manière de prier consiste à chaque inspiration ou expiration à prier mentalement en prononçant chaque mot du *Pater Noster* ou de toute autre prière qu'on récitera en ne prononçant qu'un mot entre l'une et l'autre respiration et, dans l'intervalle de temps d'une respiration à l'autre, on s'attachera surtout à considérer soit le sens de ce mot, soit la personne à qui la prière s'adresse, soit sa propre bassesse, soit la distance qu'il y a entre une telle altesse et une telle bassesse " (cité d'après le P. M. Olphe-Galliard, s. j., in *Études carmélitaines*, " Technique et Contemplation ", Paris 1949, p. 74).

La méthode yogique du *japa* est trop connue pour qu'il y ait lieu d'y insister. On se reportera aux excellentes analyses de Mircea Éliade (*Yoga. Essai sur les origines de la mystique indienne*, Paris 1936, chapitre III, où l'on trouvera des rapprochements avec la méthode hésychaste , et *Techniques du Yoga*, Paris 1948) [1].

Plus saisissant encore le *dhikr* (ou zikr) des musulmans, très proche des méthodes hésychastes non seulement par son inspiration religieuse mais par tout son

1. Voir également Swâmi Siddheswarânanda : *La technique hindoue de la méditation*, in *Études carmélitaines*. " Technique et Contemplation " Paris, 1949, p. 17 s.

déroulement. On trouvera à la fin de ce volume un directoire détaillé du *dhikr* en regard duquel il y aura profit à placer nos textes hésychastes. Les dispositions préparatoires coïncident exactement; il faut en dire autant des attitudes requises, de la technique respiratoire. Certains détails à peine évoqués chez un pseudo-Syméon (exploration du cœur) s'y éclairent d'un jour cru qui en dégage bien le caractère profondément symbolique [1].

Citons pour finir la pratique bouddhique du *nembutsu.* Qu'elle admette ou non une technique respiratoire ou tout au moins rythmique — ce que nous ignorons — elle ressemble étrangement à la prière de Jésus telle qu'elle apparaît chez nos hésychastes. " La pratique du *nembutsu* (littéralement : *penser au Bouddha*) consiste particulièrement en la récitation d'une formule transcrite du sanscrit, et qui signifie : " adoration (ou salutation) au Bouddha de lumière infinie "... Au XIIe siècle, la prédication de Honen Shonin (1133-1212) la répandit dans de larges couches de la population japonaise; car Honen présentait cette pratique comme un moyen " facile " centré sur la seule répétition verbale, et dont le " fruit " était la dévotion effective au Bouddha et l'entrée dans la " Terre Pure ". (L. Gardet, *loc. cit.* p. 644, note 1.) La voie facile et sans sueurs de Nicéphore ! la découverte de l'énergie de Grégoire et l'entrée dans le royaume du dedans !

Les uns concluront à une circulation et à des emprunts. D'autres préféreront admettre une cristallisation spontanée et indépendante liée à certaines expériences religieuses. A vrai dire, il est difficile d'exclure des contacts notamment entre l'Islam et le christianisme. Quelque position que l'on adopte, un point est indéniable : c'est l'unité et l'homogénéité fondamentale des méthodes. Toutes visent à une intériorisation plus que noétique,

1. Cf. l'étude indispensable de Louis GARDET, *Un problème de mystique comparée...* in *Revue Thomiste*, 1952, p. 642 s.

strictement ontologique. On peut épiloguer sur la qualité mystique respective des différentes expressions du phénomène. Il n'empêche qu'il s'agit toujours du même phénomène.

Ce principe constitue, nous semble-t-il, plus qu'une hypothèse de travail : un point acquis. Cela veut dire que l'on devra nécessairement expliquer les diverses expressions dont on vient de parler les unes par les autres et d'abord pousser l'analyse de chacune individuellement. Les témoignages vécus seront précieux (mystiques russes du XIXe siècle, soufis contemporains, etc.), à condition de les dépouiller d'une conceptualisation inévitable qui tend à s'épaissir au fur et à mesure de l'évolution et aussi des nécessités de l'apologétique religieuse.

Dans le domaine qui nous concerne ici plus immédiatement il y aurait place pour une préhistoire chrétienne de la prière du cœur. Un " Moine de l'Église d'Orient " a écrit sur la *Prière de Jésus* — le noyau, on va le voir, de la prière du cœur sous sa forme définitive — un petit livre fervent et bien documenté [1]. Il constitue jusqu'ici le guide le plus complet et le plus accessible sur la question.

Mais l'on peut concevoir une histoire plus large qui embrasserait tous les thèmes qui ont peu à peu *intégré* la prière du cœur, notamment souvenir de Dieu, prière pure, *monologie* et prière de Jésus, notion du cœur, de la lumière et de l'expérience consciente du " surnaturel " (transcription assez inadéquate de l'énergie divine immanente à l'âme).

Le " souvenir de Dieu " est l'une des expressions les plus simples et les plus authentiques de la contemplation dans la tradition de l'Église d'Orient (on en dirait autant du soufisme). Les Pères du Désert n'ont d'autre ambition que de vivre avec lui. Il se confond pour eux avec la " prière ininterrompue " recommandée

1. Éditions de Chevetogne, 1951.

par saint Paul. Elle revêtira d'ailleurs des formes très diverses. Très simples parfois : l'abbé Lucius au désert n'arrête pas " tout en mouillant ses petites branches et en les tressant pour faire de la corde de dire : Ayez pitié de moi, ô Dieu, selon votre grande miséricorde... " Mais comme il lui faut tout de même un peu de sommeil et de nourriture, il fait l'aumône avec l'argent gagné : l'obligé prie pour lui et voilà sa manière de résoudre le plus difficile problème de la prière sans interruption (*P. G.* 65, 272*b*). Pour Barsanuphe et combien d'autres, le souvenir perpétuel de Dieu, c'est simplement une vie agréable à Dieu. Il se trouvera bien des Acémètes pour inaugurer un système de psalmodie perpétuelle par relais mais ils s'inscrivent trop en marge de la tradition hésychaste pour que nous nous y arrêtions. Le souvenir de Dieu se complique, chez Diadoque, avec sa mémoire originelle simple, éclatée à la suite du péché; Grégoire le Sinaïte reprendra la même idée dans son acrostiche. Avec le temps et sous l'influence — surtout mais non exclusivement — des Sinaïtes, le souvenir de Dieu deviendra la prière ininterrompue de Jésus, tellement fondue avec l'âme qu'elle se poursuit en profondeur dans le sommeil et reprend consciemment au réveil.

La prière de Jésus a absorbé le souvenir de Dieu. Elle absorbera de même la prière pure. Évagre n'a pas inventé la prière pure mais il lui a donné un cachet bien à lui. Aphraate, un mystique persan du IVe siècle, connaît la prière pure mais cette pureté est pour lui essentiellement d'ordre moral, elle est exclusion du péché. Pour Évagre l'intellectualiste, cela se complique. On sait que, pour lui, la prière est essentiellement contemplation, c'est-à-dire qu'elle est une fonction de l'intellect. L'intellect doit franchir plusieurs paliers de purification, se purifier des pensées mauvaises ou même légitimes, quitter la multiplicité qui caractérise la " psalmodie " et les contemplations inférieures (des êtres créés et des dispositions divines relatives aux créatures) pour atteindre la simplicité d'un " intellect-moine ", parfaitement solitaire, et voir Dieu, par ressemblance, en lui-même. C'est ce qu'il appelle atteindre le " lieu de Dieu ", d'une expression empruntée à l'Écriture et qui résume l'ensemble des dispositions de l'intellect rendu à sa nature et sa fonction originelles. L'intellect est alors dans la prière pure au sens rigoureux du mot. Comme on l'a remarqué, là où d'autres diraient " vivre selon Dieu " Évagre dit : " vivre selon l'intellect, l'esprit ".

Cette notion évagrienne laissera tomber pas mal de son intellectualisme au cours du temps mais on en reconnaît le vocabulaire à travers toute la tradition qui se rattache à lui ou tout au moins au courant qu'il a systématisé avec le plus de rigueur. Mais le concept de prière pure demeurera appliqué à une oraison dégagée au maximum de la multiplicité et des pensées étrangères, bonnes ou mauvaises (une expression qui revient sans cesse chez nos auteurs). C'est là que vient s'insérer cette technique de l'attention aux pensées, mère de sobriété, déjà au point chez les Pères du désert et qui s'exaspère chez un Hésychius et un pseudo-Syméon à un point jamais atteint. Elle ne fut pas étrangère sans doute à l'introduction de la méthode respiratoire.

La prière pure se confondra peu à peu avec la prière de Jésus sur laquelle on finira par reporter tous les effets attribués par d'autres à la prière. Une " échelle " attribuée par la *Philocalie* à certain Théophane débute ainsi :

Au commencement vient la prière souverainement pure
D'où procède une chaleur dans le cœur
Puis une étrange et sainte énergie,
Ensuite les divines larmes du cœur
Et la paix, qu'elles renferment, de toutes les pensées
D'où jaillit la purification de l'esprit

Et la contemplation des mystères divins.
Après elle, indiciblement, un embrasement
Et une illumination du cœur
Consommée à son tour par l'imparfaite perfection...

Les néo-hésychastes n'ont pas hésité à inscrire tous ces effets au compte de la prière de Jésus. Il n'est que de les lire même superficiellement pour s'en rendre compte.

Cette préoccupation d'attention et de simplification progressive de la contemplation-prière trouva très tôt expression dans une technique d'appels jaculatoires. Évagre, après Macaire, son maître, recommande dans la tentation une invocation brève et véhémente. Cassien qui a recueilli l'enseignement des maîtres du désert présente comme une sorte de secret transmis la répétition du " Mon Dieu, venez à mon aide... ". Lucius pratiquait la répétition d'une formule analogue. C'est une première forme de la fameuse *monologie* (la prière d'une seule pensée ou d'une seule parole). L'expression se présente au moins trois fois chez Marc l'ermite où elle ne s'applique jamais à la prière mais une fois à l'espérance, c'est-à-dire à un contexte très voisin. On la retrouve chez Jean Climaque et plus tard Élie l'Ecdicos. Il est sûr qu'elle ne se confondit pas tout de suite avec l'invocation de Jésus.

Il est impossible de dire si cette pratique était associée à une discipline du souffle ou tout au moins à un certain rythme. Ce qui est sûr, c'est qu'elle fut évincée par la prière de Jésus, non sans subir en même temps un gauchissement d'ailleurs fructueux.

L'invocation de Jésus comme moyen d'entretenir le souvenir de Dieu et comme expression naturelle de ce souvenir lui-même tient une grande place dans la Centurie de Diadoque de Photicé au milieu du ve siècle. Elle a pu affecter diverses formes. Une forme brève telle que " Seigneur Jésus ! ", un libellé étendu : " Seigneur Jésus, Fils de Dieu, ayez pitié de moi ! "

Les deux pourraient être sensiblement anciens si l'on songe à l'origine évangélique de la formule, aux allusions qui y sont faites chez un Marc l'ermite et aux textes parallèles très tôt invoqués tels que la prière du Publicain : " Dieu, ayez pitié de moi pécheur ! " (Cf. Évagre, Jean Climaque, etc.)

L'invocation du Nom de Jésus dut éclipser très vite ses pairs. Le prestige du Nom dans la tradition scripturaire, son caractère on peut dire sacramentel, toujours mobilisable à condition d'apporter à son invocation l'humilité et la foi voulues, le sentiment même de plus en plus vif de Jésus (au désert déjà mais surtout à partir des Sinaïtes) y durent puissamment contribuer. Jean Climaque est très explicite sur cette invocation mais que dire d'Hésychius dont nous avons dû renoncer à transcrire tous les textes !

La prière de Jésus toujours très précieuse pour chasser les pensées mauvaises ou étrangères, pour fixer l'attention — deux effets qu'elle partage avec les formules concurrentes — a, en outre, pour résultat d'introduire Jésus dans le cœur ou en tout cas de l'y révéler (au sens photographique du mot), ce qui est plus conforme à l'esprit de la mystique et de la théologie orientales, grâce naturellement à la synergie du secours divin et de l'effort humain. Il suffit de lire Hésychius pour constater qu'il n'est rien de moins paresseux que la prière de Jésus.

Trait à noter. On a remarqué que Jésus prend chez les Sinaïtes une *présence* qu'on ne lui trouve pas toujours dans le reste de la tradition (exception faite d'Origène et de certains Pères du Désert). Il faut ajouter que Jésus est toujours senti et envisagé comme le Créateur, comme Dieu. Hésychius est décisif là-dessus. Il n'y a pas de confusion possible avec certaines formes d'attendrissement, d'essence plus humaine et moins austère, frappantes par exemple chez un saint Bernard.

On relèverait le même trait chez le mystérieux abbé

Isaïe (début du XIIIe siècle) qui ne fait d'ailleurs que répercuter une tradition, car rarement on vit pareil manque d'originalité au sens courant du mot. Le personnage pourtant ne laisse pas d'être curieux à d'autres égards. N'a-t-il pas composé tout un " Métérikon " à l'usage d'une dirigée, compilé en démarquant les apophthegmes et tout ce qu'il trouvait sur son chemin. Et ce qui est moins banal : il féminise tous les auteurs qu'il cite et d'autre part ne manque pas une occasion de substituer à telle ou telle expression la mention de la prière de Jésus. On mesure la sorte d'exaspération atteinte à l'époque par cette pratique, tout au moins dans certains milieux. En revanche, aucune trace probante d'une discipline du souffle, bien que nous ne soyons plus qu'à un demi-siècle de Nicéphore l'Hagiorite [1].

La prière continue et pure est bien désormais la prière de Jésus avec ses deux aspects d'invocation et d'attention (tous deux rigoureusement définis par Hésychius) qui passeront dans le néo-hésychasme à peine affectés par la technique respiratoire.

La prière du cœur a assimilé encore toute une tradition sur le cœur dont on se fera une idée en lisant nos extraits du pseudo-Macaire, de Diadoque, d'Isaac de Ninive. Avec le temps se développera une imagerie du cœur qui n'a peut-être pas le relief de celle des *Homélies spirituelles*; elle marquera fortement les Sinaïtes et les néo-hésychastes de l'Athos. Là où Évagre écrivait lieu de l'*esprit*, on dira lieu du *cœur*, on parlera du " firmament du cœur ", de " l'air du cœur ". Nicéphore esquissera même une théorie physiologique. Il y a certainement là un danger de matérialisation, qui fut d'ailleurs probablement conjuré par le symbolisme dont le texte soufi annexé à cette anthologie donnera un exemple. Quoi qu'il en soit, toute cette topographie

1. Sur Isaïe, voir J. GOUILLARD, *Échos d'Orient*, vol. 38, 72 s. et l'article du P. I. HAUSHERR écrit simultanément mais indépendamment dans les *Orientalia Christiana Periodica*, vol. XII, 1946, 286-301.

demeure relative. Le sourcier peut avoir un sens indéniable de l'eau et par ailleurs s'égarer quand il se mêle d'échafauder une théorie physique de ce sens. Il se passe quelque chose d'analogue ici [1].

L'expérience lumineuse attachée par le pseudo-Syméon à sa méthode appartient à un contexte très ancien. Elle culmine chez un Syméon le Nouveau Théologien, en rapport notamment avec la prière de Jésus. On y reconnaîtrait difficilement l'interprétation, tellement plus abstraite d'Évagre, pour qui l'intellect a trois lumières : la connaissance de la Trinité, la gnose des créatures, l'intelligence de la Providence (*Antirrheticus*, I, 74, Frankenberg 113). Non qu'elle en soit une simple dégradation. Il s'agit plutôt d'une dérivation très ancienne, d'un doublet moins intellectualiste.

La recherche indéniable de l'expérience immédiate dans la méthode est encore un très vieil héritage. Le sentiment de plénitude et de certitude (*plêrophoria*) si vigoureusement affirmé par un Macaire et un Diadoque hantera toute une partie de la tradition mystique de Byzance. En particulier Syméon le Nouveau Théologien, pour qui il n'est d'habitation du Saint-Esprit dans l'âme que consciente, et Grégoire le Sinaïte qui rabat un peu de cette intransigeance mais qui en tient.

Nous n'avons rien dit de la méthode respiratoire. C'est qu'il est impossible prudemment de rien trancher. Le fameux texte de Climaque sur l'adhérence du nom de Jésus au souffle n'est pas décisif. L'auteur de l'*Échelle* conseille en même temps d'y unir la pensée de la mort. L'image employée n'a donc peut-être d'autre intention que de faire ressortir la nécessité d'une prière continue. Il n'est pas *prouvé* que la méthode en question remonte pour l'Athos au-delà de 1270 environ.

Ces quelques notations sont loin de cerner comme il

1. On consultera de A. GUILLAUMONT, *Les sens du nom du cœur dans l'Antiquité* in *Études Carm.* " Le Cœur " 41 s. et l'article " Cœur " du *Dict. de Spiritualité*.

faudrait le problème de la prière du cœur sous la forme que celle-ci devait prendre et conserver, à la suite de l'impulsion de l'hésychasme sinaïte surtout. On se reportera utilement aux quelques études signalées dans la " Bibliographie générale. " La prière du cœur appartient au présent, elle continue d'avoir et de recruter des adeptes. Les textes qui suivent n'ont d'autre objet que de situer et de présenter ce qui appartient à l'histoire. On les a présentés pour eux-mêmes, comme des faits, sans la moindre intention de convertir ou de démontrer, mais en même temps avec l'intérêt et le respect que méritent à ces formes de prière ceux qui les ont vécues. Bref, on a essayé de rendre un témoignage de bonne foi à des témoins de bonne foi [1].

J. G.

1. A suivre notre ordre chronologique, certains lecteurs risqueraient d'être déroutés par le côté fragmentaire des textes, parfois apparemment étrangers à la prière du cœur. Ils auront profit à commencer leur lecture par la deuxième partie, c'est-à-dire par Nicéphore le Solitaire.

Petite Philocalie de la prière du cœur

1. Les Pères du désert

La Philocalie *a accueilli, outre les " Exhortations " du pseudo-Antoine, le récit " très utile " d'un abbé Philémon que l'on chercherait vainement dans les chroniques du désert. Le document porte des signes de fabrication et paraît se situer entre l'âge des grands Sinaïtes et la renaissance hésychaste du XIVe siècle. Imaginé pour rebausser l'*hésychie *et la prière de Jésus, il est par ailleurs négligeable. Le* Thesaurus *du Père Poussines (Toulouse 1684), qui dérive d'une sorte de* Philocalie *avant la lettre, produit d'autres pièces inspirées de la même* pia fraus, *notamment une lettre du pseudo-Chrysostome sur la prière de Jésus* (P. G. *60, 751 s.*) *et divers apophthegmes.*

Pour ne pas trahir l'esprit de la Philocalie *sans non plus trop défier l'histoire, nous avons simplement glané dans la collection Cotelier* (P. G., *65, 71 s.*) *quelques apophthegmes traduisant assez fidèlement l'inspiration du désert et amorçant les thèmes de la future prière du cœur: solitude intérieure et extérieure, sobriété et vigilance, prière incessante, place de Jésus... On y a joint quelques textes qui accompagnent, dans la* P. G. *40, 1275, les* Huit pensées mauvaises *d'Évagre. Plusieurs, dont l'antiquité est certaine, se retrouvent chez différents auteurs de la* Philocalie. *Deux apophthegmes pseudépigraphes de la collection Poussines ferment cette courte liste.*

APOPHTHEGMES

L'abbé Bessarion mourant dit : " Le moine doit, comme les chérubins et les séraphins, n'être qu'œil " (11) [1].

1. Ce chiffre indiquera chaque fois le numéro de l'apophthegme. Dans le cas où un père n'est représenté que par un seul apophthegme, il indiquera la colonne de la P. G. 65.

L'abbé Doulas dit : “ Lorsque l'ennemi nous presse de quitter la solitude (*hésychia*), ne l'écoutons pas. Rien ne vaut l'alliance de la solitude et de la faim pour lutter contre lui. Elle procure une vue perçante aux yeux intérieurs ” (1).

(Entendu par Épiphane) : “ Le vrai moine doit avoir sans cesse au cœur la prière et la psalmodie ” (164 *c*).

Évagre dit encore : “ Retranche les nombreuses relations, si tu ne veux pas que ton esprit divague et trouble ta solitude (*hésychia*) ” (173 *d*).

Élie dit : “ Les hommes ont l'esprit ou bien à leurs fautes, ou bien à Jésus, ou bien aux hommes ” (5).

Théonas dit : “ C'est parce que notre esprit néglige la considération de Dieu que nous tombons dans la captivité des passions de la chair ” (197 *c*).

Jean Colobos a dit : “ La prison (jeu de mots : le grec a le même terme pour garde et prison), c'est se tenir assis dans sa cellule et se remémorer (peut-être aussi de remémorer) Dieu sans cesse. C'est le : “ J'étais en prison et vous m'avez visité ” (27).

Cronios dit : “ Que l'âme pratique la sobriété, se retire de la distraction et renonce à ses volontés; alors l'Esprit de Dieu s'approchera d'elle ” (1).

Poemen dit : “ Le principe de tous les maux, c'est la distraction ” (43).

Poemen dit encore : “ Nous avons besoin d'une seule et unique chose : une âme sobre ” (135).

EN MARGE DES “ HUIT PENSÉES ” D'ÉVAGRE

Cinq œuvres contribuent à nous procurer la bienveillance divine : la prière pure, le chant des psaumes, la lecture des divins oracles de l'Esprit, le souvenir — uni à la peine de l'esprit — de ses péchés, de la mort, du grand Jugement, le travail des mains [1].

1. Comparer Climaque, 20, P. G. 88, 940 et surtout Calliste et Ignace, nº 45, cités plus bas.

Si vous voulez, étant dans un corps, rendre à Dieu le culte d'une créature incorporelle, entretenez en secret dans votre cœur une prière ininterrompue. Et votre âme deviendra, avant même la mort, l'égale des anges [1].

Notre corps privé de son âme est mort et puant : ainsi, l'âme indolente à la prière est morte, misérable et puante. Que nous devions tenir la privation de la prière pour plus cruelle que la mort même, le prophète Daniel nous l'apprend admirablement qui aima mieux mourir que d'être, un seul instant, privé de la prière [2].

A chacune de vos respirations ajoutez la sobriété de l'esprit et le Nom de Jésus, la méditation de la mort et l'humilité. Ces deux pratiques sont d'une extrême utilité pour l'âme [3].

Parlez de Dieu plus souvent que vous ne prenez votre nourriture; appliquez-vous à penser à Dieu plus souvent que vous ne respirez.

Il faut se souvenir de Dieu plus souvent qu'on ne respire [4].

APOPHTHEGMES PSEUDÉPIGRAPHES

De Silvain. Un frère demandait à un ancien : " Quelle sorte de pensées dois-je avoir au cœur ? " L'ancien lui répondit : " Tout ce que peut penser l'homme, du ciel jusqu'à la terre, est vanité. Celui qui persévère dans le souvenir de Jésus, celui-là est dans la vérité. " Le frère lui dit : " Et comment acquérir Jésus ? " Il répondit : " Le labeur de l'humilité et la prière ininterrompue

1. Attribué à Jean Colobos dans le recueil de Poussines. Comparer avec Évagre, *De la prière*, 113.
2. Cité par Calliste et Ignace, n° 29.
3. Se retrouve chez Climaque, 15 P. G. 88, 889 *cd* et plus bas ainsi que chez Hésychius II, 87.
4. Figure chez Grégoire de Nazianze, *Or.* 37, 4 P. G. 36, 16 *c*.

acquièrent Jésus. Tous les saints, du commencement jusqu'à la fin, ont dû leur salut à ces moyens... »

De Poemen. Un ancien a dit : « Lutte pour que ton esprit soit illuminé de Dieu, ton âme sanctifiée, ton corps purifié, pour qu'enfin tu deviennes simple de l'unité toute simple de la Trinité. Que l'homme devienne, de charnel tout entier spirituel, les deux se transformant par une résolution ferme dans le troisième et premier, l'esprit [1]. »

1. Poussines, *op. cit.*, p. 231, 252. De cette deuxième pensée on trouvera des échos à travers toute la tradition, d'Évagre à Palamas en passant par Élie l'Ecdicos et Grégoire le Sinaïte. Les références sont superflues.

2. *Évagre le Pontique*

(† 399)

Originaire de Cappadoce, disciple de saint Grégoire de Nazianze, passa les seize dernières années de sa vie en Égypte comme anachorète.

Héritier des grands Alexandrins, Clément et Origène, il a monnayé, sous la forme nouvelle de la centurie spirituelle, les principes d'une mystique résolument intellectualiste. L'ascension spirituelle consiste à réintégrer l'âme dans la " contemplation première ", où elle verra Dieu en elle-même comme dans un miroir. Chemin faisant, l'esprit — le noûs *— aura à se dépouiller des pensées passionnées, puis des pensées simples elles-mêmes, jusqu'à nudité complète d'images, de concepts et de formes. La contemplation première sera alors réalisée et, avec elle, la prière parfaitement pure, qui n'en est qu'un autre nom.*

Évagre commande l'un des grands courants de la spiritualité byzantine. Jean Climaque, Maxime le Confesseur, Syméon le Nouveau Théologien, les Hésychastes tiennent de lui. Impliqué dans la condamnation de l'origénisme (en 553), on répugne à le nommer, mais il perce partout : on le pille ou on le démarque, quitte à l'anathématiser au passage, comme Jean Climaque par exemple.

La Philocalie *— en laissant de côté l'assez laborieux et parfois puéril " Évagre du pauvre " signé Théodore d'Édesse — produit quatre textes du Pontique : l'*Esquisse de la vie monastique (P. G. *40, 1251 s.*), *le* Discernement des passions et des pensées (P. G. *79, 1199 s.*), Glanes parmi les chapitres sur la sobriété (P. G. *40,* Capita pract. *passim*) *et enfin, sous le nom de Nil, le* Traité de la prière (P. G. *79, 1165-1200*), *auquel nous nous bor-*

nerons ici, en serrant étroitement la précieuse interprétation du P. I. Hausherr[1] *qui constitue un " Évagre commenté par lui-même ".*

Sans parler de la prière du cœur, Évagre détache avec insistance un certain nombre de traits que l'on retrouve de bout en bout de la tradition : garde du cœur, dépouillement de l'esprit ; simplification de la prière ; illusions : images, formes, etc.

2. La purification de l'âme par la plénitude des vertus rend l'attitude de l'intelligence[2] inébranlable et apte à recevoir l'état cherché.

3. La prière est une conversation de l'intelligence avec Dieu : quel état ne lui est donc pas nécessaire pour se tendre sans retour en arrière, aller à son Seigneur et converser avec lui sans aucun intermédiaire ?

4. Moïse, lorsqu'il voulut s'approcher du buisson ardent, en fut empêché jusqu'à ce qu'il eût ôté ses chaussures : comment toi qui prétends voir Celui qui surpasse toute pensée et tout sentiment, ne te dégages-tu pas de toute pensée passionnée ?

5. Prie d'abord pour obtenir le don des larmes afin d'attendrir par la componction la dureté inhérente à ton âme et, en confessant contre toi ton iniquité au Seigneur, obtenir de lui ton pardon.

9. Tiens-toi vaillamment et prie énergiquement; écarte les préoccupations et les réflexions qui se présentent, car elles te troublent et t'agitent pour énerver ta vigueur.

10. Les démons te voient-ils plein d'ardeur pour la vraie prière ? Ils te suggèrent la pensée de certaines

1. *Les Leçons d'un comtemplatif. Le Traité de l'oraison d'Evagre le Pontique*, Paris, 1960.

2. L'intelligence, le *noûs*, qui reviendra constament dans ce traité et tout au long de notre recueil, c'est essentiellement l'intellect dans son exercice intuitif, étranger au *discours*.

choses qu'ils te représentent comme nécessaires. Puis ils ne tardent pas à exaspérer le souvenir qui s'y attache, en portant l'intelligence à les rechercher. L'intelligence ne les trouve pas et elle s'attriste vivement et se chagrine. Venu le temps de la prière, ils lui remettent alors en mémoire les objets de ses recherches et de ses souvenirs afin qu'amollie par ces associations, elle manque la prière fructueuse.

11. Efforce-toi de tenir ton intellect, pendant la prière, sourd et muet : ainsi tu pourras prier.

14. La prière est un rejeton de la douceur et de l'absence de colère.

15. La prière est un fruit de la joie et de la reconnaissance.

16. La prière est exclusion de la tristesse et du découragement.

17. « Va, vends tout ce que tu as et donne-le aux pauvres, et puis prends ta croix, renie-toi toi-même » afin de pouvoir prier sans distraction.

18. Si tu veux prier dignement, renonce-toi à tout instant; si tu endures toutes sortes d'épreuves, prends-en sagement ton parti pour l'amour de la prière.

19. De toute peine acceptée avec sagesse tu trouveras le fruit à l'heure de la prière.

20. Si tu veux prier comme il faut, n'attriste aucune âme; sinon, tu cours en vain.

21. ... La rancune aveugle la faculté maîtresse de celui qui prie et répand les ténèbres sur ses prières.

27. Armé contre la colère, tu n'admettras jamais de convoitise, car c'est la convoitise qui alimente la colère, laquelle à son tour trouble l'œil de l'intelligence et saccage ainsi l'état de prière.

28. Ne te contente pas de prier dans les attitudes extérieures mais porte ton intelligence au sentiment de la prière spirituelle avec grande crainte.

31. Ne prie pas pour que tes volontés s'accomplissent : elles ne concordent pas nécessairement avec la volonté de Dieu. Prie plutôt, suivant l'enseigne-

ment reçu, en disant : " que votre volonté s'accomplisse en moi "; en toute chose, demande-lui que sa volonté se fasse; car Lui, Il veut le bien et l'avantage de ton âme, alors que toi, tu ne cherches pas nécessairement cela.

33. Qu'est-il de bon hors Dieu ? Quittons-lui donc tous nos intérêts et nous nous en trouverons bien. Celui qui est Bon est aussi, nécessairement, le Dispensateur de dons excellents.

34. Ne t'afflige pas quand tu ne reçois pas tout de suite de Dieu l'objet de ta demande : c'est qu'il veut te faire plus de bien encore par ta persévérance à demeurer avec Lui dans la prière. Quoi de plus sublime, en effet, que de s'entretenir avec Dieu et de s'abstraire dans un intime commerce avec Lui ?

34 *a*. La prière sans distraction est l'intellection la plus haute de l'intelligence.

35. La prière est une ascension de l'intelligence vers Dieu.

37. Prie premièrement pour être purifié des passions, deuxièmement pour être délivré de l'ignorance, troisièmement pour être délivré de toute tentation et déréliction.

38. Dans ta prière cherche uniquement la justice et le royaume c'est-à-dire la vertu et la gnose, et tout le reste te sera donné en plus (*Mt*. 6, 33) [1].

40. Que tu pries avec des frères ou bien seul, efforce-toi de prier non par habitude, mais avec sentiment.

43. Ton intelligence divague-t-elle pendant la prière ? c'est qu'elle ne prie pas encore en moine [2], qu'elle est encore du monde et occupée à décorer la tente extérieure.

44. Tandis que tu pries, veille fortement sur ta

1. On reconnaît dans ces deux derniers chapitres la division classique : vie active, gnose, contemplation supérieure.

2. Dans le dénuement total des pensées.

mémoire afin qu'au lieu de te suggérer ses souvenirs, elle te porte à la conscience de ton exercice, car l'intelligence a une dangereuse tendance à se laisser saccager par la mémoire au temps de la prière.

50. Qu'ont en vue les démons lorsqu'ils excitent en nous la gourmandise, l'impureté, la convoitise, la colère, la rancune et les autres passions ? Ils veulent que notre intelligence, épaissie par elles, ne puisse prier comme il faut, car les passions de la partie irrationnelle, prenant le dessus, l'empêchent de se mouvoir suivant la [illegible]on (suivant les *raisons* des êtres en tant qu'objet de contemplation) pour chercher à atteindre la Raison (le Logos : le Verbe) de Dieu.

51. Nous allons aux vertus (premier degré : vie active) en vue des *raisons* des êtres créés (deuxième degré : contemplation inférieure), à celles-ci en vue du Seigneur qui les a établies (troisième degré : théologie); quant au Seigneur, Il a coutume d'apparaître dans l'état de prière.

52. L'état de prière est un habitus impassible qui, par un amour suprême, ravit sur les cimes intellectuelles l'intelligence éprise de sagesse [1].

54. Celui qui aime Dieu converse sans cesse avec lui comme avec un Père, en se dépouillant de toute pensée passionnée.

55. Ce n'est pas parce qu'on aura atteint l'*apatheia* que l'on priera vraiment, car on peut en rester aux pensées simples (c'est-à-dire décantées d'attachement sensible) et se distraire dans leur méditation, et donc être loin de Dieu.

56. Mettons que l'intelligence ne s'attarde pas dans les pensées simples, elle n'a pas pour cela atteint le

1. Impassible : a-pathique. Évagre définit ailleurs l'*apatheia* : " Un état paisible de l'âme raisonnable qui résulte de l'humilité et de la tempérance ", les antidotes respectifs des passions de la colère et de la convoitise. Du même Évagre : " La prière est un état de l'intellect, destructeur de toutes les pensées terrestres. "

lieu de la prière [1], car elle peut se trouver dans la contemplation des objets et vaquer à leurs raisons; or ces raisons, tout en étant des expressions simples, impriment, en leur qualité de considérations d'objets, une forme dans l'intelligence et l'éloignent beaucoup de Dieu.

57. Mettons que l'intelligence s'élève au-dessus de la contemplation de la nature corporelle, elle n'a pas encore la vue parfaite du lieu de Dieu, car elle peut se trouver dans la science des intelligibles et partager leur multiplicité.

59. Celui qui prie en esprit et en vérité ne tire plus des créatures les louanges qu'il donne au Créateur : c'est de Dieu même qu'il loue Dieu.

60. Si tu es théologien, tu prieras vraiment, et si tu pries vraiment, tu es théologien [2].

61. Lorsque ton intelligence, dans un ardent amour de Dieu, sort peu à peu pour ainsi dire de ta chair, qu'elle rejette toutes les pensées qui viennent des sens, de la mémoire ou du tempérament, qu'elle se remplit en même temps de respect et de joie, alors tu peux t'estimer proche des confins de la prière.

66. Ne te figure pas la divinité en toi lorsque tu pries, ni ne laisse ton intelligence accepter l'empreinte d'une forme quelconque; tiens-toi en immatériel devant l'Immatériel et tu comprendras.

1. " Lieu de la prière "; plus bas " lieu de Dieu ". Hésychius et tout l'hésychasme parleront du " lieu du cœur ". Rapprochement à ne pas perdre de vue, si l'on ne veut pas s'égarer dans certaines exégèses physiologiques du " lieu du cœur ". Le " lieu de Dieu ", le " lieu de la prière ", c'est essentiellement la condition d'un intellect parfaitement purifié des passions et des pensées et en état de se voir lui-même et Dieu en même temps ou du même coup. Cf. Évagre : " Lorsque l'intellect aura déposé le vieil homme et que la grâce l'aura revêtu de l'homme nouveau, il verra son état, au temps de la prière, pareil à un saphir et à la couleur du ciel. C'est ce que les Anciens auxquels il se manifesta sur la montagne ont appelé le " lieu de Dieu ". Cf. *Exode* 24, 10. (Ce texte est emprunté à la *Philocalie*.)

2. Théologien : celui qui, s'étant purifié et ayant dépassé les " contemplations des êtres ", contemple Dieu.

67. Prends garde aux pièges des adversaires : il arrive, tandis que tu pries purement et sans trouble, que se présente tout à coup à toi une forme inconnue et étrangère pour t'entraîner à la présomption d'y localiser Dieu et te faire prendre pour la Divinité l'objet quantitatif soudainement apparu à tes yeux; or, la Divinité n'a quantité ni figure.

68. Lorsque le démon jaloux échoue à ébranler la mémoire pendant la prière, il fait violence à la complexion du corps pour éveiller dans l'intelligence quelque phantasme inconnu et ainsi lui donner forme. L'intelligence, accoutumée à en rester à des concepts, est alors facilement subjuguée; celle qui tendait à la gnose immatérielle et sans forme se laisse abuser et prend de la fumée pour de la lumière.

69. Tiens-toi sur tes gardes, en gardant ton intelligence de tout concept au temps de la prière, pour qu'elle soit ferme dans sa tranquillité propre (de sa nature originelle). Alors Celui qui compatit aux ignorants viendra aussi sur toi et tu recevras un don de prière très glorieux.

70. Tu ne saurais posséder la prière pure si tu es embarrassé de choses matérielles et agité de soucis continuels, car la prière est démission des pensées.

71. Impossible de courir entravé. L'intelligence soumise aux passions ne saurait davantage voir le lieu de la prière spirituelle, car elle est tiraillée de tous côtés par la pensée passionnée et n'arrive pas à se tenir inflexible.

80. Si tu pries vraiment, tu connaîtras une grande assurance, les anges t'escorteront comme Daniel et t'illumineront sur les raisons des êtres.

83. La psalmodie terrasse les passions et apaise l'intempérance du corps; la prière fait exercer à l'intelligence son activité propre.

84. La prière est l'activité qui sied à la dignité de l'Intelligence; elle est l'usage le plus excellent et le plus complet de celle-ci.

85. La psalmodie relève de la sagesse multiforme; la prière est le prélude de la gnose immatérielle et uniforme.

87. Si tu n'as pas encore reçu le charisme de la prière et de la psalmodie, obstine-toi : tu recevras.

98. Lors des tentations de cette espèce, recours à une prière brève et véhémente.

101. Le corps a le pain pour nourriture, l'âme a la vertu, l'intelligence a la prière spirituelle.

105. N'écoute pas les exigences de ton corps dans l'exercice de la prière; ne laisse pas une morsure de pou, de puce, de moustique ou de mouche te priver du meilleur avantage de la prière.

109. Au sujet d'un autre frère spirituel nous avons lu qu'une vipère l'attaqua au pied durant sa prière. Mais il ne ramena pas ses bras avant d'avoir achevé sa prière accoutumée, et il s'en tira sans mal, parce qu'il avait aimé Dieu plus que lui-même.

110. Tiens les yeux sans les lever durant ta prière; renie la chair et l'âme et vis selon l'intelligence.

112. Un autre saint, plein d'amour de Dieu et de zèle pour la prière, rencontra, tandis qu'il allait dans le désert, deux anges qui l'encadrèrent et firent route avec lui. Mais il ne leur accorda aucune attention pour ne pas perdre le meilleur. Car il se rappelait le mot de l'apôtre : " Ni anges, ni principautés, ni puissances ne pourront nous séparer de la charité du Christ " (*Rom.* 8, 38).

114. Tu aspires à voir la face du Père qui est aux cieux : ne cherche pour rien au monde à percevoir une forme ou une figure au temps de la prière.

117. Heureux l'esprit dégagé de toute forme au temps de la prière.

119. Bienheureuse l'intelligence qui, au temps de la prière, devient immatérielle et dénuée de tout.

126. Celui-là porte la prière à sa perfection qui ne cesse de faire fructifier pour Dieu toute son intellection première (celle de l'état originel).

149. L'attention en quête de prière trouvera la prière, car si l'oraison suit quelque chose, c'est bien l'attention. Appliquons-nous-y.

150. La vue est le meilleur de tous les sens; la prière est la plus divine de toutes les vertus.

151. L'excellence de la prière ne réside pas dans la simple quantité mais dans la qualité. Témoin les deux qui montèrent au temple (*Luc* 18, 10 s.) et la parole : " Dans vos prières, ne multipliez pas les paroles " (*Mt.* 6, 7).

152. Tant que tu as encore de l'attention pour ce qui relève du corps, tant que ton intelligence tient compte des agréments extérieurs, tu n'as pas encore vu le lieu de la prière : tu es même loin de la voie bénie qui y conduit.

153. Car c'est lorsque tu seras parvenu, dans ta prière, au-dessus de toute autre joie qu'enfin, en toute vérité, tu auras trouvé la prière.

3. Macariana

Macaire le Grand (mort vers 390), organisateur de la vie monastique à Scété et maître d'Évagre, parraine une œuvre volumineuse dont deux ou trois pages peuvent, au meilleur des cas, se réclamer de lui. Le compilateur de la Philocalie lui a emprunté 150 chapitres sur la perfection dans l'Esprit paraphrasés par Syméon le Métaphraste. Il s'agit, en fait, d'une anthologie assez fidèle glanée dans les 50 Homélies spirituelles que la critique attribue désormais à un auteur messalien ou messalianisant du début du Ve siècle qui paraît être Syméon de Mésopotamie. Il existe enfin un cycle copte de Macaire que n'eût pas manqué d'exploiter Macaire de Corinthe, s'il l'eût connu.

Les trois traditions ont leur place ici. Un apophtegme vraisemblablement authentique ébauche la prière monologique. Les Homélies spirituelles, suspectes à l'orthodoxie en raison de leur leitmotiv de la coexistence, dans l'âme, de la grâce et du péché (messalianisme), appartiennent par bien des côtés à la tradition de la prière du cœur : prépondérance de l'attention et de la prière, dépouillement de l'esprit, conscience du surnaturel (la fameuse plérophoria, ce sentiment de plénitude et de certitude qui sillonne tout un courant de la spiritualité byzantine), et surtout, peut-être, place du cœur et de l'expérience lumineuse. Le pseudo-Macaire manque de comparaisons pour illustrer la réalité du cœur : le cœur est un monde, suivant un thème éloquemment développé par Origène dans ses Homélies sur Luc, XXI[1]; un cirque, un

1. Cf. Fr. Bertrand, *Mystique de Jésus chez Origène*. Paris, 1951, p. 103-104.

attelage, un paysage de brouillard où l'on ne voit pas à deux pas, une cabane enfumée etc. Cette préoccupation annonce nettement la notion transphysiologique que la prière du cœur chrétienne partage avec des méthodes de même inspiration.

Enfin le cycle copte (Amélineau, Annales du Musée Guimet, XXV, *1894) vient exalter la prière de Jésus liée au souffle en des termes qui surprennent. Le recueil des* Vertus de St Macaire *est nettement composite. Il partage certains éléments avec les* Homélies. *Quelle est la chronologie des autres ? Il est bien malaisé d'y répondre. Quoi qu'il en soit, le témoignage a sa valeur. Nous avons suivi rigoureusement la traduction, sans doute littérale mais assurément décevante, d'Amélineau.*

MACAIRE DE SCÉTÉ ET LA MONOLOGIE

On demandait à l'abba Macaire : Comment doit-on prier ? L'ancien répondit : Point n'est besoin de se perdre en paroles; il suffit d'étendre les mains et de dire : " Seigneur, comme il vous plaît et comme vous savez, ayez pitié. " Si le combat vous presse dites : " Seigneur, au secours ! " Il sait ce qui vous convient, et il aura pitié de vous. (*P. G.* 34, 249 *a.*)

PSEUDO-MACAIRE

L'âme se détourne des divagations mauvaises en gardant le cœur pour empêcher ses membres, les pensées, de divaguer par le monde. (*Hom.* 4. *P. G.* 34, 473 *d.*)

La base véritable de la prière, la voici : être attentif à ses pensées et se livrer à la prière dans une grande tranquillité et paix de manière à ne pas choquer ceux du dehors... L'homme devra donc porter le combat sur ses pensées, tailler dans la masse des pensées mauvaises qui le cernent, se pousser vers Dieu, ne pas faire les volontés de ses pensées mais, au contraire, les ramener de leur dispersion, en triant les pensées naturelles d'avec les mauvaises. L'âme sous le péché va comme à travers un fleuve envahi par les roseaux ou des fourrés d'arbustes et de ronces. Celui qui veut les franchir doit étendre les mains et, péniblement, écarter de force l'obstacle qui l'emprisonne. Ainsi les pensées de la puissance ennemie enveloppent l'âme de leur gangue. Il faut un grand zèle et une extrême attention d'esprit pour discerner les pensées intruses de la puissance ennemie. (*Hom.* 6, 520*b*.)

L'esprit est-il une chose et l'âme une autre ? Le corps a différents membres, on dit pourtant : un homme. De même, l'âme a plusieurs membres : l'esprit, la conscience, la volonté, les pensées qui accusent ou aussi excusent (*Rom.* 2, 15), mais tout cela est uni dans une même pensée et les membres de l'âme constituent l'homme intérieur. Comme les yeux du corps aperçoivent de loin les épines, ainsi l'esprit prévoit les embûches de la puissance ennemie et prémunit l'âme dont il est l'œil. (*Hom.* 7, 528 *b*.)

Ceux qui s'approchent du Seigneur doivent faire leur prière dans un état de tranquillité et de paix extrême et appliquer leur attention sur le Seigneur en peine [1] de cœur et sobriété de pensées sans cris malséants et confus. (*Hom.* 6, 517 *c*)

Le feu céleste de la Déité que les chrétiens reçoivent au-dedans de leur cœur en cette vie — ce feu qui fait son office en leur cœur — sort à la dissolution du corps, et il rajustera les membres décomposés au jour de la résurrection... Les trois enfants jetés dans la fournaise à cause de leur justice portaient le feu divin de Dieu au-

1. Effort intérieur. Expression classique.

dedans de leurs pensées, servant et opérant au milieu de ces pensées. Et le feu se manifesta au-dehors d'eux et contint le feu sensible. De même, les âmes fidèles reçoivent secrètement en cette vie le feu divin et céleste, et c'est ce feu qui forme l'image céleste dans l'humanité... (*Hom.* 11, *ibid.* 544.)

Votre cœur est un sépulcre. Lorsque le Prince du mal et ses anges y nichent, que les puissances de Satan se promènent dans votre esprit et vos pensées, n'êtes-vous pas morts à Dieu ?... Le Seigneur libère l'esprit pour lui permettre de marcher sans peine et avec joie dans l'air divin. (*Ibid.* 552.)

Le péché a le pouvoir et l'impudence d'entrer dans le cœur. Car les pensées ne viennent pas du dehors mais d'au-dedans du cœur. L'Apôtre dit : " Je veux que les hommes prient en tout lieu tenant levées des mains pures, étrangers à la colère et aux pensées mauvaises " (1 *Tim.* 2, 8). Or, " c'est du cœur que sortent les pensées mauvaises... " suivant l'Évangile (*Mt.* 15, 19). Approche-toi donc de la prière, inspecte ton cœur et ton esprit et prends la résolution de faire monter vers Dieu une prière pure. Veille surtout qu'il n'y ait pas d'obstacle, que ta prière soit pure, que ton esprit soit occupé du Seigneur autant que de son labour le laboureur et l'époux de sa femme... si tu fléchis les genoux pour prier et si d'autres ne viennent pas piller tes pensées. (*Hom.* 15, *l. cit.* 584 *c.*)

La grâce grave dans le cœur des fils de lumière les lois de l'Esprit. Ils ne doivent donc pas seulement puiser leur assurance dans les Écritures d'encre, car la grâce de Dieu grave aussi les lois de l'Esprit et les mystères célestes sur les tables du cœur. Le cœur en effet commande et régit tout le corps. La grâce, une fois qu'elle s'est emparée des pâturages du cœur, règne sur tous les membres et les pensées. Car c'est en lui que sont l'esprit et toutes les pensées de l'âme et son espérance. Par lui la grâce passe dans tous les membres du corps. Pareillement pour ceux qui sont enfants des ténèbres : le péché règne sur leur cœur et passe dans tous leurs membres [1]... Comme l'eau à travers un canal, ainsi à travers le cœur et ses pensées passe le péché. Ceux qui le nient auront pour les juger et les railler le triomphe futur de leur péché. Car le mal s'applique à se cacher dans l'esprit de l'homme pour lui échapper. (*Hom.* 15, 589 *a.*)

Tout l'attelage est au pouvoir de celui qui tient les rênes. De même le cœur a de nombreuses pensées naturelles unies à lui. C'est l'esprit et la conscience qui corrigent et dirigent le cœur, éveillent les pensées naturelles qui bouillonnent dans le cœur. Car l'âme a de nombreux membres, bien qu'elle soit une. (*Hom.* 15, 600 *a.*)

Le mal opère son œuvre dans le cœur en lui suggérant des pensées mauvaises et en empêchant l'esprit de prier purement et en l'enchaînant à ce siècle. Il a revêtu les âmes, il a pénétré jusqu'à la moelle des os. De même que Satan est dans l'air sans que Dieu ait nullement à en souffrir, ainsi le péché est dans l'âme et pourtant la grâce de Dieu y est en même temps sans subir dommage de ce fait. (*Hom.* 16, 617 *a.*)

S'abstenir du mal n'est pas la perfection; c'est d'entrer dans un esprit humilié et de mettre à mort le serpent qui niche et exerce le meurtre au-dessous même de l'esprit, plus profond que les pensées dans les trésors et les entrepôts de l'âme. Car le cœur est un abîme... (*Hom.* 18, 633 *b.*)

Les marchands rassemblent de toute la terre des sources de profit terrestre. Ainsi, les chrétiens, par

1. Voir un parallèle frappant dans l'*Appendice*.

l'ensemble des vertus et la puissance du Saint-Esprit, rassemblent de toute la terre les pensées dispersées de leur cœur. C'est la plus belle et la plus vraie des affaires... La puissance de l'Esprit divin a pouvoir de rassembler le cœur dispersé par toute la terre dans l'amour du Seigneur pour en transporter la pensée dans le monde éternel. (*Hom.* 24, 661 *d.*)

Notre prière ne doit commencer par aucune convention ni habitude : attitude corporelle, silence, génuflexion. Nous devons veiller avec une attentive sobriété à notre esprit, attendant le moment où Dieu se présentera, visitera l'âme par toutes ses issues, ses sentiers et ses sens. Il ne faut se taire, crier et prier avec des clameurs que lorsque l'esprit s'est solidement attaché à Dieu. L'âme doit tout entière se dépouiller pour la supplication et l'amour du Christ, sans distraction ni divagation de pensées. (*Hom.* 33, 741 *b* [1].)

La somme de toute activité bonne, la plus haute de nos œuvres c'est la persévérance dans la prière. Par elle nous pouvons chaque jour acquérir toutes les vertus en les demandant à Dieu. Elle procure à ceux qui en sont jugés dignes la communion à la Bonté divine, à l'opération de l'Esprit, l'union du sens spirituel au Seigneur dans un indicible amour. Celui qui, chaque jour, se force à la persévérance dans la prière est consumé par l'amour spirituel d'un désir divin et enflammé d'une brûlante langueur de Dieu et il reçoit la grâce spirituelle de la perfection sanctifiante. (*Hom.* 40, 764 *b.*)

Chacun de nous doit examiner s'il a trouvé dans son vase d'argile le trésor, s'il a revêtu la pourpre de l'esprit, s'il a vu le roi, s'il a reposé tout près de lui, ou si en ce moment il ne se meut pas dans les demeures les plus extérieures. Car l'âme a une foule de membres et une

1. Ce passage se retrouve dans les *Vertus de St Macaire.*

grande profondeur. Le péché, en pénétrant en elle, s'est emparé de tous ses membres et des pâturages du cœur. L'homme se mettant à la recherche de la grâce, celle-ci vient à lui et s'empare peut-être de deux membres de l'âme. Le sujet peu expérimenté, à cette consolation de la grâce, pense qu'elle s'est emparée de tous les membres de l'âme et que le péché est extirpé. Or, la plus grande partie demeure sous l'empire du péché et une seule sous celui de la grâce, mais, dans son ignorance, il se laisse surprendre. (*Hom.* 50, 820 *c*[1].)

Il disait encore ceci : l'esprit qui s'écarte du souvenir de Dieu, ou bien tombe dans la colère ou bien dans la cupidité. Il appelait l'une bestiale et l'autre diabolique. Comme je lui objectais mon étonnement que l'esprit de l'homme pût être sans cesse avec Dieu, il me dit : en toute pensée et action par laquelle l'âme rend un culte à Dieu, elle est avec Dieu (p. 41).

Le moine doit son nom en premier lieu au fait qu'il est seul (*monos*), puisqu'il s'abstient de femme et a renoncé au monde au-dedans et au-dehors : au-dehors, en renonçant à la matière et aux choses du monde; au-dedans, en renonçant à leurs représentations mêmes, en n'admettant pas les pensées des préoccupations mondaines. Il est appelé moine, deuxièmement, parce qu'il prie Dieu par une prière ininterrompue, pour purifier son esprit des pensées nombreuses et contraires et pour que son esprit devienne moine en lui-même et seul devant le vrai Dieu, n'admettant pas les pensées du mal, demeurant pur en tout temps et intègre devant Dieu (p. 44).

Il faut dégager l'esprit de toute divagation pour l'empêcher de se laisser troubler par les pensées. Faute

1. Les textes qui suivent sont empruntés à une autre série d'*Homélies spirituelles*, éditée par G. L. Marriot, *Macarii Anecdota*, Cambridge, 1918.

de cette délivrance, il prie en vain. L'esprit divague autour de ces objets, il paraît prier mais sa prière ne monte pas vers son Dieu. S'il n'a pas une prière pure accompagnée de pleine certitude de la foi, Dieu ne l'accueille pas (p. 45).

La loi écrite raconte beaucoup de mystères d'une manière cachée. Le moine qui s'adonne à la prière et à une conversation ininterrompue avec Dieu les trouve, et la grâce lui montre des mystères plus terribles que ceux de l'Écriture. On ne peut accomplir, par la lecture de la loi écrite, rien de comparable à ce que fait accomplir le culte de Dieu. Car, en celui-ci tout est accompli. Celui qui l'a choisi n'a plus beaucoup besoin de la lecture des Écritures. Il sait que tout se consomme dans la prière.

LE CYCLE COPTE

... (Abba Macaire) dit : ne faisons pas que la fontaine lance en bouillonnant ce qui est sali de cette mixture unique, savoir le réceptacle du cœur, mais qu'elle lance en haut ce qui est doux en tout temps, c'est-à-dire Notre Seigneur Jésus-Christ sans cesse (*Op. cit.*, p. 142).

Le frère l'interrogea encore en disant : quelle est l'œuvre la plus agréable à Dieu dans l'ascète et l'abstinent ? Il lui répondit, il lui dit : ô bienheureux celui qu'on trouvera persévérant dans le nom béni de Notre Seigneur Jésus-Christ sans cesse et avec contrition de cœur; car certes il n'y a point dans toute la vie pratique d'œuvre agréable comme cette nourriture bienheureuse, si tu la rumines en tout temps comme la brebis lorsqu'elle l'attire en haut et goûte la douceur de ruminer, jusqu'à ce que la chose ruminée entre dans l'intérieur de son cœur et qu'elle y répande une douceur et une graisse (onction) bonne à son estomac et à tout son intérieur; et ne vois-tu pas la beauté de ses joues pleines de la douceur de ce qu'elle a ruminé dans sa bouche ? Qu'il nous arrive que Notre Seigneur Jésus-Christ nous fasse grâce en son nom doux et gras (onctueux) (p. 152-153).

Un frère interrogea abba Macaire, disant : apprends-moi l'explication de cette parole, " la méditation de mon cœur est en ta présence ". Le vieillard lui dit : il n'y a point d'autre méditation exquise, sinon le nom salutaire et béni de Notre Seigneur Jésus-Christ, habitant sans cesse en toi, ainsi qu'il est écrit : " Comme une hirondelle je crierai et comme une tourterelle je méditerai. " C'est ainsi que fait l'homme pieux qui est constant dans le nom salutaire de Notre Seigneur Jésus-Christ (p. 153).

Abba Macaire le Grand dit : faisons attention à ce nom de Notre Seigneur Jésus le Christ en contrition de cœur, lorsque tes lèvres sont en ébullition, que tu l'attires à toi, et ne le conduis pas en ton esprit pour faire semblant [1], mais pense à ton invocation : " Notre Seigneur Jésus le Christ, aie pitié de moi "; et dans le repos tu verras sa divinité se reposer en toi, il chassera les ténèbres des passions qui sont en toi, il purifiera l'homme intérieur de la purification d'Adam lorsqu'il était dans le paradis, ce nom béni qu'a invoqué Jean l'Évangéliste en disant : " Lumière du monde ", " douceur dont on ne se rassasie pas " et " vrai pain de vie " (p. 160).

Abba Évagrius dit : j'allai trouver abba Macaire, tourmenté par les pensées et les passions du corps. Je lui dis : mon père, dis-moi une parole, que j'en vive. Abba Macaire me dit : attache la corde de l'ancre à la

1. Peut-être, " que tu ne fais pas semblant seulement de recueillir ton esprit ".

pierre, et par la grâce de Dieu la barque traversera les vagues diaboliques, les flots de cette mer décevante et le tourbillon des ténèbres de ce monde vain. Je lui dis : quelle est la barque, quelle est la corde, quelle est la pierre ? Abba Macaire me dit : la barque c'est ton cœur, garde-le; la corde c'est ton esprit : attache-le à Notre Seigneur Jésus le Christ qui est la pierre qui a la puissance sur tous les flots et les vagues diaboliques qui combattent les saints, car n'est-il pas facile de dire à chaque respiration : " Notre Seigneur Jésus le Christ, aie pitié de moi; je te bénis mon Seigneur Jésus, secours-moi. " Comme le poisson luttera encore contre la vague, il sera pris sans le savoir. Et nous aussi, étant encore stables en ce nom salutaire de N. S. Jésus le Christ, il prendra le diable par les narines, à cause de ce qu'il nous a fait; mais nous les faibles, nous saurons que le secours est de Notre Seigneur Jésus le Christ (p. 161) [1].

Abba Macaire dit : Je visitai un malade couché pendant sa maladie; mais le vieillard récitait de préférence le nom salutaire et béni de N. S. Jésus-Christ. Comme je l'interrogeais sur son salut, il me dit avec joie : comme je suis constant à (prendre) cette douce nourriture de vie, le nom de N. S. Jésus-Christ, on m'a ravi de la douceur du sommeil, j'ai vu dans une vision le Roi le Christ, à la manière d'un Nazaréen, et il m'a dit jusqu'à trois fois : " Vois, vois que c'est moi et non un autre que moi. " Et ensuite je me réveillai en sursaut dans une grande joie, si bien que j'en oubliai la douleur (p. 163).

Abba Macaire le Grand dit : ce qu'il faut pour un moine qui reste assis dans sa cellule, c'est qu'il rassemble en lui son intelligence, loin de tout souci du monde, qu'il ne la laisse pas vaciller dans les vanités

1. Confusion irritante des images. Mais l'intention demeure claire.

de ce siècle, mais qu'il soit dans un but unique, à savoir poser sa pensée en Dieu seul à chaque instant, constant en lui à toute heure, sans sollicitude, et qu'il ne laisse aucune chose terrestre entrer tumultueusement en son cœur... mais qu'il soit ainsi dans son esprit et dans tous ses sens comme s'il se tenait en présence de Dieu... (p. 170.)

Abba Macaire le Grand dit : si tu t'approches de la prière, fais attention à toi avec fermeté, afin que tu ne livres pas tes vases aux mains des ennemis; car ils désirent t'enlever tes vases, qui sont les pensées de l'âme. Ce sont des vases glorieux avec lesquels tu serviras Dieu; car Dieu ne cherche pas de toi que tu lui rendes gloire des lèvres seulement, pendant que les pensées sont vacillantes et disséminées par tout le monde, mais que l'âme et toutes ses pensées se tiennent et regardent le Seigneur sans sollicitude (p. 180-181).

4. *Diadoque de Photicé*

Évêque de Photicé en Épire (vers le milieu du Ve siècle). Auteur, entre autres, de Cent Chapitres sur la perfection spirituelle *qui eurent la faveur de toute la tradition byzantine. Comme le pseudo-Macaire, il accorde une grande place à la symbolisation du cœur et il traite les phases de la vie mystique sous l'aspect d'expériences immédiates de plus en plus riches. Il revient sans cesse au " sens du cœur ", au " sens de l'âme ", à son expérience de " plénitude "* (plérophoria) *et prolonge la doctrine des sens spirituels accréditée par Origène (voir J. Daniélou,* Platonisme et théologie mystique, *Paris, 1944,* p. *235 s.). A cet égard il enrichit l'héritage évagrien d'une note "* sentimentale *" plus chaude.*

La prière constitue, jointe à la solitude et à l'insouciance, l'aliment et l'expression de l'union consciente avec Dieu, c'est-à-dire du don de science, par opposition au don de sagesse, d'enseignement, qui est le fruit d'une humble méditation des Écritures et de la grâce.

La prière rappelle le cœur au souvenir de ce qu'il n'aurait jamais dû oublier, au souvenir constant de Dieu qu'elle traduit et entretient à la fois par l'invocation perpétuelle de Jésus.

Diadoque a joué un rôle considérable dans la diffusion de la prière de Jésus. Son autorité est l'une des plus souvent invoquées, par exemple par la Centurie de Calliste et Ignace (plus bas).

On trouvera une traduction latine de Diadoque dans la Patrologie grecque de Migne, tome 65. La meilleure édition critique est celle du P. E. des Places (Paris, Sources chrét., 1955), accompagnée d'une excellente traduction.

3. Le mal n'est pas dans la nature et personne n'est mauvais par nature, car Dieu n'a rien fait de mauvais. Lors donc que quelqu'un, par sa convoitise, amène à l'état de forme ce qui n'a pas de substance, cela commence d'être ce que sa volonté le fait être. Il importe donc, par un soin constant du souvenir de Dieu, de négliger l'habitus du mal, car la nature du bien est bien plus forte que l'habitus du mal puisque l'une est, alors que l'autre n'a d'existence que dans l'acte.

5. Le libre arbitre consiste dans la disposition de la volonté raisonnable à se mouvoir vers son objet. Persuadons-la donc de n'avoir de disposition que pour le bien, afin de ruiner, à tout moment, par de bonnes pensées le souvenir du mal.

9. ... La science est le fruit de la prière et d'une grande paix jointe à une complète absence d'inquiétude; la sagesse, le fruit d'une humble méditation des paroles de Dieu et, avant tout, de la grâce du Dispensateur, le Christ.

11. ... Nous reconnaîtrons donc, sans risque d'erreur, la qualité de la parole divine quand nous consacrerons les heures où nous n'avons pas à parler à un silence net de soucis et accompagné d'un ardent souvenir de Dieu.

22. Scrutez l'abîme de la foi, il enfle ses vagues; considérez-le dans une disposition de simplicité, c'est la bonace. L'abîme de la foi, le Léthé où l'on oublie ses péchés, ne tolère pas d'être considéré par des pensées indiscrètes. Naviguons dans ses eaux avec la simplicité de l'esprit afin d'aborder ainsi au port de la volonté divine.

23. ... En nous purifiant par une prière plus ardente, nous entrerons en possession de l'objet désiré, grâce à Dieu, par une expérience plus pleine.

26. Le combattant doit en tout temps conserver étale son intelligence pour que l'esprit puisse discerner les pensées qui la sillonnent, serrer celles qui sont bonnes et envoyées par Dieu dans les trésors de la

mémoire et rejeter hors des dépôts de la nature les pensées funestes et démoniaques...

27. Bien rares ceux qui connaissent exactement leurs propres chutes et dont l'intellect jamais ne se laisse ravir au souvenir de Dieu...

29. ... Si sa Divinité (du Saint-Esprit) n'illumine puissamment les trésors de notre cœur, impossible à nous de savourer dans un sentiment indicible c'est-à-dire avec une disposition entière.

30. Le sentiment, c'est la gustation sûre, par l'intellect, de l'objet discerné...

31. Lorsque notre intellect commence à percevoir la consolation de l'Esprit-Saint, c'est alors que Satan, au cours du repos nocturne, au moment où l'on penche vers une sorte de très léger sommeil, console l'âme par un sentiment de fausse douceur. Si l'intellect se trouve vigoureusement accroché, par un souvenir ardent, au saint nom du Seigneur Jésus, et qu'il fasse de ce saint et glorieux nom une arme contre l'illusion, l'artisan de mensonge se retire mais pour entreprendre une guerre ouverte contre l'âme. L'intellect alors reconnaît la fraude du Malin, sans compter qu'il progresse dans l'expérience du discernement.

32. La bonne consolation se produit, soit que le corps veille, soit encore qu'il s'apprête à entrer dans une sorte de sommeil, lorsque quelqu'un adhère pour ainsi dire à l'amour de Dieu par un ardent souvenir. La consolation mensongère se produit toujours, je l'ai dit, lorsque le combattant est pris d'un léger sommeil en n'ayant qu'un demi-souvenir de Dieu. La première, étant de Dieu, veut évidemment, par une détente profonde de l'âme, inviter à l'amour l'âme du combattant de la dévotion. La seconde, dont la nature est d'éventer l'âme par une brise de mensonge, entreprend de dérober, à la faveur du sommeil du corps, l'expérience sentie de celui qui garde intact le souvenir de Dieu.

Si l'intellect se trouve, comme j'ai dit, dans un souvenir attentif du Seigneur Jésus, armé de la grâce et de la fierté que lui donne son expérience, il dissipe cette brise de la douceur mensongère de l'ennemi et, joyeux, engage contre lui le combat.

33. Si l'âme, d'un mouvement assuré et sans images, s'enflamme d'amour pour Dieu et entraîne pour ainsi dire le corps lui-même dans les profondeurs de cet amour indicible — que le corps de celui qui est mû par la sainte grâce veille ou entre en sommeil, comme je l'ai dit — et n'a d'autre pensée que le terme du mouvement qui l'emporte, sachez que c'est l'opération du Saint-Esprit. Car, réjouie tout entière par cette inexprimable suavité, il lui est impossible de rien concevoir alors, tant elle est soulevée d'une joie indicible.

Si l'intellect conçoit, dans cette motion, le moindre doute ou quelque pensée impure, même s'il a recouru au saint nom pour repousser le mal et non uniquement pour l'amour de Dieu, il faut en conclure que cette consolation, sous son apparence de joie, vient du Menteur. Cette joie indécise et désordonnée est celle de celui qui veut entraîner l'âme à l'adultère. Quand il voit l'intellect fort de son expérience sentie, par certaines consolations trompeuses il invite l'âme, afin que, relâchée par cette vaine et molle douceur, elle ne reconnaisse pas le mélange de mensonge. C'est à quoi nous discernerons l'esprit de vérité de celui du mensonge. Car il est impossible de goûter intimement la bonté divine ou d'éprouver consciemment l'amertume des démons si l'on n'a pas la certitude absolue que la grâce a établi sa demeure au fond de l'intellect, tandis que les esprits mauvais circulent autour des membres du cœur [1]. Ce que les démons voudraient à tout prix cacher aux hommes, afin que l'intellect, dûment informé, ne puisse se munir contre eux du souvenir de Dieu.

1. Par opposition au pseudo-Macaire qui les fait " nicher " dans les retraites les plus profondes du cœur.

36. Que nul n'aille, en entendant parler du sentiment de l'intellect, espérer une vision de la gloire de Dieu. Nous disons que l'âme, une fois purifiée, sent dans une gustation inexprimable la consolation divine; nous ne disons pas que des objets invisibles lui apparaissent car " c'est la foi qui guide notre marche, et non la pleine vision " (*II Cor.* 5, 7). Si donc l'un des combattants voit quelque forme ignée ou quelque lumière, qu'il n'accepte pas cette vision. C'est une tromperie de l'ennemi. Beaucoup en ont été victimes par ignorance et se sont écartés du droit chemin.

40. Que l'intellect, lorsqu'il commence d'être mû fréquemment par la lumière divine, devienne tout entier transparent au point de voir à un haut degré sa propre lumière, il est impossible d'en douter. Cela se produit lorsque la puissance de l'âme s'est rendue maîtresse des passions. Mais tout ce qui se montre à l'intellect sous une forme quelconque, lumière ou feu, provient des machinations de l'adversaire. Le divin Paul nous l'enseigne nettement quand il nous dit qu' " il se déguise en ange de lumière " (*II Cor.* 11, 14). Qu'on n'aille donc pas embrasser la vie ascétique poussé par un espoir de cette nature... mais le but unique est d'arriver à aimer Dieu en toute intimité et plénitude de cœur...

56. La vue, le goût et les autres sens relâchent la mémoire du cœur lorsque nous nous en servons sans discrétion. Notre mère Ève nous l'apprend. Tant qu'elle ne regarda pas avec complaisance l'arbre du commandement, elle garda soigneusement le souvenir du précepte divin. C'est pourquoi, encore à l'abri pour ainsi dire des ailes de l'amour divin, elle ignorait sa nudité. Mais lorsqu'elle eut regardé l'arbre avec complaisance, l'eut touché avec une grande convoitise et finalement eut goûté de son fruit avec un vif plaisir, à l'instant elle fut prise du désir de l'union charnelle, en se donnant à la passion du fait de sa nudité. Elle abandonna son désir à la jouissance des choses pré-

sentes, mêlant Adam à sa propre chute par la douce apparence du fruit.

Voilà pourquoi l'intellect humain a du mal à se souvenir de Dieu et de ses commandements. Pour nous, ne cessons de fixer nos yeux sur l'abîme du cœur dans un souvenir incessant de Dieu et parcourons cette vie amie du mensonge comme si nous étions des aveugles. C'est le propre de la sagesse vraiment spirituelle de couper sans cesse les ailes à notre désir de voir. Job, l'homme aux mille épreuves, nous l'enseigne : " si mon cœur a suivi mes yeux " (*Job* 31, 7). Cette disposition-là est l'indice d'une parfaite tempérance.

57. Celui qui, en tout temps, habite dans son cœur émigre entièrement des agréments de cette vie. Marchant selon l'esprit, il ne peut connaître les convoitises de la chair. Il fait ses allées et venues dans la forteresse des vertus et les vertus sont, je dirai, les gardiennes de la forteresse de sa pureté. C'est pourquoi aussi les machinations des démons sont impuissantes contre lui, même si les traits du vil amour parviennent jusqu'aux meurtrières de la nature.

58. ... Nous échapperons à cette tiédeur et à cette mollesse si nous imposons à notre pensée des bornes très étroites, en fixant uniquement la pensée de Dieu. C'est seulement en remontant ainsi à sa ferveur que l'intellect pourra se dégager de cette agitation déraisonnable.

59. L'intellect exige absolument, quand nous avons bouché toutes ses issues par le souvenir de Dieu, une activité qui occupe sa diligence. On lui donnera donc le " Seigneur Jésus " pour unique occupation répondant entièrement à son but. " Nul, est-il écrit, ne peut dire Seigneur Jésus, si ce n'est sous l'action de l'Esprit-Saint " (*I Cor.* 12, 3). Mais qu'il ne cesse de considérer avec toute la rigueur possible cette parole dans ses demeures intérieures pour ne pas dévier vers des imaginations. Car quiconque repassera sans répit ce nom saint et glorieux dans le tréfonds de son cœur, arrivera

à voir aussi, un jour, la lumière de son intellect. Retenu avec un soin sévère dans l'âme, il consume toute souillure à la surface de l'âme, avec un sentiment puissant. " Notre Dieu, dit l'Écriture, est un feu qui dévore " (*Deut.* 4, 24). C'est pourquoi le Seigneur invite l'âme à un puissant amour de sa gloire. Ce nom glorieux et tout désirable, fixé dans le cœur ardent par la mémoire de l'intellect, fait naître une disposition à aimer en tout temps sa bonté, sans rencontrer désormais d'empêchement. La voilà, la perle précieuse qu'on peut acquérir en vendant tout son bien et dont la découverte procure une joie inénarrable.

60. Autre est la joie du débutant, autre celle du parfait. La première n'est pas exempte d'imagination, la seconde a la puissance de l'humilité [1]. A mi-chemin se trouve le chagrin aimé de Dieu et les larmes sans douleurs... C'est pourquoi l'âme doit être d'abord appelée au combat par la joie initiale, puis reprise et éprouvée par la vérité de l'Esprit-Saint, pour les péchés qu'elle a commis et les dissipations dont elle se rend encore coupable... Éprouvée pour ainsi dire au creuset de la divine remontrance, l'âme acquerra, dans un fervent souvenir de Dieu, l'opération de la joie sans phantasmes.

61. Quand l'âme est troublée par la colère, obscurcie par les vapeurs de l'ivresse ou tourmentée par une malsaine tristesse, l'intellect est incapable, quelque violence qu'on lui fasse, de maîtriser [2] le souvenir du Seigneur Jésus. Assombri tout entier par la violence des passions, il devient absolument étranger à son propre sens. Le désir ne trouve pas où appliquer son sceau de manière que l'intellect garde présente l'image de sa méditation, tant l'âme a durci par l'âpreté des passions.

Que l'âme en sorte, même si l'objet de son désir

1. Comparer Jean Climaque, plus bas.
2. Peut-être mieux de " saisir " comme on saisit quelqu'un par le pan de son vêtement. Origène parle de " saisir Jésus ".

lui a été peu de temps ravi par l'oubli, aussitôt l'intellect se remet avec sa diligence coutumière à la chasse de l'objet souverainement désiré et sauveur. Car l'âme a alors la grâce qui l'exerce à crier et crie avec elle : " Seigneur Jésus " : ainsi la mère apprend et répète avec son nourrisson le mot de " papa " jusqu'à ce qu'il ait contracté l'habitude d'appeler son père, même en dormant, de préférence à tout autre babillage d'enfant. Comme dit l'Apôtre : " Pareillement, l'Esprit aussi vient en aide à notre faiblesse, car nous ne savons pas ce que dans nos prières il nous faut demander; mais l'Esprit lui-même intercède pour nous par des gémissements ineffables " (*Rom.* 8, 26). Nous aussi, nous sommes dans l'enfance pour ce qui est de la vertu de prière et nous avons besoin toujours de son aide pour que toutes nos pensées soient contenues et adoucies par sa suavité inexprimable et que nous nous tournions de tout notre cœur vers le souvenir et l'amour de Dieu notre Père. C'est en lui que nous crions lorsqu'il nous apprend à appeler sans trêve : " Abba Père " (*Rom.* 8, 15).

68. Le plus souvent notre intellect supporte difficilement l'oraison à cause du resserrement [1] extrême de la vertu de prière; en revanche, il s'adonne avec joie à la théologie à cause des grands espaces dégagés des contemplations divines. Pour l'empêcher de vouloir trop parler et ne pas lui permettre, dans sa joie, de vouloir voler au-delà de ses moyens, appliquons-nous le plus souvent à l'oraison, à la psalmodie, à la lecture des Saintes Écritures sans négliger les recherches des sages dont les paroles sont les garantes de leur foi. Ce faisant, nous ne mêlerons pas nos propres paroles au langage de la grâce et nous ne laisserons pas la vaine gloire entraîner notre esprit dans l'agita-

1. On retrouvera cette notion d'un bout à l'autre de ces textes, à propos du menu " uniforme " de la manne, par exemple, de la monologie, etc.

tion d'une verbosité excessive. Au contraire, au temps de la contemplation, nous le maintiendrons à l'abri de toute imagination et nous accompagnerons ainsi de larmes presque toutes nos pensées. Reposé à l'heure de la retraite et pénétré surtout par la douceur de la prière, l'intellect non seulement échappera aux causes susdites mais il se renouvellera de plus en plus pour s'adonner aux pensées divines promptement et sans peine, en même temps qu'il progressera dans la contemplation dans une disposition de très humble discernement. Il faut savoir toutefois qu'il y a une prière au-delà de toute liberté : elle est la part de ceux qui ont été remplis de la sainte grâce dans un sentiment de certitude absolue.

73. Lorsque l'âme se trouve dans l'abondance de ses fruits naturels, elle enfle le registre de sa psalmodie et préfère la prière vocale. Lorsqu'elle est mue par l'Esprit-Saint, elle psalmodie en toute rémission et douceur et elle prie uniquement avec son cœur. La première disposition s'accompagne d'une joie mêlée d'imagination, la seconde de larmes spirituelles puis d'une joie avide de silence. Car le souvenir, en gardant sa ferveur grâce à la discrétion de la voix, prépare le cœur à produire des pensées mêlées de larmes et de douceur. C'est bien alors que l'on peut voir semer avec larmes dans la terre du cœur les semences de la prière, dans l'espoir des moissons futures. Toutefois, lorsque nous sommes accablés d'une grande tristesse, il faut élever un peu la voix de notre psalmodie, en faisant vibrer l'âme sous l'archet joyeux de l'espérance jusqu'à ce que ce lourd nuage se dissipe aux accents de la mélodie.

81. La parole de science nous enseigne qu'il existe deux races pour ainsi dire d'esprits mauvais. Les uns sont comme plus subtils, les autres plus matériels. Les plus subtils s'attaquent à l'âme, les autres captivent la chair au moyen de grasses consolations. Aussi une hostilité réciproque et constante oppose-t-elle

les démons qui s'attaquent au corps et ceux qui s'attaquent à l'âme, bien qu'ils partagent le même dessein de nuire à l'humanité. Lors donc que la grâce n'habite pas dans l'homme, ils nichent dans les profondeurs du cœur, tels des serpents, sans laisser l'âme porter son regard du côté du désir du bien. Lorsque la grâce se cache dans l'intellect, ils sillonnent les parties du cœur, pareils à des nuages et ils prennent la forme de passions pécheresses et de distractions multiformes afin d'arracher l'intellect de sa familiarité avec la grâce en distrayant la mémoire. Lors donc que les démons qui troublent l'âme nous enflamment pour les passions de l'âme, surtout l'orgueil, le père de tous les péchés, humilions l'enflure de la vaine gloire en songeant à la dissolution future de notre corps. On agira de même lorsque les démons ennemis du corps s'emploient à éveiller dans notre cœur la fermentation des désirs mauvais. Cette seule pensée unie au souvenir de Dieu suffit à annuler toutes les espèces de mauvais esprits...

83. Le cœur produit de son fond les pensées bonnes et celles qui ne le sont pas. Non qu'il porte de sa nature les pensées qui ne sont pas bonnes mais il a contracté, à la suite du premier égarement, l'habitus du souvenir du mal. Il reçoit la plupart des mauvaises pensées de la malice des démons... Car celui qui se complaît dans les pensées que lui suggère la malice de Satan et qui grave pour ainsi dire leur souvenir dans son cœur, produira ensuite, c'est l'évidence, ces pensées mauvaises.

85. ... La grâce, au commencement, dérobe sa présence au baptisé : elle attend la résolution de l'âme [1]. Une fois que l'homme s'est entièrement converti au Seigneur, alors, par un sentiment ineffable, elle manifeste au cœur sa présence. Puis, derechef, elle attend

1. Idée familière à toute la tradition. Cf. notamment Marc l'Ermite et Grégoire le Sinaïte.

le mouvement de l'âme : elle permet aux traits du démon de pénétrer jusque dans l'intime de son sens, pour lui faire chercher Dieu avec une résolution plus ardente et dans une disposition plus humble.

Quand l'homme se met à progresser dans la pratique des commandements, et à invoquer inlassablement le Seigneur Jésus, le feu de la sainte grâce gagne les sens plus extérieurs du cœur; il consume l'ivraie de la terre des hommes dans un sentiment de certitude. Désormais les embûches des démons n'arrivent plus qu'à distance de ces parages et ne blessent plus guère et égratignent à peine la partie passionnée de l'âme.

Une fois que le combattant a revêtu toutes les vertus et surtout la parfaite pauvreté, la grâce alors illumine de toutes parts sa nature dans un sentiment plus profond encore et l'échauffe d'un grand amour de Dieu. Les traits des démons s'éteignent alors avant d'avoir atteint le sens corporel. La brise du Saint-Esprit pousse le cœur du côté des vents pacifiques et éteint les traits du démon alors qu'ils sont encore en l'air.

88. Si vous vous tenez un petit matin d'hiver, dans un lieu exposé, et que vous regardiez l'orient, le devant de votre corps sera réchauffé par le soleil tandis que votre dos ne recevra aucune chaleur, parce que le soleil ne vous frappe pas d'aplomb. De même, ceux qui en sont encore au début de l'opération de l'Esprit n'ont le cœur que partiellement réchauffé par la sainte grâce.

C'est pourquoi l'intellect se met alors à produire le fruit des pensées spirituelles, tandis que les parties visibles du cœur continuent à penser suivant la chair parce que tous les membres de son cœur ne sont pas encore illuminés par la lumière de la sainte grâce, à l'intime et sensiblement. Voilà pourquoi il arrive à l'âme de concevoir au même moment des pensées bonnes et des pensées mauvaises : comme l'individu de ma comparaison éprouve au même moment le frisson du froid et la caresse du chaud.

Car, du jour où notre intellect a glissé vers une double science, il est dans la nécessité de produire au même instant des pensées bonnes et des mauvaises. Surtout s'il est parvenu à la subtilité du discernement : comme il s'efforce toujours de penser bon, aussitôt le mauvais lui revient en mémoire du fait que, par la désobéissance d'Adam, la mémoire s'est fendue en une double pensée.

Si donc nous nous mettons à exercer avec ferveur les commandements de Dieu, la grâce ensuite illuminera nos sens avec un sentiment très profond, consumera pour ainsi dire nos pensées et adoucira notre cœur par la paix d'une inexprimable amitié, et nous disposera à penser des choses spirituelles et non plus charnelles. C'est ce qui ne cesse de se produire chez ceux qui approchent de la perfection et gardent ininterrompu dans le cœur, le souvenir de Jésus.

96. ... L'intellect doit en tout temps vaquer à la pratique des divins commandements et au souvenir profond du Seigneur de gloire.

97. Lorsque le cœur reçoit avec une sorte de douleur cuisante les traits des démons au point que le combattant a l'impression de les sentir fichés en lui, l'âme a du mal à détester les passions parce qu'elle est au début de sa purification. Car si elle ne souffre pas vivement de l'impudence du péché, elle ne peut connaître la joie débordante inspirée par la beauté de sa justice.

Que celui, donc, qui veut purifier son cœur ne cesse de l'embraser par le souvenir de Jésus. Que ce soit son unique exercice et son travail ininterrompu. Quand on veut rejeter sa pourriture, il n'y a pas un moment de prier et un moment de ne pas prier; il faut en tout temps s'adonner à la prière en gardant son intellect, même si l'on se trouve en dehors de la maison de prière. Celui qui purifie le minerai d'or n'a qu'à laisser baisser quelque temps le feu dans sa fournaise et la matière qu'il voulait purifier retrouve sa dureté. De même, celui qui tantôt se souvient de Dieu, tantôt non, perd par l'interruption ce qu'il croit obtenir par la prière. L'homme qui aime la vertu est celui qui ne cesse d'éliminer par le souvenir de Dieu l'élément terrestre de son cœur, afin que peu à peu le mauvais se consume au souvenir du bien et que l'âme revienne parfaitement à sa splendeur naturelle et glorieuse.

5. *Marc l'Ermite*

Moine d'Égypte ou de Palestine, dont l'activité littéraire se situe au Ve-VIe siècle. La Philocalie *a retenu de lui trois récits :* la Loi spirituelle, De ceux qui prétendent se sanctifier par les œuvres, la Lettre à Nicolas. *On trouvera plus bas une citation de ce dernier traité dans le Discours de Nicéphore l'hagiorite.*

Aux quelques extraits empruntés aux deux premiers opuscules on remarquera que Marc ne fait que reprendre des thèmes désormais consacrés : souvenir de Dieu, lutte contre les pensées et genèse de ces pensées, invocation intérieure, prière pure et sans distraction identifiée pratiquement à l'amour de Dieu.

En revanche, rien d'explicite sur l'invocation de Jésus. Il est curieux que Marc emploie à trois reprises le terme monologistos, *deux fois au sens de " pure et simple " à propos de la percée de la suggestion et une fois au sens approximatif de " monoidéique " à propos de l'espérance, mais jamais au sujet de la prière.*

Les citations qui suivent se tiennent à la numération de Migne (P. G. 65, 905-966), légèrement différente de celle de la Philocalie.

I

23. Au temps où tu te souviens de Dieu, multiplie ta prière (demande) afin que, le jour où il t'arrivera de l'oublier, le Seigneur, lui, te fasse ressouvenir de lui.

61. L'Écriture dit : " le chéol et la perdition sont

à nu devant le Seigneur " (*Prov.* 15, 11). Elle veut dire l'ignorance et l'oubli du cœur.

62. Le chéol est l'ignorance; la perdition, l'oubli. Ils sont cachés l'un et l'autre parce qu'ils ont disparu de l'être.

140. " Le préjugé [1] " est le souvenir involontaire de ses fautes passées. Celui qui le combat encore l'empêche d'évoluer en passion; celui qui a vaincu ruine jusqu'à la simple suggestion.

141. La suggestion est un ébranlement du cœur, dépouillé de toute représentation et que les sujets expérimentés prennent comme dans une souricière (litt. : un défilé).

142. Dès que les formes se font jour dans les pensées, il y a consentement. L'ébranlement sans formes est suggestion innocente...

191. Le Seigneur est caché dans ses commandements. Ceux qui le cherchent le découvrent dans la mesure où ils le cherchent.

199. La bonne conscience se trouve par la prière et la prière pure par la conscience. Elles ont un besoin naturel l'une de l'autre (*P. G.* 65, 905 s.).

II

9. Les tribulations qui adviennent à l'homme sont la progéniture de ses propres fautes. Supportons-les dans la prière et nous retrouverons la jouissance du bien.

29. Impossible de pacifier l'intellect sans le corps ni de faire tomber la cloison qui les sépare sans la paix (hésychie) et la prière.

32. Point de prière parfaite sans invocation inté-

1. La " prolepsis " : litt. : l'anticipation, héritage stoïcien. C'est cet acquis de souvenirs et de notions qui fait que nous allons à toutes choses avec un parti-pris.

rieure. Le Seigneur exauce l'âme qui prie sans distraction.

32. L'intellect qui prie sans distraction afflige le cœur : " Un cœur contrit et humilié, ô Dieu, tu ne le dédaignes pas " (*Ps.* 51, 19).

33. La prière porte le nom de vertu bien qu'elle soit la mère des vertus. Elle les engendre de son union avec le Christ.

56. Ceux qui ont été baptisés dans le Christ ont reçu la grâce mystiquement mais elle opère en eux dans la mesure où ils accomplissent les commandements...

66. Le cœur qui se laisse déplacer par un plaisir du lieu des efforts décidés devient difficile à retenir, tel un bloc pesant qui roule sur une pente.

67. Le veau sans expérience, en courant après l'herbe, arrive à un point bordé de précipices; ainsi de l'âme, que les pensées peu à peu ont délogée de sa place.

68. Lorsque l'intellect, devenu adulte dans le Seigneur, arrache l'âme à son ancien " préjugé ", le cœur est livré pour ainsi dire à la torture du bourreau : intellect et passion le tirent chacun de son côté.

85. Quiconque a été baptisé dans la foi orthodoxe a reçu mystiquement toute la grâce. Mais il n'en obtient la certitude qu'ensuite, en exerçant les commandements.

89. L'exercice des commandements est contenu tout entier dans la prière. Car il n'est rien qui dépasse l'amour de Dieu.

90. La prière sans distraction atteste l'amour de Dieu chez celui qui y persévère. La négligence de la prière et la distraction sont la preuve d'un amour du plaisir.

100. Tout ce que nous disons ou faisons en dehors de la prière se révèle dans la suite dangereux ou funeste et condamne notre ignorance par les faits.

122. Le souvenir de Dieu est un labeur du cœur enduré pour la foi. Quiconque oublie Dieu se rend ami de la passion et insensible.

125. Si vous voulez vous souvenir de Dieu sans cesse, ne repoussez pas les épreuves comme imméritées, supportez-les comme justes. Leur support éveille et ranime le souvenir à chaque occasion. Au contraire, leur refus diminue le labeur du cœur et, du même coup, produit l'oubli.

131. Les fautes passées remémorées dans leur détail nuisent à l'homme résolu : si elles se présentent à lui accompagnées de tristesse, elles l'éloignent de l'espérance; se dépeignent-elles sans tristesse, elles gravent de nouveau en lui la souillure passée.

154. Il est bon de pratiquer le commandement le plus général et de ne nous inquiéter de rien de particulier; de manière à ne prier pour rien de particulier et à demander uniquement le royaume de Dieu. Car, si nous nous soucions de chacun de nos besoins, nous serons aussi obligés de prier pour chacun : celui, en effet, qui fait quelque chose ou a souci de quelque chose sans y joindre la prière n'est pas dans le bon chemin qui mène au bout de l'œuvre...

162. Si tu occupes la forteresse de la prière pure, n'admets pas, au même moment, la science des choses que l'ennemi te présente, afin de ne pas perdre le plus précieux. Mieux vaut le cribler de flèches, en se tenant enfermé dans notre citadelle, que de tenir conversation avec lui qui nous apporte des cadeaux dans le dessein de nous arracher à la prière dirigée contre lui.

175. La science des choses [1] est utile en période de tentation et d'acédie mais pendant la prière elle lui est nuisible.

1. Texte incertain. Nous comprenons que la prière doit suspendre toute forme de contemplation naturelle et multiforme. Inspiration très évagrienne, comme celle du chapitre 162.

6. Barsanuphe
(mort vers 540)
et Jean

Reclus au monastère de Séridos, près de Gaza, ils ont laissé quelque huit cent cinquante lettres de direction sous forme de réponses à des questions pratiques (édition rarissime due à Nicodème l'Hagiorite, Venise, 1816). Négligés par les Philocalies grecque et slavonne, ils ont trouvé place dans la Philocalie russe.

Ils recommandent instamment la prière à Jésus, à la fois avec insistance et discrétion, en faisant la part des différentes œuvres de la vie spirituelle. La doctrine des deux reclus est désormais accessible dans une traduction française intégrale ; Barsanuphe et Jean, Correspondance, *Solesmes*, 1972.

Question : Mon père, voudriez-vous me dire comment on acquiert l'humilité ou la prière parfaite, comment s'y prendre pour n'avoir point de distractions et s'il est utile de lire ?

Réponse : La prière parfaite consiste à parler à Dieu sans distraction, en recueillant à la fois toutes ses pensées et tous ses sens. On y parvient en mourant à tous les hommes, au monde et à ce qu'il renferme. Vous n'avez dans la prière rien de plus à dire à Dieu que ceci : “ Sauvez-moi du malin ! que votre volonté s'accomplisse en moi ! ” Tenir votre esprit présent à Dieu et lui parlant. La prière se reconnaît à ceci que l'homme est dégagé de toute distraction et que l'esprit est rempli d'allégresse sous l'illumination du Seigneur.

Le signe que l'esprit y est parvenu, c'est qu'il ne se trouble plus, même si le monde entier venait à nous attaquer. Celui-là prie parfaitement qui est mort au monde et à ses aises. Faire soigneusement son ouvrage pour Dieu, ce n'est pas de la distraction, c'est du zèle selon Dieu. Il y a profit à lire les Vies des Pères : c'est un moyen d'illuminer son esprit dans le Seigneur (nº 79).

Question : Faut-il employer contre les pensées la contradiction, les paroles imprécatoires, la colère ?

Réponse : Les passions sont des souffrances et Dieu n'a pas voulu les bannir, mais il a dit : " invoque-moi au jour de la tribulation "... Il n'est donc pas d'autre moyen de vaincre toute passion si ce n'est d'invoquer le nom de Dieu. La contradiction n'est bonne que pour les parfaits, les puissants selon Dieu; nous, les imparfaits, n'avons qu'une ressource, nous réfugier dans la prière dans le nom de Jésus. Car les passions sont des démons qui sortent en son nom [1].

Question : Que vaut-il mieux : me livrer au " Seigneur Jésus-Christ, ayez pitié de moi " ou bien réciter des passages des Saintes Écritures et psalmodier ?

Réponse : Il faut les deux : un peu de l'un, un peu de l'autre, car il est écrit : " Il fallait mettre ceci en pratique sans laisser cela de côté " (*Mt.* 23, 24) (nº 125).

Question : Lorsque alourdi par les pensées, tant dans la psalmodie qu'en dehors, j'appelle au secours le nom de Dieu, l'Adversaire me suggère qu'il y a orgueil à penser bien faire en mentionnant Dieu sans interruption. Que dois-je en penser ?

Réponse : C'est un fait connu que les malades ont absolument besoin de médecin... Apprenons-donc

1. Ce texte est emprunté au P. I. HAUSHERR, *La méthode d'oraison hésychaste*, Rome 1927, p. 144 (48 du fasc.). Tous les autres sont traduits sur le texte de Nicodème.

qu'il faut, sous l'épreuve, invoquer sans interruption le Dieu de miséricorde. Mais, en invoquant le nom de Dieu, ne nous laissons pas emporter par les pensées d'orgueil. A moins de n'avoir pas sa tête, le coupable ne va pas concevoir de l'orgueil. Nous avons besoin de Dieu : nous appelons son nom au secours contre nos ennemis. Nous sommes dans le besoin : nous appelons à l'aide; nous sommes dans l'épreuve : nous courons nous mettre à l'abri. Apprenons encore que nommer Dieu sans interruption c'est un remède qui non seulement anéantit toute passion mais encore l'acte lui-même. Voyez le médecin : il applique son remède ou son cataplasme sur la blessure du patient et cela produit son effet sans que le malade ait conscience du comment : pareillement, le nom de Dieu prononcé anéantit toutes nos passions sans même que nous nous rendions compte du comment (nº 421).

Question : Lorsque ma raison semble en repos et libre de tout tracas, n'est-il pas bon, même alors, de m'adonner à l'invocation du nom du Christ, Notre Seigneur ? Ma raison me suggère que, du moment que nous sommes en paix, cela n'est pas nécessaire.

Réponse : Nous ne pouvons pas connaître une telle paix tant que nous nous tenons pour pécheurs. Le Seigneur a dit : « Il n'est de paix pour les pécheurs. » S'il n'est pas de paix pour les pécheurs, qu'est-ce donc que cette paix-là ? Craignons ce qui est écrit : « Quand les gens diront : paix et sécurité, alors, subitement, fondra sur eux la ruine, comme les douleurs sur la femme enceinte, et ils ne pourront pas y échapper » (*I Thess.* 5, 3). Il arrive que nos ennemis, par ruse, ménagent une courte tranquillité à notre cœur, pour l'empêcher d'invoquer le nom de Dieu. Ils savent bien que cette invocation les paralyse. Nous sommes avertis : appelons sans trêve le nom de Dieu à notre secours. Voilà la prière. Et il est écrit : « Priez sans cesse » (*I Thess.* 5, 17), (nº 322).

7. Isaac de Ninive

Moine nestorien, cinq mois évêque de Ninive (vers 670), il conquiert le monde grec, au IXe siècle, à travers la traduction des moines sabaïtes Abramios et Patricios et devient " saint Isaac le Syrien ". On se fera une idée de son influence au XIVe siècle par la Centurie *de Calliste et Ignace qui le citent — et avec quelle prolixité! — à tout propos. Particulièrement admiré des théologiens russes du XIXe siècle, on ne s'étonne pas que Théophane lui ait ouvert sa* Dobrotoljubié.

Isaac ne fait, en somme, que transposer les sentences d'Évagre, qu'il appelle " le prince des gnostiques ", dans un langage plus lâché et moins âpre. Il insiste davantage sur la notion de cœur. Mais la pensée demeure la même. Toute la mystique est commandée par une contemplation identifiée à la prière et aux " au-delà " de la prière.

Outre la traduction grecque, peu accessible, indiquée plus haut, on possède une édition du texte syriaque original (Bedjan, I. De perfectione religiosa, *Paris, 1909) et une traduction anglaise correspondante par Wensinck* (Mystic treatises, *Amsterdam, 1923). Nous avons utilisé cette traduction, tout en nous reportant, à l'occasion, à certains des extraits réunis par la* P. G. 86, 811-886.

LES PHASES DE LA PURIFICATION

La discipline du corps jointe à la tranquillité purifie le corps des éléments matériels qu'il renferme. La discipline de l'âme rend l'âme humble et la purifie des mouvements matériels qui la portent aux choses périssables, en muant leur nature passionnée en mouvements de contemplation. Cette contemplation amène l'âme à la nudité de l'intellect, appelée encore contemplation immatérielle : c'est la discipline spirituelle. Elle élève l'intellect au-dessus des choses terrestres et la rapproche de la contemplation spirituelle primordiale; elle braque l'intellect vers Dieu par la vision de sa gloire ineffable et jouit spirituellement de l'espérance des choses futures à la pensée de ce qu'elles seront dans leur détail.

Les labeurs physiques portent le nom de discipline corporelle en Dieu, car ils servent à purifier l'âme par un service parfait, qui s'exprime en œuvres personnelles destinées à purifier l'homme des sanies de la chair.

La discipline de l'âme est le labeur (ou l'effort) du cœur. C'est la pensée incessante du Jugement, accompagnée d'une constante prière du cœur, de la providence de Dieu, du soin que Dieu prend de ce monde, dans le détail et dans l'ensemble. C'est encore une attention sur le domaine des passions de l'âme pour les empêcher de s'introduire dans le lieu secret et spirituel. Tel est le labeur du cœur ou discipline de l'âme... (*Wensinck* XL, p. 202; cf. *P. G.* 86, 872.)

La pureté du cœur, c'est d'être net de toute souillure; la pureté de l'âme, c'est d'être libre de toute passion cachée dans l'esprit; la pureté de l'intellect, c'est d'être purifié par la révélation de toute émotion pour les choses qui tombent sous le domaine des sens. (*Wensinck* XL, p. 204; *P. G.* 86, 874 *c*.)

Il y a entre la pureté de l'intellect et la pureté du cœur la même différence qu'entre un membre particulier du corps et le corps dans son ensemble. Le cœur est l'organe central des sens intérieurs, le sens des sens, parce qu'il est la racine. " Si la racine est sainte, toutes les branches le seront également " (*Rom.* 11, 16). Mais la racine ne sera pas sainte s'il n'est qu'une branche à l'être.

Or, avec un usage modeste de l'Écriture joint à une certaine pratique du jeûne et de la solitude (hésychie), l'intellect oublie son ancienne occupation et il est purifié en résistant à ses mœurs étrangères. Mais aussi il faut peu de chose pour le souiller. Le cœur, lui, se purifie au prix de grands efforts par la privation de toute accointance avec le monde et par une mortification universelle. Mais, une fois pur, sa pureté n'est plus souillée par le contact des choses insignifiantes [1]; entendez qu'il ne redoute pas même les engagements sévères. (*Wensinck* III, p. 20)

SOUVENIR DE DIEU

Souvenez-vous donc de Dieu pour que sans cesse il se souvienne de vous; en se souvenant de vous, il vous sauvera et vous recevrez tous ses biens. Ne l'oubliez pas dans de vaines distractions si vous ne voulez pas qu'il vous oublie à l'heure de vos tentations.

Dans la prospérité, demeurez près de lui dans l'obéissance : vous aurez ainsi assurance de parole devant lui quand vous serez en peine, du fait que votre prière vous tient sans cesse auprès de lui dans votre cœur. Tenez-vous sans cesse devant sa face à penser à lui, à vous souvenir de lui dans votre cœur; sinon, vous risquez, en ne le voyant que de loin en loin, de manquer d'assurance avec lui, par suite de votre timidité. La fréquentation continue, au contraire, procure un haut degré d'assurance. La fréquentation continue, chez les hommes, s'exerce par la présence corporelle; la fréquentation continue de Dieu est une méditation de l'âme et une offrande dans la prière. (*Wensinck* V, p. 50.)

Lorsque la vertu du vin pénètre dans les veines,

1. Des simples pensées, peut-être ?

l'intellect oublie le détail et la distinction des choses; quand le souvenir de Dieu s'empare de l'âme, le souvenir des choses visibles s'évanouit du cœur. (*Wensinck* XLV, p. 217.)

Celui qui inspecte son âme à tout instant — son cœur jouit des révélations. Celui qui ramasse sa contemplation au-dedans de lui contemple l'éclat de l'Esprit; celui qui a méprisé la dissipation contemple son Seigneur au-dedans de son cœur. Celui qui veut voir le Seigneur s'applique à purifier son cœur par un souvenir ininterrompu de Dieu. De la sorte il verra le Seigneur à tout moment dans l'éclat de son intellect. Comme du poisson hors de l'eau, il en va de l'intellect qui sort du souvenir de Dieu et se laisse emporter par le souvenir du monde. (*P. G.* 86, 885 *c.*)

LA MEILLEURE PART

Bienheureux celui qui comprend cela et persévère dans la paix sans même s'imposer toute sorte de labeurs mais échange son service corporel contre l'œuvre de la prière, s'il en est capable. Celui qui est incapable de supporter la solitude sans recourir au service devra bien recourir au service. Mais qu'il s'y livre comme à un adjuvant, comme à une chose secondaire et non comme à un commandement essentiel, sans empressement. Ceci pour les faibles. Évagre a dit du travail manuel que c'est un obstacle au souvenir de Dieu...

Quand Dieu ouvre ton intellect du dedans et que tu te livres à des génuflexions répétées, ne laisse aucune pensée s'emparer de toi de peur que les démons te convainquent secrètement de les mettre en pratique; puis considère et admire ce qui naît en toi de ces choses.

Garde-toi de mettre en comparaison aucune des pratiques morales (vie active) avec tes prostrations de jour et de nuit, face contre terre devant la croix et mains derrière le dos. Si tu désires que ta ferveur ne faiblisse jamais, que tes larmes ne tarissent pas, pratique cela... Et tu seras pareil à un paradis fleuri et à une fontaine inépuisable.

Considère maintenant les nombreuses preuves de grâce que la Providence apporte à l'homme. Parfois un homme est agenouillé en prière, les mains éployées ou tendues vers le ciel, le visage tourné vers la croix, le sentiment et l'intellect pour ainsi dire entièrement tendus vers Dieu et la supplication. Tandis qu'il est absorbé dans ses supplications et ses efforts, brusquement une source de délices s'ouvre dans son cœur, ses membres se relâchent, ses yeux se brouillent, son visage penche vers la terre, ses genoux eux-mêmes ne sont plus capables de prendre appui sur le sol à cause de la joie et de l'exultation de la grâce qui se répand dans son corps. (*P. G.* 86, 819; *Wensinck* IV, 40)

LA PRIÈRE

Qu'est-ce que la prière ? Un intellect libre de tout ce qui est terrestre et un cœur aux regards entièrement braqués sur l'objet de l'espérance. S'écarter de là c'est imiter l'homme qui répand dans son sillon des semences mêlées ou qui laboure avec un attelage composé d'un bœuf et d'un âne. (*Wensinck* LXXIV, 341.)

La prière sans distraction est celle qui produit dans l'âme la pensée constante de Dieu. Nouvelle incarnation : Dieu habite en nous par notre recueillement constant en lui, accompagné d'une application laborieuse du cœur à rechercher sa volonté. Les mauvaises pensées involontaires ont leur origine dans un relâchement préalable. (*Wensinck* L, 237.)

Qu'est-ce que la prière spirituelle ? Il y a prière spirituelle lorsque les mouvements de l'âme subissent l'action du Saint-Esprit à la suite de sa véritable pureté. Un homme sur dix mille en est favorisé. Elle est le symbole de notre future condition car la nature est emportée au-dessus de tous les mouvements impurs inspirés par le souvenir des choses de ce monde... C'est la vision intérieure... qui a son point de départ dans la prière. (*Wensinck* xxxv, 174.)

En quoi consiste l'apogée des labeurs de l'ascèse, à quoi reconnaître qu'on a atteint le terme de sa course ? (Le terme est atteint) lorsqu'on a été jugé digne de la prière constante. Celui qui y est parvenu a touché au terme de toutes les vertus et il a du même coup une demeure spirituelle. Celui qui n'a pas reçu en vérité le don du Paraclet est incapable d'accomplir la prière ininterrompue dans le repos. Lorsque l'Esprit établit sa demeure dans un homme, celui-ci ne peut plus s'arrêter de prier, car l'Esprit ne cesse pas de prier en lui. Qu'il dorme, qu'il veille, la prière ne se sépare pas de son âme. Tandis qu'il mange, qu'il boit, qu'il est couché, qu'il se livre au travail, qu'il est plongé dans le sommeil, le parfum de la prière s'exhale spontanément de son âme. Désormais il ne maîtrise pas la prière pendant des périodes de temps déterminées, mais en tout temps. Même lorsqu'il prend son repos visible, la prière est assurée en lui secrètement car " le silence de l'impassible est une prière ", a dit un homme revêtu du Christ. Les pensées sont des motions divines, les mouvements de l'intellect purifié sont des voix muettes qui chantent dans le secret cette psalmodie à l'Invisible. (*Wensinck* xxxv, 174.)

Si vous arrivez à jumeler la méditation de vos nuits avec le service de vos journées, sans dédoubler la ferveur des opérations de votre cœur, vous ne tarderez pas à étreindre la poitrine de Jésus [1]... Voici mon conseil : tenez-vous dans la paix et éveillé, si vous le pouvez, sans réciter de psaumes ni faire de prostrations et si vous en êtes capables, priez uniquement dans votre cœur. Mais ne pas dormir ! (*Wensinck* xvii, 93.)

1. Comme Jean l'" épisthète ", celui qui repose " sur la poitrine ".

DEGRÉS DE LA PRIÈRE

La grâce agit diversement avec les hommes suivant leur mesure. Celui-ci multiplie le nombre de ses prières sous l'effet d'une brûlante ferveur; celui-là obtient un tel repos de l'âme qu'il réduit à l'unité la multiplicité de ses prières antérieures. (*Wensinck* xv, p. 88.)

Il ne faut pas confondre jouissance dans la prière et vision dans la prière : la seconde l'emporte sur la première autant qu'un homme fait sur un garçonnet. Il arrive que les paroles prennent une suavité singulière dans la bouche et que l'on répète interminablement le même mot de la prière sans qu'un sentiment de satiété vous fasse aller plus loin et passer au suivant.

Parfois la prière engendre une certaine contemplation qui fait s'évanouir la prière sur les lèvres. Celui auquel échoit pareille contemplation entre en extase, et devient pareil à un corps que son âme a quitté. C'est ce que nous appelons vision dans la prière et non pas une image ou une forme fabriquée par l'imagination, comme le soutiennent les sots.

Cette contemplation dans la prière a elle-même ses degrés et ses dons différents. Mais jusque-là il s'agit d'une prière, car la pensée n'est pas encore passée à l'état où il n'y a plus prière mais état supérieur à la prière. Les mouvements de la langue et du cœur au cours de la prière sont des clés. Vient ensuite l'entrée dans la chambre. Là la bouche, les lèvres se taisent; le cœur, le chambellan des pensées, la raison qui règne sur les sens, l'esprit, cet oiseau rapide, avec tous leurs moyens et facultés et leurs supplications n'ont plus qu'à se tenir muets, car le Maître de la maison est entré.

L'autorité des lois et des commandements édictés par Dieu pour l'humanité ont leur terme dans la pureté du cœur suivant la parole des saints Pères. De même, toutes les formes et attitudes de prière dans lesquelles l'homme s'adresse à Dieu ont leur terme dans la prière pure... Dès que l'esprit a franchi la frontière de la prière pure et s'est engagé au-delà, il n'y a plus ni prière ni émotions, ni larmes, ni autorité, ni liberté, ni supplications, ni désir, ni impatiente espérance pour ce monde ou pour l'autre. Il n'y a donc pas de prière au-delà de la prière pure... En franchissant cette limite, on entre dans l'extase, on n'est plus dans les prières. C'est la vision : l'esprit ne prie plus...

Sur dix mille hommes on en trouverait difficilement un qui ait accompli les commandements et les lois dans une mesure appréciable et ait été jugé digne de la tranquillité de l'âme. Il n'est pas moins rare de trouver dans une foule un homme à qui sa vigilance persévérante ait mérité la prière pure... Mais pour le mystère qui se trouve au-delà on trouverait difficilement dans toute une génération un homme qui ait approché de cette connaissance de la gloire de Dieu... L'objet de la prière est oublié. Les mouvements sont noyés dans une profonde ivresse, on n'est plus de ce monde. C'est l'ignorance bien connue dont Évagre a dit : " Bienheureux celui qui est parvenu, dans la prière, à l'inconnaissance qu'il est impossible de dépasser. " (*Wensinck* XXII, 111-118.)

Il est temps maintenant d'expliquer ce que nous avons dit plus haut touchant la jouissance spirituelle. Au début, c'est une énergie vague que l'amour éveille au cœur sans causes apparentes. Car il met en branle le tempérament sans vision personnelle, sans pensée pratique. On le trouve dépourvu de cause, l'intellect est encore vague.

C'est l'impression produite sur le sujet peu exercé. Quand il sera parfait, la cause se révélera à l'examen. Alors l'impression sera plus puissante, car la jouissance s'exercera dans le cœur. Le sujet en gardera une part dans son corps tandis qu'il en enverra une autre aux autres facultés de l'âme. Car le cœur tient le milieu entre les sens de l'âme et ceux du corps. Il est à l'âme dans une relation d'organe, au corps dans une relation de nature. Le sujet dirige le goût de son action des deux côtés. Aussi le monde est-il contraint de se séparer de lui, de même qu'il se sépare des choses de ce monde. Nous devons nécessairement examiner la cause de ce phénomène. L'amour est quelque chose de naturellement chaud. Quand il s'abat violemment sur quelqu'un, il rend son âme comme folle. Le cœur qui le ressent ne peut donc plus le contenir ni le supporter sans que des altérations insolites et excessives apparaissent en lui. Et ces signes l'annoncent sensiblement : tout à coup le visage s'empourpre et irradie, le corps s'échauffe, la crainte et la timidité sont bannies, le pouvoir de concentration fuit, c'est le règne de l'enthousiasme et du bouleversement. (*Wensinck* XXXIII, 148.)

LE PÉRIPLE DE LA PRIÈRE

Le navigateur, tant qu'il navigue, a les yeux aux étoiles, il règle sur elles la marche de son bateau et attend qu'elles lui montrent le chemin vers le port. Le moine a les yeux à la prière : elle dirige sa marche vers le port imposé à sa course. Le moine ne cesse de diriger ses regards sur la prière pour qu'elle lui montre l'île où jeter l'ancre sans risques pour embarquer des provisions avant de mettre le cap sur une autre île. Telle est la course du solitaire, tant qu'il est de ce monde. Il quitte une île pour une autre : les diverses connaissances qu'il rencontre sont autant d'îles jusqu'à ce qu'enfin il aborde et dirige ses pas vers la Cité de la vérité dont les habitants ne trafiquent plus, où chacun est comblé avec ce qu'il a. Bienheureux ceux dont le voyage se déroule sans trouble à travers le vaste océan. (*Wensinck* XLV, p. 218.)

8. Jean Climaque ou de l'Échelle

(vers 580-650)

Moine au mont Sinaï pendant un demi-siècle, il doit son surnom à son Échelle (Klimax), *véritable somme de la vie spirituelle, conçue surtout pour des solitaires et des contemplatifs mais attachante par l'accent pratique et méthodique de sa psychologie.*

L'Échelle *a été abondamment lue et commentée en Orient puis en Occident. Elle a inspiré l'iconographie.*

Absente de la Philocalie *de Macaire et de sa traduction slavonne, elle apparaît sous forme d'extraits dans la* Dobrotoljubié *russe. Juste réparation, car l'œuvre du Climaque, outre qu'elle résume excellemment l'esprit de la* Philocalie, *est l'interprète la plus originale de ce qu'on a appelé la " spiritualité sinaïte " et l'inspiratrice la moins contestée du renouveau hésychaste du XIII-XIV*ᵉ *siècle.*

Pour Climaque comme pour Évagre, la prière est la plus haute expression de la vie solitaire. Elle se développe sur une élimination des imaginations et des pensées. D'où la nécessité de la monologie, *l'invocation courte inlassablement reprise qui paralyse la dispersion de l'esprit et alimente le souvenir constant de Jésus, véritablement intronisé dans le cœur. Ce souvenir et son expression doivent ne faire qu'un avec le souffle. Image saisissante ou description ? il est difficile de trancher.*

Le Climaque rappelle des principes évidemment connus de ses lecteurs et passe. Sa postérité, Hésychius et Philothée, se montrera plus insistante (voir plus bas).

En dehors de l'édition gréco-latine de la P. G. *88, 631-1210, il y aura profit à se reporter à* L'Échelle sainte ou les degrez pour monter au ciel traduits du grec par

Mr Arnauld d'Andilly, *Paris, 1652. La paraphrase n'y exclut pas un grand effort de fidélité. Il existe d'autre part une traduction italienne récente doublée du texte grec* (Scala Paradisi, *trad. P. Trevisan, Torino, 1941, 2 vol.*).

PRIÈRE A JÉSUS ET PENSÉE DE LA MORT

C'est lorsque nous nous étendons sur notre couche que le moment est venu de veiller (d'être sobres). Car l'esprit combat alors seul contre les démons et sans le corps. Qu'il se trouve dans une disposition de sensualité, il aura vite fait de trahir. Que toujours la pensée de la mort se couche avec vous et avec vous se réveille. Et de même la prière *monologique* de Jésus. Vous ne sauriez trouver dans votre sommeil auxiliaires comparables à ceux-là [1]. (*Degré* 15. *P. G.* 88, 889 *cd.*)

Priez souvent dans les tombeaux et peignez-en l'image, indélébile, dans votre cœur. (*Degré* 18. *P. G.* 88, 933 *d.*)

Tout peureux est un vaniteux, ce qui ne veut pas dire que tous les intrépides soient des humbles, car les brigands, les détrousseurs de sépultures ne sont pas à l'ordinaire des peureux. Certains lieux vous inspirent de la frayeur : n'hésitez pas à vous y rendre en pleine nuit. Si vous composez tant soit peu avec lui, ce sentiment vieillira avec vous. En y allant, armez-vous de la prière; en y pénétrant, étendez les bras et flagellez les ennemis avec le Nom de Jésus. Il n'existe pas au ciel et sur la terre d'arme plus efficace. (Degré 21.)

1. A rapprocher le passage de Cassien (*P.L.* 49, 832 *a*) à propos d'un autre " secret des Pères du premier âge ", le verset : " Mon Dieu, venez à mon aide; hâtez-vous, Seigneur, de me secourir "... (Ps. 69, 2): " que le sommeil vous ferme les yeux sur ces paroles, tant qu'à force de les redire vous preniez l'habitude de les répéter même en dormant. Qu'elles soient, au réveil, la première chose qui se présente à votre esprit, avant toute autre pensée... " (Cité d'après M. J. Rouet de Journel, *Textes ascétiques des Pères de l'Église*, Fribourg, 1947, n° 876.)

Le vrai moine : un regard immobile de l'âme et un sens corporel inébranlable... Le moine : une lumière qui ne s'éteint pas à l'œil du cœur. (*Degré* 23. *P. G.* 88, 945 *c*.)

La solitude du corps est la science et la paix de la conduite et des sens; la solitude de l'âme, la science des pensées et un esprit inviolable. L'ami de la solitude, c'est un esprit vaillant et inflexible en faction, sans sommeil, à la porte du cœur pour renverser et occire ceux qui s'approchent. Celui qui pratique cette solitude dans le fond de son cœur (litt. avec le sens du cœur) comprend ce que je dis; celui qui en est encore à la première enfance n'y a pas goûté et ne comprend pas. L'hésychaste qui sait n'a plus besoin de paroles; il est illuminé par la science des œuvres...

L'hésychaste est celui qui aspire à circonscrire l'incorporel dans une demeure de chair. Le chat épie la souris, l'esprit de l'hésychaste guette la souris invisible. Ne dédaignez pas ma comparaison ; vous montreriez que vous ne connaissez pas encore la solitude. Le cas du cénobite n'est pas celui du moine (solitaire). Le moine a besoin d'une grande vigilance et d'un esprit net d'agitation; le cénobite a souvent l'appui d'un frère, le moine celui d'un ange. Les puissances spirituelles se plaisent à demeurer avec les vrais solitaires et s'associer au culte qu'ils rendent à Dieu...

L'hésychaste est celui qui dit : “ Mon cœur est affermi ” (*Ps*. 57, 8). L'hésychaste est celui qui dit : “ Je dors mais mon cœur veille ” (*Cant*. 5, 2). Fermez la porte de votre cellule à votre corps, la porte de vos lèvres aux paroles, la porte intérieure aux esprits.

Ceux dont l'esprit a appris à prier en vérité parlent au Seigneur face à face, comme ceux qui parlent à l'oreille de l'empereur; ceux dont la bouche prie rappellent ceux qui se prosternent devant l'empereur en présence de toute la cour. Ceux qui vivent dans le monde, ce sont ceux qui adressent leur supplique à l'empereur dans la cohue de tout le peuple. Si vous avez appris dûment l'art de la prière, il n'y aura rien là pour vous de nouveau.

Assis sur une hauteur, observez (si vous en êtes capable) et vous verrez alors les maraudeurs qui s'avancent pour piller vos raisins, leur tactique, leur heure, leur origine, leur nombre, et leur nature. Le factionnaire, fatigué, se lèvera pour prier, puis il se rassiéra pour reprendre vaillamment sa première occupation...

L'œuvre de la solitude (hésychia), c'est une insouciance totale de toutes choses, raisonnables ou non. Car celui qui ouvre aux premières rencontrera sûrement les secondes. Sa deuxième œuvre, c'est la prière assidue, la troisième, l'activité inviolable du cœur. Impossible, sans savoir ses lettres, de lire les livres : impossible, sans avoir d'abord acquis les deux premières œuvres, d'aborder comme il faut la troisième...

Un cheveu suffit à brouiller le regard, un simple souci à détruire la solitude (hésychia) car la solitude est dépouillement des pensées et renoncement aux soucis raisonnables. Celui qui possède vraiment la paix ne se soucie plus de son propre corps... Celui qui veut présenter à Dieu un esprit purifié et se laisse troubler par les soucis ressemble à quelqu'un qui se serait étroitement entravé les jambes et prétendrait courir...

Mieux vaut un pauvre obéissant qu'un hésychaste distrait. Celui qui croit s'adonner à la solitude et ne considère pas à toute heure ses avantages, ou bien n'est pas un véritable hésychaste ou bien se laissera surprendre par la présomption. La solitude est un culte et un service ininterrompu de Dieu. Que le souvenir de Jésus ne fasse qu'un avec votre souffle : alors vous comprendrez l'utilité de la solitude.

L'obéissance se perd par la volonté propre, le solitaire par l'espacement de la prière... La nuit, donnez la meilleure part de votre temps à la prière et la plus courte à la psalmodie. Le jour venu, préparez-vous à retourner vaillamment à votre office...

La lecture n'est pas peu utile pour éclairer et recueillir l'esprit... Vous êtes un ouvrier, ayez des lectures actives. Cette occupation rend inutile toute autre lecture. Cherchez vos lumières sur la science de la santé dans les labeurs plutôt que dans les livres... (*Degré* 27. *P. G.* 88, 1096 s.)

Celui qui se sent devant Dieu du fond du cœur pendant la prière sera comme une colonne immobile... Le véritable obéissant, souvent, devient tout à coup durant la prière tout entier lumineux et transporté de joie. Car le combattant était d'ores et déjà préparé et enflammé par un service irréprochable. N'importe qui peut prier avec la foule mais pour le plus grand nombre il vaut mieux le faire avec un compagnon de même esprit. Car la prière parfaitement solitaire est un rarissime privilège. Impossible, quand on psalmodie avec la foule, de prier immatériellement... (*Degré* 19. *P. G.* 88, 938 *cd.*)

Le moine qui veille (il s'agit de la veillée nocturne) est un pêcheur de pensées, qui sait distinguer sans peine, dans le calme de la nuit, les pensées et les attraper... Trop de sommeil amène l'oubli, la veillée purifie la mémoire. La richesse des agriculteurs se rassemble dans l'aire et le pressoir; la richesse et la science (gnose) des moines dans les stations et les occupations vespérales et nocturnes de l'esprit...

A la veillée du soir certains étendent les mains pour la prière, immatériels et dépouillés de toute préoccupation; d'autres s'y occupent à la psalmodie; d'autres s'appliquent à la lecture; certains, dans leur faiblesse, luttent bravement contre le sommeil en travaillant des mains; d'autres vaquent à la pensée de la mort dans le dessein d'en retirer la componction. De ce nombre les premiers et les derniers persévèrent dans une veillée agréable à Dieu, les seconds dans une veillée monastique; les troisièmes suivent la route inférieure. Mais Dieu agrée et juge l'offrande suivant l'intention et les moyens [1]. (*P. G.* 88, 940, 941.)

Que votre prière ignore toute multiplicité : une seule parole a suffi au Publicain et à l'Enfant prodigue pour obtenir le pardon de Dieu...

Point de recherche dans les paroles de votre prière : que de fois les bégaiements simples et monotones des enfants fléchissent leur père ! Ne vous lancez pas dans de longs discours afin de ne pas dissiper votre esprit dans la recherche des paroles. Une seule parole du Publicain a ému la miséricorde de Dieu; un seul mot plein de foi a sauvé le Larron. La prolixité dans la prière souvent emplit l'esprit d'images et le dissipe tandis que souvent une seule parole (monologie) a pour effet de le recueillir. Vous sentez-vous consolé et attendri par une parole de la prière, arrêtez-vous-y, car c'est que notre ange gardien alors prie avec nous.

Point trop d'assurance, même si vous avez obtenu la pureté, mais plutôt une grande humilité et vous sentirez alors une plus grande confiance. Eussiez-vous gravi l'échelle des vertus, priez pour demander le pardon de vos péchés, dociles au cri de saint Paul : " J'en suis un (un pécheur), moi le premier " (*I Tim.* 1, 15). L'huile et le sel donnent saveur aux aliments, la chasteté et les larmes des ailes à la prière. Quand vous aurez revêtu la douceur et l'absence de colère, il ne vous en coûtera plus beaucoup pour libérer votre esprit de sa captivité.

Tant que nous n'aurons pas obtenu la prière véritable, nous ressemblerons à ceux qui apprennent aux enfants à faire leurs premiers pas. Travaillez à élever votre pensée ou mieux à la reclure dans les paroles de votre prière; si la faiblesse de l'enfance la fait tomber,

1. Comparer avec le texte parallèle, p. 34.

relevez-la. Car l'esprit est instable de nature mais Celui qui peut tout affermir peut fixer aussi l'esprit. Si vous ne cessez de combattre, Celui qui fixe des bornes à la mer de l'esprit viendra en vous et lui dira : " tu viendras jusqu'ici, non au-delà " (*Job*, 38, 11). Il est impossible d'enchaîner l'esprit mais là où se trouve le Créateur de l'esprit, tout lui est soumis. Si vous avez jamais vu le Soleil vous pourrez converser avec lui comme il faut; celui qui ne l'a pas vu, comment pourra-t-il sans mensonge s'entretenir avec lui ?

Le premier degré de la prière consiste à chasser par une pensée (ou une parole) simple et fixe (monologiquement) les suggestions au moment même qu'elles percent. Le second, à garder notre pensée uniquement à ce que nous disons et pensons. La troisième, c'est le rapt de l'âme dans le Seigneur. Autre est l'exultation que trouvent dans la prière ceux qui vivent en communauté, autre celle qu'éprouvent les solitaires : la première peut être encore légèrement entachée d'imagination [1], la seconde est toute remplie d'humilité...

Le grand héros de la sublime et parfaite prière dit : " j'aime mieux dire cinq mots avec mon intelligence... " (*I Cor.* 14, 19.) Les petits enfants n'ont pas idée de cela : imparfaits que nous sommes, avec la qualité il nous faut aussi la quantité. La seconde nous procure la première...

Si nous ne sommes pas seuls à l'heure de la prière, imposons-nous intérieurement l'attitude de la supplication; s'il n'y a pas de témoins susceptibles de nous louer, imposons-nous, en outre, l'attitude extérieure de la révérence car, chez les imparfaits, souvent l'esprit se conforme au corps.

Ressuscités de l'amour du monde et des plaisirs, rejetez les soucis, dépouillez-vous des pensées, reniez

1. Et aussi d'une certaine satisfaction, d'une certaine conscience de soi comme l'insinue le double sens du mot grec, confirmé par le deuxième membre de la comparaison. Cf. Diadoque, nº 60.

votre corps, car la prière n'est autre chose qu'un exil du monde visible et invisible...

Il y a une différence entre examiner assidûment son cœur et le visiter par l'esprit, Roi et Pontife, qui offre au Christ des victimes raisonnables. Sur les uns — nous dit un auteur qui a mérité le titre de théologien — le Feu saint et supracéleste descend pour les consumer, à cause de ce qui manque encore à leur purification; il illumine les seconds à la mesure de leur perfection. Car le même Feu qui consume est aussi la Lumière qui éclaire. De là vient que certains sortent de la prière comme ils sortiraient d'une fournaise, en éprouvant comme l'allègement d'une souillure et d'une matière tandis que d'autres en sortent illuminés et revêtus du manteau double de l'humilité et de l'exultation. Ceux qui sortent de la prière sans l'un de ces deux effets ont fait une prière corporelle, pour ne pas dire juive, non une prière spirituelle. Si le corps qui en touche un autre subit un effet d'altération, comment ne subirait pas une altération celui qui touche le Corps du Seigneur avec des mains innocentes ?...

On n'apprend pas à voir, c'est un effet de la nature. La beauté de la prière ne s'apprend pas non plus par l'enseignement d'autrui. Elle a son maître en elle-même, Dieu " qui enseigne aux hommes la science " (*Ps.* 94, 10), donne la prière à celui qui prie et bénit les années des justes. (*Degré* 28. *P. G.* 88, 1130 s.)

9. Hésychius le Sinaïte

(VIIIe-Xe siècle)

Higoumène de Notre-Dame du Buisson (Batos), au Sinaï ; auteur de deux centuries Sur la sobriété et la vertu (P.G. *93, 1480). Postérieur à Jean Climaque et à saint Maxime qu'il utilise.*

*Hésychius inculque une notion très simple de la vie spirituelle qu'il reprend inlassablement au long de ses 200 chapitres. Tout tient pour lui dans l'attention ou la sobriété ou encore l'*hésychia *dont les deux premières sont l'objet, le moyen, le but tout à la fois.*

Attaquez-vous aux pensées, il n'y aura plus de péché, puisque le péché s'amorce à la pente créée par une première représentation qu'on n'a pas arrêtée pour n'avoir pas su la distinguer. C'est affaire d'attention. Et de grâce : d'où le second principe, de l'invocation de Jésus, de la prière monologique *à Jésus. La résistance à la pensée se déroule en trois temps : faction perpétuelle pour démasquer la pensée intruse, bonne ou mauvaise ; résistance et mobilisation de la saine colère (la « colère suivant la nature ») contre l'indésirable ; enfin l'invocation toute simple, soudée à la respiration, qui assainit et purifie l'air du cœur.*

L'histoire de cette attention jointe à la prière de Jésus, est celle-là même du progrès spirituel. Elle commence par une échelle (l'observation des commandements, les vertus), puis elle nous ouvre un livre (la science des êtres, les contemplations inférieures), enfin elle introduit dans la Jérusalem spirituelle et la vision du Christ (la « théologie ») dans la lumière de notre âme.

Les deux centuries présentent déjà cette simplification qui frappe chez un Nicéphore le Solitaire : la perfection spirituelle est absorbée par l'attention et la prière de Jésus. Sans la fameuse technique et, plus tard, l'apport palamite sur la vision de la lumière thaborique, Nicéphore et le pseudo-Syméon ne seraient qu'une réédition pure et simple d'Hésychius.

PREMIÈRE CENTURIE [1]

1. La sobriété est une méthode spirituelle qui nous libère entièrement, avec le secours de Dieu et moyennant une pratique soutenue et décidée, des pensées et paroles passionnées ainsi que des actions mauvaises. Elle procure une connaissance assurée du Dieu incompréhensible et résout d'une manière secrète les divins et secrets mystères. Elle accomplit tous les commandements de l'Ancien et du Nouveau Testament et procure tous les biens de la vie future. Elle est avant tout cette pureté du cœur que son excellence et sa beauté, plus exactement notre négligence et notre inattention, ont rendue si rare parmi les moines de ce temps et que le Christ a béatifiée : " Bienheureux les cœurs purs, parce qu'ils verront Dieu " (*Mt.* 5, 8). A ce titre, elle est d'un grand prix. La sobriété guide l'homme qui la pratique avec persévérance dans une vie juste et agréable à Dieu. Elle est, en outre, une échelle qui conduit à la contemplation, elle nous enseigne à régir convenablement les mouvements des trois parties de l'âme (raison, irascible et concupiscible), à garder sûrement nos sens et augmente de jour en jour les quatre grandes vertus.

2. ... " Prends garde que ne s'élève en ton cœur une pensée secrète " (cf. *Deut.* 15, 9). Moïse, ou plutôt le Saint-Esprit, entend par là la simple apparition d'un objet mauvais en haine à Dieu, ce que les Pères appellent

1. Nous reproduisons la numérotation de la *Patrologie grecque*.

la suggestion. Offerte au cœur par le diable, elle est suivie, aussitôt présentée à l'intelligence, par nos pensées qui engagent alors avec elle un entretien passionné.

3. La sobriété est la voie de toutes les vertus et de tous les commandements de Dieu. Elle consiste dans la tranquillité du cœur et dans un esprit parfaitement préservé de toute imagination.

5. L'attention, c'est un cœur en repos (hésychie) permanent de toute pensée, qui ne respire et n'invoque sans interruption que le Christ Jésus Fils de Dieu, qui combat vaillamment à ses côtés et confesse Celui qui a pouvoir de remettre les péchés. Que l'âme, par une invocation soutenue, étreigne le Christ qui scrute secrètement les cœurs et qu'elle s'applique à dérober entièrement aux hommes sa joie et son combat intérieurs, le Malin ne trouvera plus d'issue par où introduire sa malice dans le cœur et détruire l'œuvre parfaite entre toutes.

6. La sobriété, c'est une faction immobile et persévérante de l'esprit à la porte du cœur, pour distinguer subtilement ceux qui se présentent, écouter leurs propos, épier les manœuvres de ces ennemis mortels, reconnaître l'empreinte démoniaque qui tente, par l'imagination, de saccager notre esprit. Cette œuvre vaillamment menée nous donnera, si nous le voulons, une expérience très avertie du combat intérieur.

7. La double crainte, les dérélictions et les épreuves pédagogiques dont Dieu use à notre égard ont pour effet naturel de créer une continuité solide d'attention dans l'esprit de l'homme qui s'efforce de boucher la source des mauvaises pensées et actions. C'est la raison des dérélictions et des tentations inopinées envoyées par Dieu pour redresser notre conduite, surtout si, après avoir goûté à la douce paix de l'attention, nous sommes tombés dans la négligence. L'effort soutenu engendre l'habitude, celle-ci une certaine continuité de la sobriété qui, à son tour, procure peu à peu une vision directe du combat, suivie par la prière persé-

vérante de Jésus, le suave repos d'un esprit net d'imagination et de l'état établi [1] par Jésus.

11. " Ce ne sont pas tous ceux qui me diront : Seigneur, Seigneur ! qui entreront dans le royaume des cieux mais celui qui fera la volonté de mon Père " (*Mt.* 7, 21). Or, la volonté de Dieu c'est " d'avoir la haine du mal " (*Ps.* 97, 10). Par la prière de Jésus haïssons les mauvaises pensées et voilà accomplie la volonté de Dieu !

13. De combien de manières, à mon avis, la sobriété purifie l'esprit des pensées passionnées, je vais vous l'indiquer tout de suite...

14. Une première forme de sobriété consiste à surveiller étroitement l'imagination et la suggestion, car Satan est incapable, sans l'imagination, de former des pensées pour les présenter à notre esprit et l'abuser par son mensonge.

15. Une deuxième forme consiste à garder toujours son cœur dans un silence et une trêve profonde de toute chose et à prier.

16. Une troisième consiste à appeler sans cesse Jésus au secours avec humilité.

17. Une autre à garder sans interruption dans son âme le souvenir de la mort.

18. Toutes ces pratiques arrêtent les mauvaises pensées, à la façon des janissaires. Sur la méthode importante, qui consiste à ne regarder que le ciel et à tenir la terre pour rien, je m'étendrai davantage ailleurs, s'il plaît à Dieu.

20. Le combattant spirituel doit, à tout instant, posséder quatre choses : l'humilité, une attention extrême, la contradiction et la prière. L'humilité, parce que ce combat nous oppose aux démons, ennemis de l'humilité, de manière à tenir à la portée du cœur le Seigneur qui hait les orgueilleux. L'attention, pour interdire à son cœur de renfermer aucune pensée,

1. A la fois établi par, résultant de, *composé de* Jésus, si l'on peut dire.

quelles qu'en soient les bonnes apparences. La contradiction, pour que, voyant parfaitement le nouveau venu, on puisse lui répliquer sur le champ avec colère. La prière, aussitôt après la contradiction, pour crier du fond du cœur vers le Christ avec un inexprimable gémissement. Alors le combattant verra l'ennemi se dissiper au nom saint et adorable de Jésus comme la poussière au vent, et disparaître comme la fumée avec ses imaginations.

21. Celui qui n'a pas la prière pure de pensées est désarmé pour le combat; je veux dire la prière exercée intarissablement dans le sanctuaire profond de l'âme, pour expulser au fouet et consumer l'ennemi invisible par l'invocation de Jésus-Christ.

22. Ayez toujours l'œil de l'esprit vif et attentif pour reconnaître les nouveaux venus. Dès que vous les avez reconnus, écrasez la tête du serpent avec la contradiction en même temps que vous appellerez le Christ en gémissant, et vous recevrez le sentiment direct du secours invisible et vous verrez distinctement la droiture de votre cœur.

23. Celui qui tient un miroir dans les mains, s'il se trouve parmi d'autres personnes tandis qu'il regarde dans le miroir, y voit son propre visage et ceux des autres qui s'y reflètent. De même, celui qui regarde dans son cœur avec une grande attention y voit son propre état et aussi les faces noires des Éthiopiens [1] invisibles.

24. L'esprit est incapable, livré à ses moyens, de vaincre l'imagination démoniaque. Qu'il n'aille pas s'y risquer ! Nous avons des ennemis si rusés qu'ils feignent la défaite pour nous faire trébucher sur la vanité, mais devant l'invocation de Jésus ils ne tiendront ni ne ruseront une minute de plus.

27. Voici un modèle et une règle pour le silence (hésychie) du cœur. Si vous voulez lutter, prenez exemple sur cette bestiole, l'araignée. Sinon (si vous

1. Désignation classique des démons dans la tradition du désert.

ne vous conduisez pas comme elle), vous n'avez pas encore le silence d'esprit qu'il faut. Cet insecte attrape les petites mouches. Si vous imitez sa quiétude (hésychie) en peinant dans votre âme, vous n'arrêterez pas d'exterminer les enfants de Babylone...

29. Si vous passez tout votre temps dans votre cœur, dans l'humilité de pensée, le souvenir de la mort, la contradiction et l'invocation de Jésus-Christ; si, chaque jour, vous suivez dans la sobriété et muni de ces armes, cette route intérieure, étroite mais génératrice de joie, vous parviendrez aux saintes contemplations des saintes réalités et " le Christ, en qui se trouvent renfermés tous les trésors de la sagesse et de la science " (*Col.* 2, 3), éclairera pour vous les mystères profonds.... Alors vous percevrez en Jésus que l'Esprit-Saint a fondu sur votre cœur, Celui qui éclaire l'esprit de l'homme pour lui faire " voir à visage découvert la gloire du Seigneur " (*II Cor.* 3, 18).

30. Ceux qui aiment s'instruire doivent savoir que les démons souvent nous cachent par envie et réduisent notre combat intérieur, parce qu'ils voient avec dépit le précieux secours qu'il accorde à notre montée vers Dieu et la connaissance qu'il nous procure. De la sorte, à la faveur de notre négligence, ils se saisissent à l'improviste de notre esprit et rendent certains d'entre nous inattentifs à leur cœur. Toute leur ambition et tous leurs efforts visent à empêcher notre cœur d'être attentif : ils savent l'enrichissement qu'apporte à notre âme la pratique quotidienne de l'attention. Mais appliquons-nous alors aux contemplations spirituelles avec le souvenir de Notre Seigneur Jésus-Christ et le combat se rallumera dans notre esprit...

39. " Le diable rôde comme un lion rugissant, en quête d'une proie à dévorer " (*I Pe.* 5, 8). Que jamais vous ne suspendiez l'attention du cœur, la sobriété, la contradiction et la prière à Jésus-Christ, notre Dieu. Dans toute notre vie nous ne saurions trouver secours plus excellent qu'en Jésus.

41. Plus la pluie tombe abondante, plus elle amollit la terre. Plus nous invoquons assidûment le nom du Christ en dehors de toutes pensées, plus il attendrira la terre de notre cœur, la pénétrera de joie et d'allégresse.

42. Il est utile que les sujets peu expérimentés sachent encore ceci : quand nous sommes accablés, entraînés vers la terre par notre corps et notre raison, nous avons des ennemis invisibles et immatériels, rusés et habiles à nous nuire. Nous n'avons qu'un moyen de les vaincre : la constante sobriété de l'esprit et l'invocation du Christ, notre Dieu et Créateur. Que les inexpérimentés trouvent dans la prière de Jésus un excitant pour éprouver et connaître le bien. Quant à ceux qui ont acquis l'expérience, le meilleur enseignement et la meilleure pratique du bien consistent à l'exercer et à se reposer en lui.

43. L'enfant sans malice se laisse séduire par le charlatan et, dans sa simplicité, il le suit. Ainsi notre âme, simple et bonne — son bon Maître la créa telle — prend plaisir aux suggestions du démon, elle se laisse séduire et court au méchant comme s'il était bon, de même que la colombe court à l'oiseleur qui pose des pièges à ses petits. Elle mêle ainsi ses propres pensées à l'imagination proposée par le démon. Est-ce le visage d'une belle femme ou telle autre chose absolument défendue par les commandements du Christ, elle cherche le moyen de traduire en acte l'objet qu'elle a vu... Elle s'identifie alors à sa pensée et elle exécute dans son corps, pour sa condamnation, l'objet défendu qu'elle a vu mentalement.

44. Ainsi procède le Malin; c'est avec ces flèches qu'il empoisonne toutes ses victimes. Aussi est-il plus prudent, tant que l'esprit n'a pas une longue expérience de la guerre, de ne pas laisser les pensées entrer dans le cœur. En particulier dans les débuts, lorsque notre âme éprouve encore un penchant pour les suggestions des démons, y prend du plaisir et les suit avidement.

Il est indispensable, aussitôt que l'on se rend compte des pensées, de les retrancher sur-le-champ, au moment même où elles nous atteignent et où nous les identifions. Quand l'esprit aura acquis une grande expérience de cet exercice admirable, qu'il saura tout ce qu'il faut en savoir, deviendra rompu à cette guerre au point de discerner exactement entre les pensées, qu'il sera capable, suivant le mot du Prophète de " prendre les petits renards ", alors il pourra se passer la ruse de les laisser s'avancer et d'engager ensuite le combat avec le secours du Christ, de les démasquer et de les bouter dehors.

46. Cela commence par la suggestion; puis vient la liaison : nos pensées se mêlent avec celles de l'esprit mauvais; puis l'union : les deux sortes de pensées tiennent conseil et mettent au point le plan du péché à commettre, enfin vient l'acte visible, le péché. Si l'esprit se trouve dans un état d'attention et de sobriété, et, par la contradiction et l'invocation de Jésus-Christ, empêche la suggestion imaginative de se développer, elle n'a pas de suites. Car le Malin, étant un esprit pur, n'a pour égarer les âmes que l'imagination et les pensées [1]...

49. Veillez sans cesse qu'il n'y ait dans votre cœur aucune pensée, ni déraisonnable (défendue) ni raisonnable (permise) : vous aurez vite fait de reconnaître les étrangers, c'est-à-dire les premiers-nés des Égyptiens.

51. La sobriété rappelle l'échelle de Jacob sur laquelle Dieu se tient et que gravissent les anges. Elle ruine tout mal en nous, elle retranche bavardage, injures, distractions et toute leur séquelle de passions sensibles. Car elle ne supporte pas de se priver pour elles, ne fût-ce qu'un instant, de sa suavité propre.

53. Parmi les autres biens qu'il trouvera dans

1. Cf. plus bas, Philothée, n° 35. Analyse devenue banale depuis l'âge du désert. Passages parallèles chez Marc l'Ermite, Climaque, etc.

l'exercice assidu de la garde du cœur, l'esprit qui ne néglige pas son exercice secret, videra les cinq sens du corps des péchés extérieurs. Entièrement appliqué à sa propre vertu, désireux de se réjouir sans cesse dans de bonnes pensées, il ne se laissera pas saccager par les cinq sens, qui sont le chemin d'accès des pensées vaines et matérielles; il les matera du dedans au moyen d'un vigoureux effort de volonté.

54. Demeurez dans votre intelligence, et vous n'aurez pas à peiner dans les tentations. Vous vous en éloignez ? supportez-en les conséquences.

62. Celui qui veut purifier son cœur trouvera un profit excellent à invoquer constamment le saint nom de Jésus contre les ennemis invisibles, nous en avons fait l'expérience. Voyez comme les leçons de l'expérience s'accordent avec le témoignage de l'Écriture : " Sois prêt, Israël, à invoquer le nom du Seigneur ton Dieu " (*Am.* 4, 12) et l'Apôtre : " Priez sans relâche " (*I Thess.* 5, 17)... Quel bien excellent que la prière et qui contient tous les autres : elle purifie le cœur dans lequel Dieu se manifeste à celui qui croit.

68. Celui qui consacre toute son occupation à son intérieur est chaste. Non seulement. Mais il contemple, il voit Dieu, annonce Dieu, il prie...

70. Celui qui renonce aux choses du monde, telles que femmes et richesses, fait moine l'homme extérieur, non encore l'homme intérieur. Celui, en revanche, qui renonce à la pensée passionnée de ces choses fait moine, en outre, l'homme intérieur, c'est-à-dire l'esprit. Celui-là est un vrai moine. Il est assez facile de faire moine l'homme extérieur : il n'y a qu'à le vouloir. Mais de faire moine l'homme intérieur, cela demande un combat ardu [1].

71. Je ne sais s'il existe un seul homme dans toute notre génération qui soit totalement dégagé des pensées

1. Cette distinction du corps-moine et de l'esprit-moine est traditionnelle depuis Évagre.

passionnées, qui ait été gratifié de la prière immatérielle et pure, l'indice et le signe du moine intérieur.

73. Ne réservez pas toute votre attention à votre corps, fixez-lui un travail proportionné à ses forces et dirigez votre esprit tout entier vers le monde intérieur car il est dit : " L'exercice du corps n'est guère utile, tandis que la piété est utile à tous égards " (*I Tim*. 4, 8).

79. ... Le Royaume des cieux n'est pas la récompense de notre travail, c'est un don gracieux de Notre Seigneur, par lui réservé à ses fidèles serviteurs. Le serviteur ne réclame pas sa liberté comme une récompense. Qu'on la lui donne, il a la reconnaissance du débiteur; s'il ne la reçoit pas, il l'attend comme un témoignage de la miséricorde.

86. Des suggestions nous viennent toutes sortes de pensées, et des pensées l'acte sensible mauvais lui-même. Celui qui, avec Jésus, étouffe les premières échappe du même coup à leur séquelle. Il s'enrichit de la divine connaissance dans laquelle il verra Dieu présent partout. Plaçant devant Dieu le miroir de son âme, il sera par lui illuminé comme un pur cristal reflète le soleil, lorsqu'il sera peu à peu parvenu à l'ultime désirable, et il se trouvera dégagé de toute autre contemplation.

87. Toutes les pensées pénètrent dans le cœur par l'imagination de certains objets sensibles. La bienheureuse lumière de la Déité éclaire l'esprit lorsqu'il s'est entièrement dépouillé de toutes choses et de leurs formes, s'il est vrai que cette splendeur se manifeste à l'esprit purifié par la privation de toute pensée.

88. Plus vous pousserez loin l'attention à votre pensée, plus vous prierez Jésus avec un fervent désir. Plus vous mettrez de négligence à examiner votre pensée, plus vous vous éloignerez de Jésus. Autant la première conduite illumine l'atmosphère de la pensée, autant le renoncement à la sobriété et à la suave invocation de Jésus a pour effet naturel d'enténébrer l'esprit. Cela est dans l'ordre de la nature. Vous vous en ren-

drez compte à l'expérience et l'éprouverez dans l'action. Car cette vertu — la délicieuse activité génératrice de lumière, — ne s'apprend que par l'expérience.

89. L'invocation constante de Jésus, accompagnée d'un ardent désir plein d'une joie suave, a pour effet de baigner l'atmosphère du cœur de joie et de paix, à la faveur de la rigoureuse attention. Mais la purification elle-même du cœur n'a d'autre auteur que Jésus-Christ, Fils de Dieu et Dieu lui-même...

90. L'âme comblée et doucement consolée par Jésus reconnaît son bienfaiteur avec joie et amour; elle le remercie et invoque joyeusement celui qui la purifie; elle le voit au-dedans d'elle-même qui dissipe les imaginations des esprits du mal.

92. ... Lorsqu'il ne reste plus aucune imagination dans le cœur, l'esprit se trouve dans son état naturel, dispos pour toute contemplation spirituelle et agréable à Dieu.

93. Ainsi donc, sobriété et prière de Jésus se complètent et se soutiennent l'une l'autre. L'attention parfaite renforce la prière continue et, à son tour, la prière renforce la sobriété et l'attention parfaites.

96. Le souvenir et l'invocation ininterrompus de Notre Seigneur produisent dans notre esprit un état divin, à condition de ne pas négliger l'imploration intérieure au Christ, la sobriété persévérante et l'œuvre de surveillance. En tout temps attachons-nous inséparablement à l'exercice de l'invocation du Seigneur Jésus, appelons-le d'un cœur brûlant de manière à communier au saint nom de Jésus. Car, en matière de vertu comme de vice, la continuité engendre l'habitude, et l'habitude est une seconde nature.

97. Chaque fois que les mauvaises pensées se mettent à pulluler en nous, jetons au beau milieu d'elles l'invocation de N. S. Jésus-Christ, et nous les verrons incontinent se dissiper comme fumée dans l'air. L'esprit demeuré seul, reprenons alors l'attention et l'invocation constantes, et chaque fois que la même chose nous arrive, agissons de même.

98. ... Il est impossible de vivre sans respirer... il est pareillement impossible, sans l'humilité et une incessante supplication de Jésus, d'apprendre la science du combat spirituel secret et de chasser nos ennemis avec méthode.

DEUXIÈME CENTURIE

1. L'oubli éteint la garde de l'esprit comme l'eau éteint le feu. La prière continue de Jésus jointe à une active sobriété finit par le dissiper du cœur. Car la prière n'a pas moins besoin de sobriété que la lampe d'une mèche.

On met tous ses soins à préserver ce qu'on a de précieux. Or, nous n'avons de bien vraiment précieux que celui qui nous garde, autant que faire se peut, de tout mal spirituel. C'est l'œuvre de la garde de l'esprit unie à l'invocation de Jésus; autrement dit, d'un regard arrêté toujours sur les profondeurs du cœur et d'une paix (hésychie) perpétuelle de l'esprit. Je dirai plus : nous devons nous efforcer à nous vider des pensées mêmes qui paraissent venir de la droite et, d'une manière générale, de toutes les pensées, car des voleurs pourraient s'y embusquer. L'exercice qui consiste à ne pas quitter son cœur est ardu sans doute mais le repos est proche.

3. Le cœur constamment gardé, dont l'accès est interdit aux formes, images et représentations des esprits ténébreux et mauvais, produit naturellement des pensées lumineuses. Le charbon donne une flamme; combien plus Dieu — qui habite dans notre cœur depuis le saint baptême, — s'il trouve l'air de notre pensée pur des souffles du mal et gardé par l'esprit, allumera-t-il notre puissance d'intellection pour la contemplation comme la flamme allume le cierge.

4. Ne cessons de faire tournoyer le nom de Notre Seigneur Jésus-Christ dans les espaces de notre cœur

comme l'éclair tournoie au firmament quand s'annonce la pluie. Ceux-là le savent qui ont l'expérience de l'intellect et de son combat intérieur. Menons le combat avec ordre comme on organise une bataille : d'abord l'attention; puis, lorsque l'ennemi projette contre nous une mauvaise pensée, expulsons-le avec colère par les paroles de malédiction de notre cœur; troisièmement maudissons-le en ramassant notre cœur dans l'invocation de Jésus-Christ pour que le mensonge du démon s'évanouisse et que l'esprit ne coure pas après son imagination comme l'enfant abusé après le charlatan.

5. Contraignons-nous à clamer : “ Seigneur Jésus-Christ ”, dussions-nous nous y rompre la voix, et que nos yeux ne cessent de se diriger vers le ciel dans l'attente de Notre Seigneur (cf. *Ps.* 69, 4)...

6. Celui qui fixe le soleil en aura nécessairement les yeux irradiés. Pareillement, celui qui ne cesse de s'enfoncer dans l'atmosphère du cœur ne pourra être qu'illuminé.

11. Pratiquée comme il convient, la pureté du cœur — entendez la surveillance et la garde de l'esprit dont le Nouveau Testament est la figure — retranche du cœur toutes les passions et tout mal. Elle extirpe le mal pour le remplacer par la joie, la bonne espérance, la contrition, la componction, les larmes, la connaissance de nous-mêmes et de nos fautes, le souvenir de la mort, la véritable humilité, l'amour sans mesure de Dieu et des hommes et la tendresse divine du cœur.

30. La pratique avisée de la tranquillité du cœur découvrira la vision d'un abîme vertigineux; le cœur en repos (hésychie) entendra de Dieu des choses extraordinaires.

35. La prière de Jésus, unie à la sobriété des pensées profondes du cœur, efface les pensées qui se sont fixées dans le cœur contre notre gré.

46. Cela semble rude et pénible de suspendre toute pensée, et c'est en effet laborieux. D'enfermer et de

circonscrire l'incorporel dans le corporel n'est pas rébarbatif que pour ceux qui n'entendent rien au combat, mais aussi pour ceux qui ont acquis l'expérience de la lutte intime et immatérielle. Celui qui s'est pénétré du Christ Jésus par la prière constante ne peinera plus pour le suivre... à cause de la beauté et de la douceur de Jésus il confondra ses ennemis, les démons impies qui tournent autour de lui, quand il leur parlera aux portes du cœur et par Jésus les fera décamper (cf. *Ps.* 127, 5).

50. Commençons par l'attention de l'esprit, unissons humilité et sobriété, prière et contradiction, et nous cheminerons heureusement dans la voie de l'esprit; éclairés par la lampe du nom adoré de Jésus-Christ, nous purifierons et ornerons la maison de notre cœur. Si nous comptons exclusivement sur la sobriété et l'attention, nous nous ferons sans tarder bousculer et déconfire par nos ennemis. Ces perfides nous domineront, nous nous empêtrerons dans le filet des mauvaises pensées et ils auront vite fait de nous mettre à mort. Cela, parce que nous aura manqué l'arme puissante, le nom de Jésus. Seule cette sainte arme brandie sans cesse dans un cœur simplifié peut les mettre en déroute.

51. L'œuvre incessante de la sobriété, mais aussi le grand profit de l'âme, c'est de voir les imaginations des pensées au moment même où elles se forment dans l'esprit. Celle de la contradiction, de dévoiler et de réfuter la pensée qui veut s'introduire dans l'atmosphère de notre esprit par l'imagination d'un objet sensible. Mais ce qui éteint et dissipe sur le champ toute pensée de l'adversaire, tout raisonnement, toute imagination, apparence ou image... c'est l'invocation du Seigneur.

53. Souvenons-nous sans cesse, s'il est possible, de la mort. Ce souvenir détermine l'exclusion de tout souci vain, la garde de l'esprit et la prière constante, le détachement du corps, la haine du péché, à vrai dire

toute vertu agissante naît d'elle. Pratiquons-la, s'il est possible, comme nous respirons.

54. Le cœur dégagé des imaginations finit par produire en lui-même de saintes et mystérieuses pensées, comme on voit sur une mer étale bondir les poissons et pirouetter les dauphins.

61. Une longue expérience et observation nous l'a appris : les pensées simples et exemptes de passion sont suivies par les pensées passionnées. Les premières ouvrent la porte aux secondes.

64. Lorsque, fortifiés dans le Christ Jésus, nous commençons à courir avec assurance dans la sobriété, une lumière se montre à nous. C'est d'abord, dans notre esprit, une lampe que nous tenons pour ainsi dire dans la main et qui nous guide dans les sentiers de l'âme; puis comme une lune resplendissante qui développe sa révolution au firmament du cœur; enfin Jésus nous apparaît comme un soleil qui rayonne la justice, c'est-à-dire se révèle comme l'autre soleil avec la lumière toute pure de sa contemplation.

68. ... Il n'est pas moins impossible au soleil de briller sans lumière qu'au cœur de se purifier de la souillure des pensées de perdition sans la prière du nom de Jésus. S'il en est ainsi, comme mon expérience en est garante, proférons ce nom aussi souvent que nous respirons. Car il est la Lumière et elles sont les ténèbres.

69. ... La garde de l'esprit dépasse les vertus corporelles les plus élevées, si nombreuses qu'elles puissent se trouver réunies dans le même homme. Nous devons donc à cette vertu les noms les plus magnifiques... La puissance du Christ transforme ses amants de pécheurs, d'hommes mauvais, ignorants, impurs, injustes en hommes justes et bons, saints et sages. Mieux, ils sont admis à contempler les mystères et nagent dans la lumière toute pure et infinie, ils en éprouvent l'indicible caresse, habitent et vivent en elle...

72. La prière *monologique* tue et pulvérise leurs

tentations. Jésus Dieu et Fils de Dieu, invoqué par nous avec une assiduité ininterrompue, ne tolère même pas que la toute première suggestion se montre à l'esprit dans le miroir intérieur ni adresse la parole au cœur.

73. La prière continue purifie l'atmosphère de l'âme des nuages sombres. L'atmosphère du cœur, une fois purifiée des souffles des esprits mauvais, il est impossible, a-t-on dit, que ne brille pas pour lui la divine lumière de Jésus. Si toutefois il ne s'enfle pas d'orgueil, de vanité et de présomption.

80. Voulez-vous sincèrement couvrir de honte vos pensées, vivre dans une quiétude sans effort, exercer facilement la sobriété du cœur ? Que la prière de Jésus adhère à votre souffle et vous y atteindrez avant qu'il soit longtemps.

87. Au souffle de vos narines unissez la sobriété, le nom de Jésus, la méditation de la mort et l'humilité : l'un et l'autre sont de la plus grande utilité.

94. Bienheureuse assurément l'intelligence à laquelle la prière de Jésus adhère ainsi, le cœur qui ne cesse de retentir du nom de Jésus, comme l'air adhère à notre corps et la flamme à la cire. Le soleil parcourt la terre et fait le jour; le saint nom de Jésus, en ne cessant de briller dans l'intelligence, produit d'innombrables et resplendissantes pensées.

10. *Philothée le Sinaïte*

Moine du monastère de Batos et héritier de la pensée de Climaque. Date inconnue.

Moins prolixe qu'Hésychius, plus attentif à marquer la place de la pratique des commandements, il exalte comme lui la vertu d'attention, la lutte contre les pensées, et l'invocation de Jésus.

La Philocalie *a retenu de lui quarante chapitres* sur la Sobriété *qui devaient figurer dans le dernier volume de la* Patrologie grecque *détruit, comme on sait, dans un incendie.*

1. Il se déroule en nous un combat plus ardu que la guerre visible. L'ouvrier de la sainteté doit courir vaillamment au but (*Phil.* 3, 14) en esprit, pour garder parfaitement dans son cœur le souvenir de Dieu comme on fait d'une perle fine ou de toute autre pierre précieuse. Nous devons tout quitter, et jusqu'à notre corps, et mépriser la vie présente afin de ne posséder rien que Dieu dans notre cœur...

2. Ceux qui mènent le combat intérieur de l'esprit doivent se choisir dans les saintes Écritures des occupations spirituelles qu'ils appliqueront de tout leur zèle à leur esprit telles des compresses de santé. Dès le petit jour, a-t-on dit, il faut se tenir avec une inflexible résolution en sentinelle devant la porte du cœur, avec un souvenir attentif de Dieu et la prière constante de Jésus-Christ dans l'âme; par la vigilance de l'esprit

mettre à mort tous les pécheurs de la terre; par l'intensité du souvenir de Dieu décapiter pour le Seigneur les puissants, c'est-à-dire trancher les premières manifestations des pensées ennemies dès qu'elles percent...

3. Bien peu d'hommes connaissent le repos de l'esprit. C'est le privilège de ceux qui mettent tout en œuvre pour rapprocher d'eux la grâce divine et sa consolation spirituelle. Voulons-nous exercer l'œuvre de l'esprit — la philosophie dans le Christ — par la garde de l'esprit et la sobriété, commençons par nous priver de l'excès de la nourriture, retrancher autant qu'il nous est possible sur le boire et le manger. La sobriété mérite son nom de voie, car elle conduit au royaume, le royaume intérieur et celui du monde à venir; celui aussi de métier de l'esprit, car elle travaille et polit les traits de notre esprit et le fait passer de la condition passionnée à l'impassibilité (*apatheia*). La sobriété, c'est la petite fenêtre par laquelle Dieu entre pour se montrer à l'esprit.

4. Là où sont réunis humilité, souvenir de Dieu fait de sobriété et d'attention, prière inflexible contre les ennemis, là est le lieu de Dieu, le ciel du cœur; les troupes du démon redoutent de s'y attarder, car c'est la demeure de Dieu.

6. La première porte qui ouvre sur la Jérusalem intérieure — l'attention de l'esprit — est le silence avisé des lèvres, alors que l'esprit n'a pas encore atteint le silence. La seconde est une abstinence exactement calculée du boire et du manger. La troisième, un souvenir et une méditation incessants de la mort qui purifient à la fois l'âme et le corps... Cette fille d'Adam, le souvenir de la mort, comme j'ai désiré la garder toujours pour ma compagne, reposer auprès d'elle, converser avec elle, l'interroger sur le sort qui m'attend quand j'aurai quitté ce corps ! Mais l'oubli maudit, ce rejeton ténébreux du démon, m'a souvent empêché de le faire.

7. Il est une guerre secrète dans laquelle les esprits

mauvais guerroyent contre l'âme à coup de pensées. Comme l'âme est incorporelle, ces puissances du mal l'attaquent immatériellement, suivant leur nature. On voit s'affronter armes et fronts de bataille, embûches et engagements terribles, il y a des corps à corps, et les victoires et les défaites sont partagées. Un seul point de ressemblance fait défaut à la guerre spirituelle, c'est la déclaration des hostilités... Elle éclate soudainement et sans préavis par une incursion sur les profondeurs du cœur, elle prend l'âme dans une embuscade mortelle. Pourquoi ces assauts ? Pour nous empêcher d'accomplir la volonté de Dieu conformément à la prière : « que votre volonté soit faite ! » (*Mt.* 6, 10), c'est-à-dire les commandements. Celui qui garde attentivement son esprit de l'erreur par la sobriété observe avec perspicacité les assauts et les mêlées autour des imaginations. C'est là le fruit d'une longue expérience.

8. Lorsque nous aurons acquis une certaine habitude de la tempérance et du renoncement aux péchés visibles produits par les cinq sens, nous serons alors à même de garder notre cœur avec Jésus, de recevoir son illumination, de savourer dans notre esprit avec une fervente tendresse les délices de sa bonté. La loi qui nous prescrit de purifier notre cœur n'a d'autre raison que de chasser les images des mauvaises pensées de l'atmosphère de notre cœur, de les dissiper par une attention constante, de sorte que nous puissions voir nettement, comme par un jour serein, le Soleil de vérité, Jésus, et que s'illuminent dans notre esprit les aspects (*les raisons*) de sa majesté.

19. L'âme est assiégée et investie par les mauvais esprits, enchaînée aux ténèbres. Ce cercle de ténèbres lui interdit de prier comme elle voudrait : elle est invisiblement aux fers et ses yeux intérieurs ne voient plus. Mais qu'elle se mette à la prière et qu'en priant, elle s'efforce à la sobriété, alors elle commencera, grâce à cette prière, à se dégager peu à peu de ces

ténèbres. Elle apprendra qu'il est dans le cœur une autre guerre, invisible, un combat de pensées impures inspirées par les esprits de malice. Les Écritures en portent témoignage : " si l'esprit du prince s'élève contre toi, ne quitte pas la place " (*Eccl.* 10, 4). La place de l'esprit, c'est de tenir ferme dans la vertu et la sobriété.

20. Retenons de toutes nos forces le Christ, que l'ennemi sans cesse s'efforce de dérober à notre âme, de peur que Jésus, devant la foule des pensées qui hantent le lieu de l'âme, ne s'en retire (*Jn.* 5, 13). On n'y parvient pas sans un grand labeur de l'âme... L'homme qui tout le jour repasse le souvenir de la mort a plus d'acuité pour éventer les descentes des démons et il peut les expulser aussitôt.

22. Le souvenir suave de Dieu, c'est-à-dire de Jésus, accompagné d'une colère sentie et d'une bénéfique amertume, peut à tout moment réduire à néant toute la fascination des pensées, la diversité des suggestions, paroles, rêves, imaginations ténébreuses, bref toutes les armes et toutes les tactiques que l'artisan de mort met en œuvre impudemment pour dévorer notre âme. L'invocation de Jésus consume tout cela aisément, car il n'est de salut qu'en Jésus...

23. A toute heure et à tout instant gardons jalousement notre cœur des pensées qui obscurcissent le miroir de l'âme, que sa nature destine à recevoir les traits et l'impression lumineuse [1] de Jésus-Christ... Cherchons le royaume des cieux au-dedans du cœur et nous trouverons sûrement la perle... pourvu que nous purifiions l'œil de notre esprit.

1. J. Lemaitre (*Dict. de Spir.* t. II, col. 1854) traduit plus hardiment : " ... le miroir psychique dans lequel a coutume de s'empreindre et de se photographier (*phôteinographeistai*) Jésus-Christ. " Et il ajoute : " Philothée a inventé la photographie, du moins est-il le premier à en parler. Il s'agit de photographie mystique... Philothée est un auteur très sobre qui ne se paie pas de mots. Raison de plus pour recueillir pieusement ce beau et si juste vocable créé par lui. "

24. La sobriété purifie la conscience et la fait briller. Ainsi purifiée, la conscience expulse toutes ténèbres de son sein; on dirait une lumière qui éclate tout-à-coup quand on retire le voile opaque qui la dérobait. Que l'on poursuive cette sobriété attentive et constante, la conscience montre à nouveau ce qu'on avait oublié, ce qui lui échappait. En même temps, à la faveur de la sobriété, elle enseigne la guerre de l'esprit avec l'ennemi et les combats de pensées. Elle nous révèle comment darder les javelots dans ce combat singulier, atteindre en plein les pensées par une exacte visée, tout en dérobant son esprit aux atteintes et en se réfugiant, des ténèbres funestes dans la lumière désirée du Christ. Celui qui a goûté à cette lumière m'entend. Cette lumière une fois goûtée torture désormais de plus en plus l'âme d'une véritable faim : l'âme mange sans jamais se rassasier; plus elle mange et plus elle a faim. Cette lumière qui attire l'esprit comme le soleil attire l'œil, cette lumière, en elle-même inexplicable et qui pourtant se fait explicable, non pas en parole mais dans l'expérience de celui qui en jouit, ou plus exactement est blessé par elle, — cette lumière m'impose le silence, bien que mon esprit aurait eu plaisir à s'étendre davantage...

25. ... Écoute comment cette guerre menée en nous, jour après jour, doit s'exercer et suis mon conseil : à la sobriété unis la prière et la sobriété purifiera la prière et la prière la sobriété. Car la sobriété est un œil perpétuellement ouvert qui reconnaît les intrus, elle leur barre l'entrée et se hâte d'appeler au secours Notre Seigneur Jésus-Christ, pour chasser ces adversaires dangereux. L'attention barre la route par sa résistance, et Jésus aussitôt invoqué expulse les démons avec leur cortège d'imaginations.

26. Gardez votre esprit avec l'attention la plus intense. Dès que vous remarquez une pensée, résistez-lui sans attendre et en même temps hâtez-vous d'invoquer le Christ Notre Seigneur pour qu'il exerce sa

vengeance. Vous n'aurez pas fini de l'invoquer que le doux Jésus vous dira : " Me voici près de toi pour te secourir. " Lorsque votre prière aura subjugué vos ennemis, à nouveau prêtez attention à votre esprit. Des vagues arriveront alors et se rueront sur vous les unes plus puissantes que les autres. Votre âme ballotée sera menacée de couler. Mais Jésus est Dieu, et, à l'appel de ses disciples, il commandera aux souffles du mal. Pour vous, quand les attaques de l'ennemi vous laisseront un moment de répit, glorifiez celui qui vous a sauvé et vivez dans la pensée de la mort.

27. Cheminons avec une entière attention du cœur exercée du fond de l'âme. L'attention, quotidiennement alliée avec la prière, produit une sorte de nouveau char de feu qui enlève l'homme vers le ciel. Que dis-je ? Le cœur béni de l'homme solidement fixé dans la sobriété, ou qui s'y efforce, devient un ciel intérieur avec son soleil, sa lune, ses astres et aborde à Dieu l'Inaccessible par une ascension et une vision mystérieuses. Que celui qui aime la divine vertu s'efforce à tout instant de prononcer le nom du Seigneur et de faire passer en action ses paroles avec tout l'élan dont il est capable. L'homme qui use d'une certaine violence contre ses cinq sens pour les mater et leur interdire de nuire à son âme, rend beaucoup plus facile à l'esprit le combat intérieur du cœur; il repousse le monde extérieur par certaines ressources, lutte contre ses pensées nées de lui au moyen d'astuces spirituelles : il brime par la fatigue des veilles les plaisirs charnels, il se prive sur le boire et le manger et il réduit assez le corps pour faciliter à l'avance la guerre du cœur. Tout le profit sera pour vous. Torturez votre âme par la pensée de la mort, rassemblez votre esprit dispersé au moyen du souvenir de Jésus-Christ; la nuit surtout, car l'esprit est d'ordinaire plus pur à ce moment-là, plus rempli de lumière, plus dispos pour contempler Dieu et les choses divines avec lucidité.

28. ... N'éludons pas avec de mauvaises raisons

les suggestions incessantes et salutaires de la conscience touchant notre conduite et nos devoirs. Surtout, lorsqu'une sobriété efficace, exercée dans l'action minutieuse de l'esprit, l'a purifiée. Cette pureté a pour effet naturel de lui faire porter des jugements objectifs et exempts d'hésitation...

29. Le feu de bois dégage une fumée qui irrite les yeux mais, dès que la lumière apparaît, le plaisir fait place à l'irritation. De même, l'attention, par la contrainte qu'elle impose au regard, produit un accablement. Mais Jésus, invoqué, arrive et apporte la lumière au cœur. Le souvenir de Jésus uni à l'illumination nous conduit au bien suprême.

33. L'homme qui s'abandonne aux pensées mauvaises ne saurait purifier du péché l'homme extérieur. Ceux qui ne déracinent pas de leur cœur les mauvaises pensées ne manqueront pas de les traduire en actes mauvais correspondants...

34. Cela commence par la suggestion et continue par la liaison, l'assentiment, la captivité et finit par la passion, caractérisée par la continuité de l'habitude. Et voilà remportée la victoire du mensonge. C'est ainsi que les pères définissent cette succession.

35. La suggestion, nous disent-ils, c'est la pure pensée ou l'image d'un objet fraîchement née dans le cœur et présentée à l'esprit. La liaison consiste à converser passionnément avec l'objet manifesté. L'assentiment, c'est le penchant d'une âme complaisante vers l'objet vu. La captivité, c'est l'abduction involontaire du cœur, le commerce durable, et funeste à notre état excellent, avec l'objet en question. Les Pères nous disent que la passion est une disposition invétérée dans l'âme.

36. ... Celui qui résiste au principe, à la suggestion, ou se retient de tout mouvement passionné à son égard, retranche sur-le-champ le mal...

37. La plupart des moines ne mesurent pas le dommage que l'esprit subit des démons. Ils luttent pour

la rectitude de leurs actions, ils ne prennent pas garde à leur esprit et passent leur vie dans une simplicité sans méfiance. À mon avis, ils ne sont totalement inconscients des ténèbres des passions intérieures que parce qu'ils n'ont pas la pureté du cœur... Prions pour les frères que leur simplicité met dans cet état et apprenons-leur autant qu'il nous est possible, à s'abstenir non seulement des actions mauvaises qui se voient mais aussi de celles que le diable opère dans le cœur. Pour ceux que remplit le divin désir de purifier l'œil de leur âme, une autre opération dans le Christ, un autre mystère les attend.

11. *Maxime le Confesseur*

(† 662)

Trop peu étudié, saint Maxime est néanmoins un des auteurs spirituels byzantins les moins mal connus. Au confluent de courants mystiques très variés, Alexandrins, Cappadociens, Denys etc., il est avant tout évagrien. Sa pensée sur la prière est celle d'Évagre et il n'a pas plus à nous apprendre sur la prière de Jésus que n'a pu en dire Évagre.

L'insistance que l'on avait remarquée chez lui sur la prière monologistos *était le résultat d'un quiproquo. Les passages en question doivent être restitués à Élie l'Ecdicos.*

Saint Maxime occupe un espace trop considérable de la Philocalie *pour qu'on puisse omettre tout à fait son nom ici. Pour éviter des répétitions, déjà si difficiles à conjurer dans un recueil comme celui-ci, on a préféré retenir quelques textes dont le premier appartient au* Livre ascétique (*absent de la Philocalie d'ailleurs*) *et les autres aux* Centuries théologiques *communes à la compilation de Macaire et à la Patrologie grecque. Plusieurs des derniers textes se retrouvent dans la* Centurie *de Calliste et Ignace* (*n*° *66*). *Ces extraits limités montreront du moins que le programme de la prière ininterrompue et la purification du cœur ne suggéraient pas à Maxime la prière de Jésus qu'elles ont suggérée à bien d'autres, avant comme après lui.*

DE LA PRIÈRE ININTERROMPUE

Le frère dit : mon Père, apprenez-moi, je vous en prie, comment la prière sèvre l'esprit de tous les concepts. L'ancien répondit : Les concepts sont des concepts d'objets. De ces objets les uns s'adressent aux sens, les autres à l'esprit. L'esprit qui s'attarde parmi eux roule en lui leurs concepts. Mais la grâce de la prière unit à Dieu l'esprit; en l'unissant à Dieu, elle le sépare de tous les concepts. L'esprit, ainsi nu, devient familier et semblable à Dieu. Comme tel, il lui demande ce qui convient et sa demande n'est jamais frustrée. C'est pourquoi l'Apôtre prescrit de " prier sans interruption ", afin qu'unissant assidûment notre esprit à Dieu, nous le sevrions peu à peu de l'attachement aux choses matérielles.

Le frère lui dit : comment l'esprit peut-il " prier sans interruption " ? En psalmodiant, lisant, conversant, vaquant à nos offices, nous le détournons sur de nombreuses pensées et considérations. L'ancien répondit : la Divine Écriture ne commande rien d'impossible. L'Apôtre lui aussi psalmodiait, lisait, servait et il priait pourtant sans interruption. La prière ininterrompue, c'est de tenir son esprit appliqué à Dieu dans une grande révérence et un grand amour, de le suspendre à l'espérance de Dieu, de compter sur Dieu dans toutes nos actions et dans tout ce qui nous arrive. L'Apôtre, parce qu'il était dans ces dispositions, priait sans trêve (*Livre ascétique*, nos 24 et 25, *P. G.* 90, 929 *bd*).

DE LA PURIFICATION DU CŒUR

Lorsque vous aurez vaillamment triomphé des passions du corps, suffisamment guerroyé contre les esprits impurs et bouté leurs pensées hors du domaine de l'âme, priez alors que vous soit donné un cœur pur et que l'esprit de droiture soit restauré dans vos entrailles (*Ps.* 51, 12) c'est-à-dire que, vidé des pensées corrompues, la grâce vous emplisse des pensées divines. Et que *soit* le monde spirituel de Dieu, immense et resplendissant, composé des contemplations morales (vie active), naturelles (premières contemplations) et théologiques (contemplation de Dieu).

Celui qui aura rendu pur son cœur ne connaîtra pas seulement les raisons des êtres inférieurs à Dieu : il fixera aussi dans une certaine mesure Dieu lui-même, lorsqu'ayant franchi la succession de tous les êtres, il atteindra au faîte suprême de la félicité. Dieu, se manifestant dans ce cœur, daignera y graver ses propres lois par l'Esprit, comme sur de nouvelles tables mosaïques. Cela dans la mesure où le cœur aura progressé dans l'action et la contemplation, suivant l'intention mystique du précepte : " Croissez " (*Gen.* 35, 11).

On peut appeler cœur pur celui qui n'a plus aucun mouvement naturel pour quoi que ce soit, de quelque manière que ce soit. Sur cette tablette parfaitement lissée par une absolue simplicité, Dieu se manifeste et inscrit ses propres lois.

Le cœur est pur qui présente à Dieu une mémoire sans espèces ni formes, uniquement disposée à recevoir les caractères par lesquels Dieu a accoutumé de se manifester.

L'esprit du Christ que reçoivent les saints suivant la parole : " nous avons l'esprit du Seigneur " (*I. Cor.* 2, 16) ne vient pas en nous par la privation de notre puissance intellectuelle, ni comme un complément de notre intellect, ni sous la forme d'une accession substantielle à notre intellect. Non. Il fait briller la puissance de notre intellect dans sa propre qualité et la porte au même acte que lui. J'appelle " avoir l'esprit du Christ" : penser selon le Christ et penser le Christ en toutes choses (*Chapitres théol. et écon.* IIe centurie, nos 79-82, *P.G.* 90, 1161 s. [1]).

1. Ce dernier texte définit parfaitement le contraste entre la notion orthodoxe d'une grâce, intrinsèque à la nature humaine déifiée, et le concept occidental d'une grâce-accession et " quasi-accident ". Il éclairera d'ailleurs maint texte de cette petite anthologie.

12. Élie l'Ecdicos

Canoniste (ecdicos), à identifier probablement au métropolite Élie de Crète (vers 1120) : son Anthologion *figure à deux endroits de la* Patrologie grecque, *dans le tome 90, 1401 s. sous l'étiquette de Maxime le Confesseur, dans le tome 127, 1128 s. sous celle d'Élie lui-même* [1].

L'auteur, dont les sentences trahissent l'application, est un bon élève d'Évagre. Toutefois son insistance sur la prière monologique le rapproche des Sinaïtes. Il ne précise nulle part qu'il s'agisse de la prière à Jésus mais il est difficile de ne pas songer à elle. Un parti pris littéraire de l'expression abstraite, images et allégories mises à part, explique peut-être cette imprécision, qui d'ailleurs n'en était pas nécessairement une pour les lecteurs de l'époque.

Quoi qu'il en soit, cette insistance sur la simplification de la prière et sa vertu d'unification à l'égard des facultés de l'âme lui assurent une place naturelle dans la tradition de la prière du cœur.

3. L'œuvre du corps est le jeûne et la veille; l'œuvre de la bouche, la psalmodie. Au-dessus de la psalmodie, il y a la prière. L'œuvre de l'âme est la tempérance et la simplicité. Celle de l'intellect [2], la prière de contemplation et la contemplation de Dieu dans la prière.

20. Le corps ne se purifie pas sans le jeûne et la

1. Notre numérotation suit celle de la *P. G.* 90.
2. Intellect = toujours esprit; la faculté intellectuelle dans son acte le plus simple.

veille, l'âme sans la miséricorde et la vérité, l'intellect sans la contemplation et la conversation avec Dieu. Ce sont autant de syzygies admirables.

33. Plus vous ressentirez de difficultés, mieux aussi vous devrez écouter celui qui vous y montrera des épreuves, car il contribue à votre parfaite purification, sans laquelle l'intellect ne peut atteindre la région pure de la prière.

70. L'élément mauvais du corps, c'est la passion; de l'âme, la complaisance passionnée; de l'intellect, le penchant passionné. La première est l'attribut du toucher, la seconde des autres sens, la troisième de la disposition contraire.

73. La disposition passionnée de l'âme se détruit par le jeûne et la prière, la complaisance passionnée par la veille et le silence, le penchant passionné par la tranquillité et l'attention. L'*apatheia* consiste dans le souvenir de Dieu.

78. La faculté rationnelle se situe à la limite de la lumière sensible et de la lumière intellectuelle. Elle a pour fonction de voir et d'effectuer les opérations du corps par la première, et par la seconde celles de l'esprit (*pneuma*). Mais parce que celui-ci s'est émoussé en elle et que celui-là a été blessé à la suite de l'hérédité originelle, elle ne peut fixer totalement son regard sur les choses divines si elle ne s'unit entièrement avec l'intellect dans la prière.

79. Que la prière ne se sépare pas plus de l'intellect que du soleil son rayon. Sans elle, les préoccupations sensibles enveloppent l'intellect tels des nuages sans eau et le coupent de sa splendeur propre.

83. La prière bannit de l'âme toutes les pensées hostiles grâce au renfort des larmes; la distraction de l'intellect les y fait rentrer.

85. L'œuvre spirituelle (pneumatique) n'a pas besoin pour subsister de l'œuvre du corps. Bienheureux celui qui a donné la préférence à l'œuvre immatérielle sur l'œuvre matérielle. Il a comblé ainsi l'absence de la

seconde en vivant la vie secrète de la prière, secrète mais connue de Dieu.

88. La séparation originelle de l'intellect d'avec sa demeure propre lui a fait oublier sa splendeur. Il lui faut donc oublier les objets d'ici-bas et s'élancer vers sa splendeur par la prière.

91. L'amour de la prière ne s'acquiert qu'en renonçant à toute matière, à l'exception de la nourriture et du vêtement. Sors de toutes choses dans ta prière, toi qui veux n'être plus qu'intellect.

92. Que la prière *monologique* soit le témoignage de l'intellect agréable à Dieu; la parole opportune celui de la raison sensée, le goût uniforme celui du sens libéré. Ces trois choses, dit-on, composent la santé de l'âme.

94. Tous n'ont pas le même objet dans la prière : l'un a celui-ci, l'autre celui-là. L'un prie pour que son cœur, s'il est possible, soit en tout temps avec la prière et la transcende. Un autre pour n'être pas intercepté par ses pensées durant la prière. Tous prient pour être conservés dans le bien ou n'être pas détournés vers le mal.

102. Celui-là se tient en deçà du premier voile qui est distrait durant sa prière. Celui-là pénètre au-dedans qui l'accomplit *monologique*. Seul pénètre dans le saint des saints celui qui, dans la paix de toutes les pensées naturelles, scrute les attributs de la Substance qui surpasse toute intelligence, et qui est gratifié ici-bas d'une certaine « photophanie ».

105. La loi de la prière presse les débutants à la façon d'un maître. Pour ceux qui ont progressé, elle est le héraut qui rabat pauvres et nantis vers le lieu du banquet.

106. Ceux qui s'adonnent comme il convient à la vie active —, tantôt la prière, telle une nuée, les couvre de son ombre et les abrite de l'ardeur des pensées, tantôt elle distille sur eux les gouttelettes des larmes et leur ouvre des contemplations spirituelles.

113. L'intellect qui prétend s'ouvrir plusieurs voies se montre insatiable; celui qui se ramasse dans la voie unique de la prière peine tant qu'il n'est pas parvenu à la perfection et il supplie qu'on le délivre pour qu'il puisse revenir là d'où il vient.

114. L'intellect, exilé d'en haut, n'y remonte pas avant d'avoir montré un absolu mépris des choses d'ici-bas par son application aux choses divines.

115. Si tu n'arrives pas à occuper ton âme uniquement des pensées qui la concernent, du moins oblige ton corps à vivre en moine, en ayant sans cesse à l'esprit sa misère. De la sorte, avec le temps et la miséricorde de Dieu, tu pourras revenir à la dignité de ta noblesse première.

117. Lorsque tu auras libéré ton intellect de l'attachement à la chair, à la nourriture et aux richesses, tout ce que tu pourras faire sera agréé de Dieu comme un don pur. Il te le rendra en ouvrant les yeux de ton cœur, en te faisant méditer à livre ouvert dans ses lois qui y sont cachées. Ces lois, par la suavité qu'elles répandent, sembleront plus douces à ton palais spirituel que le rayon de miel.

131. Les pensées n'appartiennent pas à la partie irrationnelle de l'âme : les êtres sans raison n'ont pas de pensées. Pas davantage à la partie intellectuelle : les anges n'ont pas de pensées. Mais elles sont les rejetons de notre partie rationnelle. Elles empruntent l'échelle de l'imagination pour porter à l'intellect les messages des sens et redescendent vers les sens pour leur communiquer les intentions de l'intellect.

136. La qualité du grain paraît à l'épi, la pureté de notre contemplation à la prière. L'épi a reçu, pour éloigner les oiseaux pillards, une défense de lancettes, ses barbes. La prière a reçu l'intelligence des épreuves pour détruire les pensées.

138. Il fut prescrit aux anciens d'offrir dans le temple les prémices de l'aire et du pressoir. Pour nous, nous devons présenter à Dieu les prémices de la vie active :

tempérance et vérité, de la vie contemplative : amour et prière. Par les dernières nous retranchons les élans déraisonnables du concupiscible et de l'irascible, par les premières, les pensées vaines et leurs pièges.

143. Le terme de la vie active, c'est la mortification des passions; celui de la vie gnostique, la contemplation des vertus.

146. L'actif boit le breuvage de la componction dans la prière. Le contemplatif s'y enivre du calice excellent. L'un, en réfléchissant sur l'ordre de la nature; l'autre, en s'ignorant lui-même dans la prière.

155. L'actif, dans la prière, porte sur le cœur un voile, la science des choses sensibles que ses attaches l'empêchent de lever. Seul le contemplatif, qui est sans attaches, peut dans une certaine mesure voir à visage découvert la gloire de Dieu.

156. La prière qui accompagne la contemplation pneumatique, c'est la " terre de la promesse où coulent le lait et le miel " : la science des raisons divines sur la Providence et le Jugement.

La prière qui accompagne une certaine contemplation naturelle, c'est l'Égypte, où celui qui prie rencontre le souvenir des désirs grossiers. La prière simple, c'est la manne du désert, dont l'uniformité dérobe aux impatients les biens de la promesse (membre obscur) mais procure à ceux qui supportent patiemment cette nourriture monotone (litt. : restreinte) le goût excellent et durable [1].

158. Le parvis de l'âme raisonnable c'est le sens; son temple, la raison; son pontife, l'intellect. Se tient dans le parvis l'intellect saccagé par les pensées intempestives; dans le temple l'intellect saccagé par les pensées opportunes; celui qui échappe aux unes et aux autres est jugé digne d'entrer dans le divin sanctuaire.

160. L'actif désire la dissolution du corps et l'union

1. Cette prière simple est sûrement la prière *monologique* : le plat unique par opposition au menu varié des contemplations inférieures à la " théologie ".

au Christ à cause des peines de cette vie. Le contemplatif estime meilleur de demeurer dans la chair à cause de la joie qu'il reçoit de la prière et pour l'utilité de son prochain.

162. La contemplation des intelligibles est un paradis. Par la prière le gnostique y entre comme dans une maison intérieure. L'actif y fait figure d'un passant qu'empêche d'entrer, malgré son désir, l'obstacle de son âge spirituel.

161. Venu le printemps, le poulain ne supporte plus l'étable ni le râtelier. De même, l'intellect novice ne peut se tenir longtemps à l'étroit de la prière; il trouve plus agréable de gagner les espaces de la contemplation naturelle, celle que l'on trouve dans la psalmodie et la lecture.

166. La vie active a les reins ceints — les puissances vitales — du jeûne et de la pureté. La vie contemplative porte les torches ardentes des vertus gnostiques : le silence et la prière. La première a la raison pour pédagogue; la seconde le verbe intérieur pour paranymphe.

167. L'intellect imparfait n'a pas l'autorisation de pénétrer dans la vigne chargée de fruit de la prière mais il n'a accès, tel le pauvre admis au grappillage, qu'aux échos simples des psaumes.

168. Ceux qui sont introduits auprès de l'empereur ne dînent pas tous avec lui. Tous ceux qui viennent au rendez-vous de la prière ne figureront pas à la contemplation qui l'accompagne.

169. L'irascible a pour muselière le silence à propos; le désir déraisonnable, la nourriture mesurée; la raison rétive, la prière monologique.

171. L'intellect qui, dans la prière, rentre dans l'âme conversera dans la chambre nuptiale : époux et épouse. Celui qui n'a pas la permission d'entrer se tient dehors à crier et à se lamenter : “ Qui me mènera à la ville fortifiée ? ” (*Ps.* 60, 11) Qui me guidera pour que je ne voie pas, dans ma prière, leurs fureurs mensongères ?

175. Les démons ont une extrême aversion pour

la prière pure. Ce qui les terrifie, ce n'est pas la multitude des biens, ainsi que les effectifs de l'ennemi peuvent terrifier une armée. Non, c'est l'accord et l'harmonie des trois : intellect et raison, raison et sens.

176. La prière simple est le pain qui affermit les débutants, la prière accompagnée d'une certaine contemplation l'huile qui adoucit. La prière sans forme ni image le vin parfumé qui met hors d'eux-mêmes ceux qui s'en saoulent.

180. Ceux qui prient, l'âme encore attachée aux passions, du fait qu'ils sont encore matériels, sont entourés de grenouilles : les pensées qui les tiraillent. Ceux qui ont introduit la mesure dans leurs passions sont égayés par les contemplations tels des rossignols qui sautent de branche en branche et ils passent d'une contemplation à une autre. Les impassibles (*apatheia*) connaissent dans la prière un grand silence et une extrême vacance de représentations et de concepts.

195. Quand le soleil se lève, les étoiles se couchent; les pensées se retirent lorsque l'intellect regagne son royaume naturel.

207. Dieu voit tous les hommes. Voient Dieu ceux qui ne regardent rien dans leur prière. Ceux qui voient Dieu sont exaucés, ceux qui ne sont pas exaucés ne voient pas Dieu.

220. Impossible de prier purement à celui que travaille une passion d'ambition ou de grandeur. Car les attaches et les pensées vaines que cela comporte tressent autour de lui des liens qui retiennent celui qui voudrait prendre son essor au temps de la prière. Tel l'oiseau prisonnier.

13. *Syméon le Nouveau Théologien*

(917-1022)

Disciple de Syméon Studite, dit Eulabès († 986), et higoumène du monastère Saint-Mamas de Constantinople. Sa vie a été écrite par Nicétas Stéthatos.

Son œuvre se compose d'un nombre considérable de catéchèses et de poésies mystiques dont l'édition critique est en cours.

Toute la pensée de Syméon tient dans un principe qui explique l'extrême cohérence de son œuvre et l'obstination inflexible de sa conduite : le baptisé ne développe vraiment les effets de son baptême que s'il parvient à la conscience de la présence du Saint-Esprit en lui et voit la lumière de la gloire de Dieu. La purification de l'âme et la pratique des commandements sont directement ordonnées à ce charisme. Sans lui, il est téméraire d'invoquer son baptême ou de prétendre lier et délier, fût-on prêtre ou évêque.

*Cette position dressa contre Syméon la hiérarchie et elle devait retarder la pénétration de sa pensée jusque vers l'époque de Grégoire le Sinaïte (voir plus bas). A vrai dire, elle n'est pas neuve de tout point ; l'*actualisation *du baptême, la conscience du surnaturel, les visions lumineuses, le caractère charismatique de la juridiction reconnue à des moines non-prêtres etc., autant de principes familiers à une partie de la tradition monastique. L'originalité de Syméon vient de l'expérience intime et précoce qu'il eut de l'unité et de l'interdépendance de ces aspects. Avec des éléments tout faits il a construit un système inédit et rigoureux qui le met au premier rang des mystiques byzantins.*

La Philocalie *produit trois écrits de Syméon :*

1. Des chapitres pratiques et théologiques *dont un*

certain nombre doivent être rendus à son maître et homonyme, l'Eulabès. Ils frappent surtout par l'importance donnée à la conscience et à l'obéissance au père spirituel. Nous en avons extrait quelques chapitres relatifs à la prière (d'après P. G. *120, 603 s.*)

2. Une Méthode d'attention et de prière *qu'il faut renoncer à attribuer à Syméon. Authentique, elle représenterait le premier et le plus qualifié des témoignages en faveur de la technique respiratoire de prière. On en trouvera plus loin le texte.*

3. Enfin un sermon sur la foi, *amplification d'une catéchèse de Syméon dont le P. I. Hausherr a publié la lettre originale* (Orientalia Christiana, *fasc. 45, p.* LVII-LX*; notre traduction repose sur cette édition ; le texte de la* Philocalie *figure dans la* P. G. *120, 693 s.*). *On y voit Syméon pratiquer la prière de Jésus. Un passage emprunté à la* Vie de Syméon (*I. Hausherr,* l. c. p. *9-10*) *en donnera un autre exemple.*

DE LA PRIÈRE CONSTANTE ET DE SES EFFETS

118. De même que les commandements généraux embrassent les commandements particuliers, les vertus générales enveloppent les vertus particulières : celui qui vend ses biens, les distribue aux pauvres et devient pauvre d'un seul coup, accomplit tous les commandements particuliers en même temps. Il n'a plus à donner à qui lui demande ni à refuser à qui veut lui emprunter. Pareillement, celui qui prie sans cesse enveloppe tout dans sa prière. Il n'est plus dans l'obligation de louer le Seigneur sept fois le jour, et le soir, le matin et à midi, puisqu'il a d'ores et déjà accompli la prière et la psalmodie que les canons nous imposent à temps et heures fixes. De même, celui qui possède en lui consciemment " Celui qui donne aux hommes la science " (*Ps.* 94, 10) a cueilli tout le fruit que procure la lecture, et il n'a plus que faire de la lecture des livres.

De même encore, l'homme qui est entré dans la familiarité de Celui qui a inspiré les livres saints est par Lui initié aux secrets ineffables des mystères cachés. Il devient lui-même pour les autres un livre inspiré, qui porte, inscrits du doigt même de Dieu, les mystères anciens et nouveaux, car il a tout accompli et se repose en Dieu, la Perfection première, de tous ses travaux et ses œuvres.

136. Peinez de toutes vos forces dans votre office; dans votre cellule, persévérez dans la prière avec componction, attention, larmes continuelles, et ne vous mettez pas en tête que vous avez dépassé la mesure de la fatigue et que vous pouvez retrancher un peu à la prière à cause de votre fatigue physique. Je vous le dis : on peut s'exténuer tant qu'on voudra dans son office : si l'on se prive de la prière, on souffre un grave détriment.

150. Si, durant votre prière, une frayeur, un fracas ou un éclair de lumière, ou tel autre phénomène se produit, ne vous troublez pas, persévérez dans la prière avec d'autant plus de ténacité. Ce trouble, cette frayeur, cette stupeur viennent des démons qui veulent vous relâcher et vous faire renoncer à la prière pour s'emparer ensuite de vous, lorsque ce relâchement sera passé en habitude. Si, tandis que vous accomplissez votre prière, une autre lumière brille que je ne puis exprimer, l'âme s'emplit de joie, du désir du meilleur, un flot de larmes de componction se libère, vous saurez que c'est une visite et une consolation (un secours) de Dieu... (*P. G.* 120, 665, 673, 684)

LA PRIÈRE DE JÉSUS ET LES EXTASES DE SYMÉON

(*Un jeune homme du nom de Georges* (*en réalité le futur Théologien*) *s'ouvre à un très saint moine — entendez Syméon Eulabès le Studite — de sa vocation monastique. Son directeur lui établit un petit programme et lui remet* La loi spirituelle *de Marc l'Ermite. Georges dévore l'opuscule et en retient surtout trois chapitres qui correspondent aux phases de l'ascension spirituelle.*)

1. Si tu cherches guérison, cultive ta conscience, fais tout ce qu'elle te dit et tu en tireras profit.

2. Celui qui recherche les opérations de l'Esprit avant d'avoir pratiqué les commandements rappelle l'esclave qui, au moment même de son acquisition, réclamerait le prix d'achat et ses lettres d'émancipation.

3. Celui qui prie de corps et ne possède pas encore la science spirituelle, c'est l'aveugle qui crie : " Fils de David, ayez pitié de moi " (*Luc* 18, 38). L'aveugle, lorsqu'il eut recouvré ses yeux et qu'il eut vu le Seigneur, l'adora en l'appelant non plus fils de David mais Fils de Dieu [1].

Notre jeune homme admira ces trois chapitres. Il crut qu'il trouverait un extrême avantage à cultiver sa conscience; qu'il connaîtrait les opérations du Saint-Esprit, à garder les commandements de Dieu; qu'avec la grâce de celui-ci, ses yeux intérieurs s'ouvriraient et qu'il verrait Dieu spirituellement.

Blessé de l'amour et du désir du Seigneur, il poursuivit de son espérance la première et invisible Beauté. Mais il se borna à ceci, il devait me le confesser plus tard sous serment : chaque soir, il appliquait la petite consigne que le saint vieillard lui avait donnée, puis il se couchait. Quand sa conscience lui disait : fais ceci, ajoute d'autres métanies et d'autres psaumes et dis aussi le " Seigneur Jésus-Christ, ayez pitié de moi ", tu le peux, il obéissait d'un grand élan et sans hésitation, comme si Dieu en personne le lui eût commandé.

Il appliqua tout cela et, de ce jour, il ne se coucha

1. Le premier et le troisième chapitres sont tirés de la *Loi spirituelle* 69, 11, le deuxième du traité : *De ceux qui s'imaginent...* 57.

plus une fois, que sa conscience eût à redire ou à lui remontrer : pourquoi n'as-tu pas fait cela ? Comme il la suivait sans concession et qu'elle renchérissait chaque jour, en peu de temps sa prière du soir prit des proportions considérables. Pendant le jour il présidait à la maison d'un patrice important, il se rendait quotidiennement au palais et s'occupait des affaires matérielles, de sorte que personne ne se rendait compte de quoi que ce soit. Ses yeux répandaient des larmes, il se livrait à des génuflexions et des prostrations répétées face contre terre; pendant son exercice il se tenait pieds joints et immobiles et il adressait aussi avec larmes et soupirs des prières à la Mère de Dieu. Il se prosternait aux pieds immaculés du Seigneur, comme s'il se fût trouvé devant le Seigneur dans sa chair, pour l'attendrir, à l'exemple de l'aveugle de l'Évangile, et obtenir la lumière aux yeux de son âme.

De jour en jour sa prière du soir allait croissant; il la prolongea jusqu'à minuit sans se relâcher ni faiblir, sans bouger un membre, sans même détourner ou lever le regard. Il se tenait immobile comme une colonne ou comme un être incorporel.

Un soir qu'il priait et disait en son esprit : " Mon Dieu, ayez pitié de moi qui suis un pécheur ", d'un seul coup une puissante illumination divine brilla d'en haut sur lui. Toute la pièce fut inondée de lumière; le jeune homme ne savait pas qu'il était dans la maison ou sous un toit; il ne voyait que la lumière de tous côtés, il ignorait même qu'il fût sur la terre. Aucune crainte de tomber, aucun souci de ce monde,... Il ne faisait plus qu'un avec cette lumière divine, il lui semblait être devenu lui-même lumière et entièrement absent du monde, et il débordait de larmes et d'une inexprimable joie. Puis, son esprit s'éleva jusqu'aux cieux et là, il vit une autre lumière plus éclatante encore, et près de cette lumière, il aperçut debout le saint vieillard qui lui avait remis le livre de Marc et la consigne...

Puis la contemplation ayant passé, le jeune homme

revint à lui, rempli de joie et d'admiration, il versait de tout son cœur des larmes accompagnées de suavité. Il finit par tomber sur son lit. Le coq alors chanta et l'avertit qu'il était minuit. On entendit bientôt les églises annoncer Matines. Le jeune homme se leva pour s'y rendre, suivant son habitude. Cette nuit-là, la pensée du sommeil ne l'avait même pas effleuré.

La Vie de Syméon le Nouveau Théologien, *écrite par Nicétas Stéthatos, utilise d'autres souvenirs du héros et offre notamment un passage qui complète heureusement le témoignage précédent sur la place de la prière de Jésus dans ses expériences. Nous citons d'après le Père I. Hausherr* (loc. cit.)

“ Comme il était donc en oraison, une nuit, l'esprit purifié uni au premier Esprit, il vit une lumière d'en haut jetant tout à coup du haut des cieux ses clartés sur lui, lumière authentique et immense, éclairant tout et rendant tout pur comme le jour. Illuminé lui aussi par elle, il lui sembla que la maison tout entière, avec la cellule où il se tenait, s'était évanouie et avait passé en un clin d'œil au néant, que lui-même se trouvait ravi en l'air et avait oublié entièrement son corps. Dans cet état, comme il disait et écrivait à ses confidents, il fut alors rempli d'une grande joie et inondé de chaudes larmes, et ce qu'il y a d'étrange dans ce merveilleux événement, c'est que, non initié encore à de pareilles révélations, dans son étonnement il criait à haute voix sans se lasser : “ Seigneur, ayez pitié de moi ”, comme il s'en rendit compte une fois revenu à lui; car, au moment même, il ignorait tout à fait que sa voix parlait ou que sa parole était entendue au-dehors... Très tard enfin, cette lumière s'étant peu à peu retirée, il se revit dans son corps et à l'intérieur de sa cellule, et il trouva son cœur rempli d'une joie ineffable et sa bouche criant à haute voix, comme il a été dit : “ Seigneur, ayez pitié... ”

14. *Nicétas Stéthatos*

(mort vers 1090)

Hiéromoine de Saint-Jean-Baptiste de Stoudion à Constantinople. Disciple et biographe de Syméon le Nouveau Théologien.

La Philocalie *a accueilli ses trois* Centuries pratiques, gnostiques et théologiques *consacrées, chacune, à l'une des étapes de la vie spirituelle : vie active, contemplation des natures, connaissance de Dieu ou théologie. On les retrouve dans la* Patrologie grecque, *vol. 120, 851 s.*

Nous n'avons retenu ici que quelques chapitres de la 2e centurie qui ont l'avantage de situer le sentiment de Nicétas sur les deux formes de prière : la psalmodie et la prière de l'esprit. Nicétas, à notre connaissance, ne touche nulle part à la prière du cœur au sens de prière de Jésus. Mais ce que l'on sait de son maître laisse à penser qu'il dut, lui aussi, la pratiquer.

68. La continence, le jeûne et les combats spirituels stoppent les appels et les élans de la chair; la lecture des saintes Écritures rafraîchit l'échauffement de l'âme et les tumeurs du cœur; la prière intarissable les humilie, et la componction, telle une huile, les réjouit.

69. Rien autant que la prière pure et immatérielle ne rend l'homme familier de Dieu et n'unit à Lui celui qui prie sans distraction dans l'Esprit, et dont l'âme est lavée par les larmes, adoucie par la joie de la componction et illuminée par la lumière de l'Esprit.

70. La quantité est excellente dans la psalmodie,

lorsqu'elle accompagne la persévérance et l'attention. Mais c'est la qualité qui vivifie l'âme et porte le fruit. La qualité de la psalmodie et de la prière, c'est de prier avec l'Esprit dans son intellect. Celui-là prie dans son intellect qui, en priant et en psalmodiant, considère le sens renfermé dans la sainte Écriture. Ces pensées divines constituent dans son cœur autant d'échelons spirituels : l'âme est ravie dans l'air lumineux, toute illuminée, purifiée encore et elle s'élève toute jusqu'au ciel et voit la beauté des biens préparés aux saints. Consumée par le désir, elle exprime par les yeux le fruit de la lumière en répandant un flot de larmes sous la motion (énergie) illuminatrice de l'Esprit. La gustation de ces biens est si douce qu'il lui arrive, en de pareils moments, d'en oublier la nourriture du corps. Tel est le fruit de la prière, celui qui procède de la qualité de la psalmodie dans l'âme qui prie.

71. Là où vous voyez le fruit de l'Esprit se trouve aussi la qualité de la prière. Et là où il y a la qualité, la quantité aussi de la psalmodie est excellente. Si vous ne voyez pas de fruit, c'est que la qualité est aride et, si elle est aride, la quantité ne sert de rien. Elle a beau exercer le corps, elle est absolument sans profit pour le plus grand nombre.

72. Prenez garde à la ruse quand vous priez ou chantez des psaumes au Seigneur. Les démons surprennent le sens de l'âme et lui font, en traîtrise, dire une chose pour une autre, ils tournent en blasphèmes les versets des psaumes et nous font proférer des impiétés. Ou bien nous entamons le psaume et ils nous font passer à la fin, en effaçant de notre esprit la partie du milieu. Ou bien ils nous font tourner en rond dans le même verset, sans nous laisser trouver la suite du psaume. Ou bien, alors que nous sommes arrivés au beau milieu, brusquement, ils nous retirent le souvenir de tous les versets qui suivent, de sorte que nous oublions le verset que nous avions sur les lèvres et ne pouvons le retrouver ni le rattraper. Ils agissent de

la sorte pour nous relâcher et nous dégoûter, et aussi pour gâcher les fruits de la prière en nous rendant sensible sa longueur. Mais résistez vaillamment et attachez-vous de plus belle à votre psaume afin, par la contemplation, de cueillir dans les versets les fruits de la prière et de vous enrichir de l'illumination du Saint-Esprit réservée aux âmes qui prient.

73. Vous arrive-t-il quelque chose de semblable tandis que vous psalmodiez avec intelligence ? ne permettez pas à la négligence de vous relâcher. Ne préférez pas la commodité du corps aux dépens de l'âme, en vous laissant aller à penser à la longueur de l'heure (canoniale). Mais à l'endroit même où votre esprit s'est laissé captiver arrêtez-vous, et, si vous êtes à la fin du psaume, reprenez vaillamment au début. Reprenez la route du psaume à partir du commencement, votre esprit dût-il plusieurs fois buter à la distraction au cours de la même heure. Si vous vous comportez ainsi, les démons ne supporteront pas la patience de votre persévérance ni la vigueur de votre résolution; ils se retireront couverts de honte.

74. La prière intarissable, c'est — tenez-le pour bien assuré — celle qui ne chôme pas dans l'âme, de jour ni de nuit. Ni l'éploiement des bras, ni l'attitude du corps, ni les sons de la langue ne la signalent aux regards. Ceux qui comprennent savent qu'elle est dans l'exercice mental de l'œuvre de l'intellect et du souvenir de Dieu dans une disposition de persévérante componction.

75. On peut s'appliquer sans cesse à la prière en tenant ses pensées rassemblées sous la conduite de l'intellect dans une grande paix et modestie, occupés à fouiller les profondeurs de Dieu et à chercher à y goûter l'onde, suave entre toutes, de la contemplation. Celui dont toutes les facultés de l'âme sont consacrées par la science, celui-là a réalisé la prière constante.

77. Il n'est pas de lieu ni de temps fixé pour célébrer le mystère de la prière. Si vous fixez à la prière

des heures, des moments, des lieux, le temps qui reste sera perdu dans les occupations de la vanité. La définition de la prière, c'est l'inébranlable fixation de l'esprit en Dieu; son œuvre, c'est de tourner l'âme (intelligence discursive) vers les choses divines; sa fin, c'est que l'intelligence adhère à Dieu et ne fasse avec Lui qu'un esprit suivant la définition de l'Apôtre. (*P. G.* 120, 933 *s.*)

15. Nicéphore le Solitaire

(deuxième moitié du XIIIe siècle)

Appelé aussi Nicéphore l'Hésychaste ou l'Hagiorite, il est le premier témoin, daté avec certitude, de la prière de Jésus combinée avec une technique respiratoire.

Au témoignage de Grégoire Palamas (texte capital publié dans un Annuaire théologique roumain par le P. Staniloae et reproduit par le P. M. Jugie : Note sur le moine hésychaste Nicéphore et sa méthode d'oraison, *Échos d'Orient, 35, 1936, 409-412), Nicéphore, " italien " d'origine, passa à l'orthodoxie et embrassa la vie érémitique au mont Athos. Adversaire de la politique religieuse de Michel VIII Paléologue (1261-1282), il fut exilé.*

Il réunit, toujours au témoignage de Palamas, une anthologie de textes patristiques sur la sobriété. *Puis devant l'impuissance de beaucoup de débutants à fixer leur esprit, il présenta une méthode pour freiner ces divagations de l'imagination (comparer, du même Grégoire, un passage de sa* Défense des saints hésychastes *(P.G. 150, 1101 s.), reproduite plus bas.)*

La première partie — et la plus étendue — est une exaltation de la vie hésychaste c'est-à-dire de l'état de sobriété *et d'attention. La deuxième, qui a pu former, à l'origine, une sorte de tract indépendant, concerne la méthode respiratoire.*

Le texte de la Philocalie *a été repris par la* Patrologie grecque, *147, 945 s.*

TRAITÉ DE LA SOBRIÉTÉ ET DE LA GARDE DU CŒUR

Vous qui brûlez d'obtenir la grandiose et divine " photophanie " de Notre Sauveur Jésus-Christ, vous qui voulez saisir sensiblement dans votre cœur le feu plus que céleste, vous qui vous efforcez d'obtenir l'expérience sentie du pardon de Dieu, vous qui avez quitté tous les biens de ce monde pour découvrir et posséder le trésor caché dans le champ de votre cœur, vous qui voulez dès cette terre vous embraser joyeusement des torches de l'âme et, pour cela, avez renoncé à toutes les choses présentes; vous qui voulez connaître et saisir d'une connaissance expérimentale le royaume de Dieu présent au-dedans de vous, — venez que je vous expose la science, mieux la méthode de la vie éternelle, mieux céleste, qui introduit sans fatigue ni sueur celui qui la pratique dans le port de l'*apatheia*. Elle n'a à redouter la séduction ni la terreur[1] qui viennent des démons. Cette chute ne menace que celui dont la désobéissance entraîne les pas loin de la vie que je vous expose, ainsi qu'il advint à Adam. Pour avoir méprisé le précepte divin, s'être lié avec le serpent, s'être fié à lui et s'être laissé saouler par lui du fruit trompeur, il se précipita pitoyablement, et sa postérité avec lui, dans le gouffre de la mort, des ténèbres et de la corruption.

Revenez donc — pour parler plus exactement, revenons à nous-mêmes, mes frères, en rejetant avec le plus grand mépris le conseil du serpent et toute accointance avec ce qui rampe. Car il n'est qu'un moyen d'accéder au pardon et à la familiarité de Dieu : revenir d'abord, autant qu'il se peut, à nous-mêmes ou plutôt — par un paradoxe — rentrer en nous-mêmes, en nous retranchant du commerce du monde et des vains soucis, pour nous attacher indéfectiblement au « Royaume des cieux qui est au-dedans de nous ». Si la vie monastique a reçu le nom de « science des sciences et art des arts[2] », c'est que ses effets n'ont rien de commun avec les avantages corruptibles d'ici-bas qui détournent notre esprit de la meilleure part pour nous ensevelir sous

1. Et non « chute », comme on traduit parfois.
2. Cette expression, appliquée par Grégoire de Nazianze à la direction des âmes, fut très tôt confisquée par le courant hésychaste.

leurs alluvions. Elle nous promet des biens merveilleux et ineffables « comme l'œil n'en a jamais vus, l'oreille jamais entendus et comme il n'en est jamais monté au cœur de l'homme » (*I Cor.* 2, 9). Aussi « n'avons-nous pas à lutter contre la chair et le sang, mais contre les dominations, les puissances, les princes des ténèbres de ce siècle » (*Eph.* 6, 12). Puisque le siècle présent n'est que ténèbres, fuyons-le, fuyons-le même en pensée. Qu'il n'y ait rien de commun entre nous et l'ennemi de Dieu, car « celui qui veut lier amitié avec lui se pose en ennemi de Dieu » (*Jac.* 4, 4). Et à celui qui s'est fait l'ennemi de Dieu qui pourra encore venir en aide ?

Imitons donc nos Pères et, à leur suite, cherchons le trésor caché dans nos cœurs et l'ayant découvert, retenons-le de toutes nos forces pour le garder à la fois et le faire valoir. C'est à quoi nous fûmes destinés à l'origine. Si quelque nouveau Nicodème s'avise de chicaner à ce propos : « Comment peut-on rentrer dans son cœur pour y vivre et y travailler ? », il aura droit à la réponse que fit le Sauveur à l'objection du premier Nicodème (« Comment peut-on entrer une deuxième fois dans le ventre de sa mère et naître alors qu'on est vieux ? ») : « l'Esprit souffle où il veut », d'une image empruntée au vent matériel. Si nous partageons un tel doute à l'endroit des œuvres de la vie active, comment nous adviendront celles de la contemplation ? s'il est vrai que « la vie active est la voie d'accès à la contemplation [1] ». Puisqu'il est impossible de convaincre un esprit aussi incrédule sans preuves écrites, je vais aligner dans le présent traité, pour le profit de tous, les vies des saints et leurs écrits. Convaincu, il rejettera alors tout doute. Nous commencerons par notre père, saint Antoine le Grand, pour continuer par sa postérité et nous choisirons, de notre mieux, dans les paroles et la conduite de ces saints des pièces à conviction.

1. Citation classique d'Origène (in *Luc. hom.* 1).

I

EXTRAIT DE LA VIE DE NOTRE PÈRE SAINT ANTOINE

“ Deux frères, un jour, se mirent en route pour aller trouver le saint abbé Antoine. Chemin faisant, l’eau vint à leur manquer : l’un mourut et l’autre n’en avait plus pour longtemps; n’ayant plus la force pour marcher, il gisait sur le sol, à attendre la mort. Antoine, qui étais assis sur la montagne, héla deux moines qui se trouvaient par là et, les pressant : “ Prenez, leur dit-il, une cruche d’eau et courez sur la route qui mène en Égypte; deux frères venaient ici, l’un vient de mourir et l’autre ne tardera pas, si vous ne faites diligence; cela m’a été manifesté tandis que j’étais en prière. ” Les moines, s’étant mis en route, trouvèrent l’un mort et ils l’enterrèrent; ils remontèrent l’autre avec de l’eau et le conduisirent à l’ancien, car il y avait un jour de marche. Quelqu’un pourrait s’aviser de demander pourquoi Antoine n’avait rien dit avant la mort du premier : question déplacée. Ce n’était pas à Antoine de décider la mort, mais bien à Dieu qui décida de laisser mourir l’un et de révéler le cas du second. Ce qu’il y a de merveilleux de la part d’Antoine, c’est que, assis sur la montagne, il avait le cœur sobre et que le Seigneur lui révéla des événements éloignés. Vous voyez par là qu’Antoine, grâce à la sobriété de son cœur, fut gratifié de la vision divine et de la vue à distance. Car “ Dieu, nous dit Jean de l’Échelle, se manifeste à l’esprit dans le cœur, au début pour purifier celui qui l’aime, puis comme une lumière qui fait resplendir l’esprit et le rend déiforme [1] ”.

1. Peut-être une adaptation d’un passage cité plus haut, p. 93.

DE LA VIE DE SAINT THÉODOSE LE CÉNOBIARQUE (V-VIe S.)

Saint Théodose fut percé de la flèche suave de la charité et prisonnier de ses liens au point de consommer dans ses œuvres le sublime et divin commandement : " Tu aimeras le Seigneur ton Dieu de tout ton cœur... " (*Mt.* 12, 37). Cela ne lui fut possible que parce que toutes les puissances naturelles de son âme étaient uniquement tendues vers l'amour de son Créateur, à l'exclusion de tous les objets d'ici-bas. Je parle des activités intellectuelles de l'âme. Aussi inspirait-il de la révérence quand il consolait et d'autre part était-il la douceur et l'affabilité mêmes quand il réprimandait. Qui jamais fut de commerce plus utile à tous et à la fois plus capable de recueillir ses sens et les diriger au-dedans de lui-même ? au point de faire face avec une plus grande tranquillité aux tracas du monde qu'à ceux du désert. Qui plus capable de demeurer lui-même dans la foule et dans la solitude ? C'est ainsi qu'en recueillant ses sens pour les introduire en lui-même, notre grand Théodose fut blessé de l'amour du Créateur.

DE LA VIE DE SAINT ARSÈNE (PÈRE DU DÉSERT)

L'admirable Arsène s'était fait une règle de ne jamais rien traiter par écrit non plus que d'écrire aucune lettre. Non qu'il en fût incapable. Il s'en faut. Il lui était aussi aisé d'être éloquent qu'à un autre de parler simplement. Non, c'était uniquement habitude du silence et répugnance pour l'étalage. Pour la même raison, il avait grand soin, lors des synaxes, de ne regarder personne non plus que d'être vu lui-même : il se tenait derrière un pilier ou tel autre obstacle pour se dérober aux autres assistants. Il voulait ainsi veiller sur soi-même, recueillir en lui-même son esprit et s'élever facilement vers Dieu. Nouvel exemple d'un saint homme, véritable ange sur la terre, qui recueille en lui son esprit pour l'élever sans peine à Dieu.

DE LA VIE DE SAINT PAUL DE LATROS († 955)

Saint Paul ne quittait guère les montagnes et les lieux déserts. Les animaux sauvages étaient ses compagnons et ses convives. Il lui arriva de bien vouloir descendre pour visiter les frères. Il les exhortait alors et leur enseignait à se montrer courageux, à ne point négliger paresseusement les labeurs pénibles de la vertu mais à s'attacher avec une extrême attention et discrétion à la vie évangélique et à combattre vaillamment les esprits du mal. Il leur exposait, en outre, une méthode pour reconnaître les suggestions de la passion et détourner les semailles clandestines des passions. Voyez-vous notre saint Père enseigner à ses disciples ignorants une méthode pour éloigner les suggestions des passions ? Il ne peut s'agir que de la garde de l'esprit, car c'est là son œuvre et celle d'aucune autre. A la suite.

DE LA VIE DE SAINT SABBAS (VIe S.)

Lorsque saint Sabbas remarquait une recrue qui avait bien appris la règle de la vie monastique, et qui était déjà capable de garder son esprit, de combattre contre les pensées de l'ennemi, un sujet qui avait entièrement banni de son cœur le souvenir du monde —, il lui attribuait une cellule au sein de la laure, s'il était de santé délicate. S'il était sain et solide, il lui permettait de se bâtir une cellule. Voyez-vous que saint Sabbas exigeait de ses disciples la garde de l'esprit et en faisait la condition de la vie en cellule ? Que ferons-nous, nous autres qui vivons oisivement en cellule, sans même savoir qu'il existe une garde de l'esprit ?

DE LA VIE DE SAINT AGATHON (PÈRE DU DÉSERT)

Un frère demanda à l'abbé Agathon : " Abbé, dis-moi lequel des deux est le meilleur, le labeur corporel ou bien la garde de son intérieur ? " Agathon répondit : " L'homme ressemble à un arbre : le labeur corporel, ce sont ses feuilles, la garde de son intérieur c'est son fruit. Il est écrit : " Tout arbre qui ne produit pas de bon fruit sera coupé et jeté au feu. " Il suit clairement de là que tout notre effort doit porter sur les fruits, entendez sur la garde de l'esprit. Mais il faut aussi l'ombre et l'agrément des feuilles, entendez le labeur corporel. " Admirez comment notre saint s'exprime sur ceux qui n'ont pas la garde de l'esprit. A ceux qui ne peuvent se prévaloir que de la vie active, il dit : " tout arbre qui ne porte pas de fruit " savoir la garde de l'intellect, mais n'a que des feuilles, savoir la vie active, sera coupé et jeté au feu. Terrible sentence, mon Père !

DE L'ABBÉ MARC A NICOLAS[1]

" Veux-tu, mon fils, posséder au-dedans de toi un flambeau de science spirituelle, afin de marcher sans achoppement dans la nuit profonde de ce siècle, et que le " Seigneur dirige tes pas " et que tu désires avec une foi ardente la voie de l'Évangile, c'est-à-dire communier, par le désir et la prière, aux préceptes évangéliques de perfection ? Je vais te montrer une merveilleuse méthode et invention spirituelle. Elle ne

1. Le Marc l'Ermite, cité plus haut, p. 70 s. (*P. G.* 65, 1049.)

réclame ni fatigue ni combat corporels mais une fatigue spirituelle et une attention de l'esprit appuyée de la crainte et de l'amour de Dieu et, avec ce moyen, tu mettras sans peine en déroute la phalange des ennemis... Si donc tu veux remporter la victoire contre les passions, avec la prière et le concours de Dieu, rentre en toi-même, enfonce-toi dans les profondeurs de ton cœur, suis à la piste ces trois géants puissants : l'oubli, la paresse et l'ignorance, qui sont le point d'appui des envahisseurs spirituels. C'est par eux que les autres passions mauvaises s'insinuent dans l'âme, opèrent, vivent et prévalent dans l'âme attachée aux plaisirs... Une grande attention et surveillance de l'esprit, unie à l'aide d'en haut, te fera découvrir ce qui demeure inconnu au grand nombre et tu pourras ainsi, à grand renfort de prière et d'attention, te libérer des géants du mal. Avec la collaboration puissante de la grâce, efforce-toi d'établir dans ton cœur et d'y garder avec soin l'unisson de la véritable science, du souvenir de la parole de Dieu et d'une bonne résolution; ainsi toute trace d'oubli, d'ignorance et de paresse disparaîtra de ton cœur. » Voyez-vous l'unanimité des paroles spirituelles ? et comment elles nous exposent clairement la science de l'attention. Écoutons les suivants.

SAINT JEAN DE L'ÉCHELLE

« L'hésychaste est celui qui — paradoxalement — s'efforce de circonscrire l'incorporel dans une demeure charnelle » (ch. 27). « L'hésychaste est celui qui dit : je dors mais mon cœur veille. Ferme la porte de ta cellule à ton corps, la porte de ta bouche à la parole, ta porte intérieure aux esprits » (ch. 27). « Assis sur une hauteur observe, si tu le sais, et tu verras la manière, le moment, l'origine, le nombre et la nature des voleurs qui veulent s'introduire dans ta vigne pour en piller les grappes. Le guetteur est-il fatigué, il se lève pour prier, puis il se rassied et se remet vaillamment à son occupation " (ch. 27). " Autre chose la garde des pensées, autre chose la garde de l'esprit : il y a entre elles toute la distance de l'orient à l'occident, la seconde est bien plus malaisée. " " Les voleurs qui aperçoivent quelque part les armes du roi ne s'y aventurent pas; de même celui qui a rivé la prière à son cœur ne risque guère d'être dépouillé par les voleurs spirituels " (ch. 26). Tu vois l'occupation admirable de notre saint Père. Et dire que nous marchons dans les ténèbres, comme dans un combat de nuit; nous ne prenons pas garde aux précieuses paroles de l'Esprit et, sourds volontaires, nous passons à côté. A la suite. Voyons ce que les Pères écrivent encore pour nous inviter à la sobriété.

DE L'ABBÉ ISAÏE [1]

" Celui qui se sépare de ce qui est à gauche (le mal) connaît alors exactement tous les péchés qu'il a commis contre Dieu, car on ne voit pas ses péchés tant qu'on ne s'en est pas séparé douloureusement. Celui qui parvient à ce degré trouve le gémissement, la prière et la honte devant Dieu au souvenir de sa mauvaise liaison avec les passions. Efforçons-nous donc, mes frères, tant que nous pouvons, et Dieu travaillera avec nous suivant l'abondance de sa miséricorde. Si nous n'avons pas gardé notre cœur à l'exemple de nos pères, du moins appliquons-nous, suivant nos moyens, à garder notre corps sans péché comme Dieu nous le demande et ayons foi qu'à l'heure de la famine, il nous fera miséricorde comme il fit à ses saints." Par ces derniers

1. Mort en 488. Auteur de 29 homélies. La *Philocalie* en a reproduit 27 passages; la citation de Nicéphore correspond au nº 17, cf. *P. G.* 40, 1212.

mots notre saint console ici les faibles. Quelle n'est pas la compassion et l'indulgence d'un si grand saint !

MACAIRE LE GRAND [1]

" L'œuvre maîtresse de l'athlète, c'est d'entrer dans son cœur, de mépriser Satan et d'engager le combat avec lui et de le combattre en s'attaquant à ses pensées. Celui qui garde son corps visible de la corruption et de l'adultère mais commet intérieurement l'adultère à l'égard de Dieu en se prostituant à ses pensées — il ne lui sert de rien d'avoir le corps vierge. Car il est écrit : " Celui qui regarde une femme pour la désirer a déjà commis l'adultère dans son cœur " (*Mt.* 5, 28). Il y a un adultère qui se consomme dans le corps et il y a l'adultère de l'âme qui se donne à Satan. " Notre Père paraîtrait contredire les paroles citées de l'abbé Isaïe : il n'en est rien. Car Isaïe nous prescrit de " garder nos corps comme Dieu le demande "; or Dieu ne demande pas seulement la pureté du corps, mais aussi celle de l'esprit...

DIADOQUE DE PHOTICÉ [2]

" Celui qui habite sans cesse dans son cœur émigre définitivement des agréments de la vie. Marchant selon l'esprit, il ne peut connaître les convoitises de la chair. Comme il va et vient dans le château des vertus qui sont pour ainsi dire les gardiens des portes, les plans des démons sont sans effet sur lui." Le saint dit bien que les plans du démon sont sans effet sur nous lorsque nous vivons dans les profondeurs de notre cœur, et cela d'autant plus que nous y demeurons davantage...

1. Le pseudo-Macaire; cf. p. 46.
2. Voir plus haut, p. 57. Il s'agit du ch. 57.

Je m'aperçois que le temps va me manquer pour consigner, comme j'en avais le dessein, les propos de tous les Pères. J'en mentionnerai un ou deux encore et je songerai à conclure.

ISAAC LE SYRIEN [1]

" Applique-toi à entrer dans ta chambre intérieure et tu verras la chambre céleste. Car c'est tout un et la même porte ouvre sur la contemplation des deux. L'échelle de ce royaume est cachée au-dedans de toi, dans ton âme. Lave-toi donc du péché et tu découvriras les degrés par lesquels monter. "

JEAN DE CARPATHOS [2]

" Nos prières réclament bien des luttes pénibles avant de nous découvrir l'état impassible de l'esprit, ce second ciel du cœur dans lequel habite le Christ. Écoutez l'apôtre : Ne savez-vous pas que le Christ habite en vous ? à moins que vous soyez des réprouvés " (*II Cor.* 13, 5).

SYMÉON LE NOUVEAU THÉOLOGIEN

" Le diable (et ses démons), du jour où la désobéissance a banni l'homme du paradis et du commerce de Dieu, a licence d'agiter spirituellement l'âme de l'homme, de jour et de nuit, tantôt un peu, tantôt beaucoup, parfois extrêmement. Le seul moyen de se protéger est le souvenir constant de Dieu : le souvenir de Dieu gravé dans le cœur par la vertu de la croix

1. Voir plus haut, p. 77 s.
2. Vers 680. La *Philocalie* a accueilli son œuvre.

affermit inébranlablement l'esprit. Tel est l'objet du combat spirituel que le chrétien doit livrer dans le stade de la foi chrétienne et pour lequel il a revêtu l'armure. Sinon, il combat en vain. Ce combat est l'unique raison de l'ascèse variée par laquelle on malmène son corps à cause de Dieu. Il s'agit de fléchir les entrailles du Dieu de Bonté, de recouvrer sa dignité première et d'imprimer le Christ, tel un sceau, dans la raison suivant les paroles de l'apôtre : " Mes enfants, je suis dans le travail de l'enfantement tant que le Christ soit formé en vous " (*Gal.* 4, 19) [1].

Vous comprenez maintenant, mes frères, qu'il existe un art, ou plutôt une méthode spirituelle, pour amener rapidement celui qui l'emploie à l'*apatheia* et à la théoptie. Êtes-vous convaincus que toute la vie active compte devant Dieu autant que les feuilles de l'arbre et que toute âme qui ne possède pas la garde de l'esprit, le fruit, cela ne lui servira de rien. Faisons tout pour ne pas mourir stériles et n'avoir pas à connaître des regrets inutiles.

II

Question : Votre traité nous a appris la conduite de ceux qui plurent au Seigneur; il nous a enseigné qu'il existe une occupation qui délivre promptement l'âme de ses passions et qu'elle est nécessaire à tout chrétien qui s'enrôle dans l'armée du Christ : nous n'en doutons plus, nous sommes convaincus. Mais qu'est-ce que l'attention ? comment y arriver ? c'est ce que nous voudrions savoir, car nous n'en avons pas la plus petite lueur.

Réponse : Au nom de notre Seigneur Jésus-Christ qui

1. On a jusqu'ici cherché en vain ce texte dans les œuvres de Syméon. Il pourrait être de la fin du XIIIe siècle.

a dit : " Sans moi vous ne pouvez rien faire " (*Jn.* 15, 5) et après avoir invoqué son secours et son concours, je vais tenter de vous montrer de mon mieux ce qu'est l'attention et comment, avec la grâce de Dieu, il est possible d'y atteindre.

DU MÊME NICÉPHORE

Certains saints ont appelé l'attention " garde de l'esprit", d'autres " garde du cœur ", d'autres " sobriété ", d'autres "repos de l'esprit " ou autrement encore [1]. Autant d'expressions qui reviennent au même, comme qui dirait pain, miche ou tartine.

Ce qu'est l'attention, ce que sont ses propriétés ? écoutez-moi bien. L'attention, c'est le signe de la pénitence accomplie; l'attention, c'est le rappel de l'âme (de l'égarement des passions), la haine du monde et le retour à Dieu. L'attention, c'est le dépouillement de ses péchés pour revêtir la vertu. L'attention, c'est la certitude indubitable du pardon de ses péchés. L'attention, c'est le principe de la contemplation, mieux sa base permanente. Grâce à elle, Dieu se penche sur l'esprit pour se manifester à lui. L'attention, c'est l'ataraxie de l'esprit, sa fixation par la miséricorde de Dieu accordée à l'âme. L'attention, c'est la purification des pensées, le temple du souvenir de Dieu, le trésor du support des épreuves. L'attention, c'est l'auxiliaire de la foi, l'espérance et la charité. Sans la foi on ne supporterait pas les épreuves qui viennent du dehors : celui qui n'accepte pas avec joie les épreuves ne peut pas dire au Seigneur : " Tu es mon refuge et mon asile " (*Ps.* 3, 4). Et s'il ne place son refuge dans le Très-Haut, il ne possédera pas l'amour au fond de son cœur [2].

1. Comparer pseudo-Syméon, p. 159.
2. Cette annexion de toute la vie spirituelle par l'attention est l'un des traits caractéristiques de l'hésychasme sinaïtique (cf. Hésychius).

Cet effet sublime échoit à la plupart, pour ne pas dire à tous, par le canal de l'enseignement. Il est très rare qu'on le reçoive de Dieu, en se passant de maître, par la seule vigueur de l'action et la ferveur de la foi. Or, exception ne fait pas loi. Il importe donc de se chercher un maître infaillible : ses leçons nous apprendront nos écarts, à droite ou à gauche et aussi nos excès en matière d'attention; son expérience personnelle de ces épreuves nous éclairera à leur sujet et nous montrera, à l'exclusion de tout doute, le chemin spirituel qu'alors nous pourrons parcourir sans difficulté. Si tu n'as pas de maître, cherches-en un à tout prix. Si tu n'en trouves pas, invoque Dieu dans la contrition de l'esprit et dans les larmes, supplie-le dans le dépouillement et fais ce que je te dis.

Mais d'abord que ta vie soit paisible, nette de tout souci, en paix avec tous. Alors entre dans ta chambre, enferme-toi, et t'étant assis dans un coin, fais comme je vais te dire :

Tu sais que notre souffle, l'air de notre inspiration, nous ne l'expirons (peut-être : respirons) qu'à cause du cœur. Car c'est le cœur qui est le principe de la vie et de la chaleur du corps. Le cœur attire le souffle afin de refouler sa propre chaleur au-dehors par l'expiration et de s'assurer ainsi une température idéale. Le principe de cette organisation, mieux son instrument, est le poumon. Fabriqué par le Créateur d'un tissu ténu, il introduit sans arrêt et refoule l'air à la manière d'un soufflet. De la sorte le cœur, en attirant d'une part le froid par le souffle et en refoulant le chaud, conserve inviolablement la fonction qui lui a été assignée dans l'équilibre du vivant.

Pour toi, ainsi que je t'ai dit, assieds-toi, recueille ton esprit, introduis-le — je dis ton esprit — dans les narines; c'est le chemin qu'emprunte le souffle pour aller au cœur. Pousse-le, force-le de descendre dans ton cœur en même temps que l'air inspiré. Quand il y sera, tu verras la joie qui va suivre : tu n'auras rien à regretter. Tel l'homme qui rentre chez lui après une absence ne retient plus sa joie de pouvoir retrouver sa femme et ses enfants, ainsi l'esprit, quand il s'est uni à l'âme, déborde d'une joie et de délices ineffables.

Mon frère, accoutume donc ton esprit à ne pas se presser d'en sortir. Dans les débuts, il manque de zèle, c'est le moins qu'on puisse dire, pour cette réclusion et ce resserrement intérieurs. Mais, une fois qu'il en aura contracté l'habitude, il n'éprouvera plus aucun plaisir aux circuits du dehors. Car « le royaume de Dieu est au-dedans de nous » et à celui qui tourne vers lui ses regards et le poursuit de la prière pure, tout le monde extérieur devient vil et méprisable.

Si, dès le début tu pénètres par l'esprit dans le lieu du cœur que je t'ai montré, grâces à Dieu ! Glorifie-le, exulte et attache-toi uniquement à cet exercice. Il t'enseignera ce que tu ignores. Sache ensuite que, tandis que ton esprit se trouve là, tu ne dois ni te taire ni demeurer oisif. Mais, n'aie d'autre occupation ni méditation que le cri de : « Seigneur Jésus-Christ, Fils de Dieu, ayez pitié de moi ! » Aucune trêve, à aucun prix. Cette pratique, en maintenant ton esprit à l'abri des divagations, le rend imprenable et inaccessible aux suggestions de l'ennemi et, chaque jour, elle l'élève dans l'amour et le désir de Dieu.

Mais si, mon frère, malgré tous tes efforts, tu n'arrives pas à pénétrer dans les parties du cœur suivant mes indications, fais comme je te dis et, avec le concours de Dieu, tu arriveras à tes fins. Tu sais que la raison de l'homme a son siège dans la poitrine. C'est dans notre poitrine en effet que, nos lèvres demeurant muettes, nous parlons, nous décidons, nous composons nos prières et nos psaumes etc. Après avoir banni de cette raison toute pensée (tu peux, il n'est que de vouloir), donne-lui le « Seigneur Jésus-Christ, ayez pitié de moi » et contrains-le de crier intérieurement, à l'exclusion de toute autre pensée, ces paroles. Quand, avec le temps, tu te seras rendu maître de cette pratique, elle t'ouvrira l'entrée du cœur, ainsi que je te l'ai dit, indubitablement. J'en ai fait l'expérience moi-même. Avec la joyeuse et toute désirable attention tu verras venir à toi tout le chœur des vertus, l'amour, la joie, la paix et le reste. Grâce à elles, toutes tes demandes seront exaucées en Notre Seigneur Jésus-Christ...

16. Le pseudo-Syméon le Nouveau Théologien

Il est impossible désormais de revendiquer pour le grand mystique la Méthode de la sainte prière et attention. *La tradition manuscrite et l'inspiration s'y opposent. L'opuscule pourrait bien être contemporain de celui de Nicéphore, s'il n'est de la même plume, comme inclinent à le penser* I. Hausherr et J. Darrouzès.

L'opuscule décrit successivement les trois formes d'attention et de prière : contemplation imaginative préoccupée de se figurer, *alors qu'il faut précisément exclure figures, formes et concepts suivant le b, a, ba de l'orthodoxie évagrienne; lutte contre les " pensées " au lieu de l'élimination des pensées; enfin, la vraie garde du cœur avec ses conditions préalables — obéissance etc. — et l'exercice de la technique respiratoire. L'auteur justifie, dans une deuxième partie, l'insuffisance et la valeur relative des premières formes en même temps qu'il détaille les transitions de la croissance spirituelle.*

La Patrologie grecque *a accueilli le texte de la* Méthode *sous la forme de métaphrase néo-grecque qu'elle revêt dans la* Philocalie (P. G. *120, 701 s.*). *I. Hausherr en a donné une édition critique accompagnée d'une traduction et d'une introduction étendue. Elle demeure la condition de toute étude profitable de l'opuscule* (La méthode d'oraison hésychaste, *Orientalia Christiana, vol. IX, num. 36, 1927*).

MÉTHODE POUR LA SAINTE PRIÈRE ET ATTENTION

Il est trois formes de prière et d'attention; elles élèvent l'âme ou la font déchoir suivant l'usage qu'on en fait : en temps voulu ou bien à contretemps et à contresens.

La sobriété et la prière sont unies comme l'âme et le corps : l'un ne subsiste pas sans l'autre. Elles se combinent d'une double manière. D'abord la sobriété résiste au péché à la manière d'un éclaireur et d'une avant-garde; puis vient la prière, qui extermine et anéantit incontinent les mauvaises pensées enchaînées par la surveillance, car l'attention n'en serait pas capable toute seule. La voilà la porte de la vie et de la mort, je veux dire l'attention et la prière : purifions la prière, par la sobriété nous nous améliorons; la diminuons-nous et la souillons-nous par notre négligence, nous ne valons plus rien.

L'attention et la prière, avons-nous dit, sont de trois sortes. Il nous faut donc exposer les propriétés de chacune. Ainsi, celui qui veut obtenir la vie et se mettre à l'épreuve pourra, entre ces trois états bien distingués, choisir en toute sécurité le meilleur sans risquer d'être frustré de la meilleure part, pour avoir, à son insu, retenu la moins bonne.

LA PREMIÈRE PRIÈRE

Voici les propriétés de la première prière. Celui qui se met en prière élève au ciel ses mains et ses yeux en même temps que son esprit; son esprit forme des concepts divins, imagine des beautés célestes, des hiérarchies d'anges, des demeures de justes; en un mot, il entasse dans son esprit, au temps de la prière, tout ce qu'il a appris des saintes Écritures, il excite son âme à l'amour de Dieu en arrêtant intensément son regard sur le ciel. Il arrive que les larmes lui coulent et que, peu à peu, son cœur s'enfle et s'élève, et il prend ce phénomène pour une consolation divine et il souhaite de n'avoir plus d'autre occupation. Tels sont les signes de son illusion, car le bien qui n'est pas bien fait n'est pas du bien.

Supposez que cet homme mène une vie solitaire et entièrement fermée, il y perdra nécessairement la tête. Mettons qu'il évite ce sort, il lui sera impossible de parvenir à la possession des vertus et à l'*apatheia*. C'est cette sorte d'attention qui a égaré ceux qui perçoivent sensiblement des lumières, respirent des parfums, entendent des voix et tant d'autres phénomènes du même ordre. Les uns sont devenus de véritables possédés du démon et ont gyrovagué de lieu en lieu, de contrée en contrée; les autres, faute d'avoir reconnu " celui qui se déguise en ange de lumière ", se sont laissé surprendre, se sont fourvoyés et sont devenus à jamais incorrigibles, fermés à toute remontrance. D'autres se sont donné à eux-mêmes la mort, poussés à cette extrémité par le séducteur : qui en se jetant de hauteurs, qui en recourant à la corde. Et qui pourrait épuiser toutes les ressources de l'illusion diabolique ?

A ce qu'on vient de dire l'homme averti mesurera le profit de la première attention. Je veux bien que certains aient échappé à ces accidents grâce à la vie en communauté (c'est aux anachorètes que cela arrive); ce qui est sûr, c'est qu'ils ne feront pas le moindre progrès de toute leur vie.

LA DEUXIÈME PRIÈRE

Voici maintenant la deuxième prière. L'esprit se retire des objets sensibles, se garde des sensations extérieures, empêche ses pensées de cheminer vainement parmi les choses de ce monde (texte très douteux). Tantôt il scrute ses pensées, tantôt il applique son attention aux prières que sa bouche adresse à Dieu; tantôt il tire à lui les pensées prisonnières, tantôt saisi lui-même par la passion, il se fait violence pour revenir à lui-même. Celui qui combat de pareille sorte ne connaîtra jamais la paix ni ne ceindra la couronne des vainqueurs. On dirait un homme qui combat dans la nuit : il entend bien les voix des ennemis, il reçoit leurs coups, mais quant à distinguer l'identité de ces ennemis, d'où ils sortent, la nature et les motifs du combat, impossible, car tout son malheur vient des ténèbres de son esprit. Celui qui se bat de la sorte sera à coup sûr écrasé par les envahisseurs spirituels; il aura supporté la peine et il n'aura pas l'avantage de la récompense. Il se laissera prendre au piège de la vaine gloire à la faveur de sa prétendue attention, il en deviendra l'esclave et le jouet quand il ne lui arrivera pas de reprocher aux autres avec hauteur de ne pas lui ressembler et de s'instaurer pasteur de brebis, l'aveugle qui se mêlerait de guider d'autres aveugles !

Tels sont les caractères de la deuxième prière. Ils donnent à l'esprit zélé une idée de ses inconvénients. Il n'empêche que la deuxième prière l'emporte sur la première autant que sur une nuit obscure et sans étoiles une nuit de pleine lune.

LA TROISIÈME PRIÈRE

Nous allons aborder la troisième prière. Chose étrange et malaisée à expliquer; plus que difficile à saisir pour ceux qui l'ignorent, presque incroyable; rares ceux en qui on la rencontre ! A mon avis, ce grand bien a déserté derrière l'obéissance.

Car l'obéissance, en arrachant son amant à ce siècle pervers, en le dégageant des préoccupations et des attachements sensibles, le rend dispos et décidé pour marcher à son but. A condition bien sûr de trouver un guide sûr. Quel objet éphémère pourrait encore entraîner l'esprit que l'obéissance a fait mourir à toute complaisance mondaine et corporelle ? Quelle espèce de souci pourrait entraîner celui qui a remis à son père (spirituel) tout le soin de son âme et de son corps ? qui ne vit plus pour lui ni ne désire le “ jour (= jugement) de l'homme ? ” Grâce à quoi se brisent les enlacements invisibles des puissances de révolte qui, tels des liens, entraînent l'esprit en mille circuits de pensées. L'esprit libéré peut guerroyer avec efficacité, percer les pensées des ennemis et les expulser habilement cependant qu'il fait monter la prière du cœur purifié. Ceux qui ne commencent pas de la sorte se font écraser sans profit.

Le principe de la troisième oraison n'est pas de regarder en haut, en étendant les mains, en rassemblant ses pensées et en appelant le secours du ciel. Ce sont là, on l'a dit, les caractères de la première illusion. La troisième oraison ne débute pas davantage, comme la deuxième, en fixant l'attention de l'esprit sur les sens extérieurs sans distinguer les ennemis du dedans. C'est, nous l'avons vu, la meilleure façon de recevoir les coups sans pouvoir les rendre, d'être blessé sans s'en rendre compte, d'être emmené en captivité, sans pouvoir résister à ceux qui vous emmènent. De toutes parts “ les pécheurs vous labourent l'échine ou plutôt le visage ” (cf. *Ps.* 129, 3) et font de vous un vaniteux et un suffisant.

Pour toi, si tu veux entreprendre cette œuvre génératrice de lumière et de délices, jettes-en les bases avec résolution. Après la rigoureuse obéissance décrite plus haut, il te faudra encore tout faire avec conscience car, hors de l'obéissance, il n'est pas de conscience pure. Tu garderas ta conscience envers Dieu d'abord, à l'égard de ton père ensuite et troisièmement à l'égard des hommes et des choses. Envers Dieu, en ne faisant rien de ce qui est contraire à son service; envers ton père, en faisant tout ce qu'il te dit suivant son intention même, sans y retrancher ni y ajouter; envers les hommes, en ne faisant pas à autrui ce dont tu ne veux pas pour toi-même. Dans les choses matérielles ! tu te garderas de l'abus en tout, nourriture, boisson, vêtement, en un mot tu feras tout sous le regard de Dieu, à l'abri de tout reproche de ta conscience.

Maintenant que nous avons dégagé et frayé la voie de la véritable attention, disons quelques mots nets et brefs sur ses propriétés. L'attention et oraison infaillible consiste en ceci : l'esprit, durant la prière, garde le cœur, ne cesse d'y tourner et retourner et, du fond de cet abîme, lance ses demandes vers le Seigneur. Alors l'esprit, ayant " goûté que le Seigneur est bon ", n'est plus expulsé de la demeure du cœur. Il reprend le mot de l'apôtre : " Il nous est bon de demeurer ici " (*Mt.* 17, 4). Toujours à inspecter ces lieux, il poursuit à grands coups les concepts qu'y sème l'ennemi. Sans doute les ignorants trouvent cette conduite austère et rébarbative; assurément l'exercice est laborieux et suffocant, je ne dis pas seulement aux non-initiés mais à ceux même qui, ayant déjà une expérience sérieuse, n'ont pas encore senti ni amené le plaisir dans le fond de leur cœur. Mais ceux qui ont savouré ce plaisir, ont fait descendre sa douceur dans le gosier du cœur peuvent, eux aussi, s'écrier avec saint Paul : " Qui nous séparera de la charité du Christ ? " (*Rom.* 8, 35).

Nos saints Pères, ayant entendu la parole du Seigneur : " de votre cœur sortent les mauvaises pensées, meurtres, adultères, vols, parjures " et que " c'est cela qui souille l'homme " (*Mat.* 15, 19-20) ainsi que son exhortation à nettoyer l'intérieur de la coupe afin que le dehors aussi en devienne net (*Mt.* 23, 26) — ont laissé de côté toutes les autres formes de pratique des vertus pour porter uniquement le combat sur cette garde du cœur, bien convaincus qu'avec elle, ils maîtriseraient sans peine tout autre exercice. Certains pères lui ont donné le nom de " repos du cœur ", d'autres d'" attention ", d'autres de " garde du cœur ", certains de " sobriété et contradiction ", d'autres d' " examen des pensées " et de " garde de l'esprit " mais tous ont, à l'unisson, travaillé le champ de leur cœur et ont obtenu ainsi de manger la manne de Dieu. C'est à son sujet que l'Ecclésiaste dit : " Jeune homme, réjouis-toi pendant ta jeunesse... marche dans la voie de ton cœur... sans reproche et bannis l'irritation de ton cœur " (11, 9). " Si l'esprit de celui qui commande se soulève contre toi, ne bouge pas de ta place " (10, 4). Par place, il veut désigner le cœur, suivant la parole du Seigneur : " Du cœur sortent les pensées mauvaises " (*Mt.* 15, 19) et encore : " Ne vous élevez point " (*Luc*, 12, 29) et ailleurs : " Qu'elle est étroite la porte et resserrée la voie qui mène à la vie ! " (*Mt.* 7, 14) et encore : " Bienheureux les pauvres en esprit ! " (*Mt.* 5, 3), autrement dit, ceux qui ne possèdent en eux aucune préoccupation du siècle présent. L'apôtre Pierre dit de son côté : " Soyez sobres et veillez, car votre adversaire, le diable, rôde comme un lion rugissant, en quête de dévorer " (*I P.* 5, 3). Paul songe manifestement à notre garde du cœur quand il écrit aux Éphésiens : " Notre combat ne s'adresse pas à la chair et au sang... " (*Eph.* 6, 12).

Ce qu'ont dit les saints Pères dans leurs écrits sur la garde du cœur, ceux-là le savent qui se donnent la peine de les lire. [Celui qui le désire n'a qu'à se pencher sur leurs écrits; il retrouvera exactement dans mes termes ce qu'ont développé Marc l'Ascète, Jean de l'Échelle, Hésychius et Philotée le Sinaïte, Isaïe, Barsanuphe et tout le *Patéricon* ou *Paradis* etc. Bref, nul ne peut, sans garder son esprit, parvenir à la pureté du cœur et mériter ainsi de voir Dieu. Sans elle, pas de pauvres en esprit, pas de pleurs ni de faim et soif de la justice; nul sans la sobriété ne sera vraiment miséricordieux, pur de cœur, pacifique, persécuté pour la justice; en un mot, impossible sans la sobriété d'acquérir les vertus inspirées de Dieu. Embrasse-la donc avant toute autre chose et tu feras l'expérience de ce que je te dis :

Si tu veux, en outre, apprendre la manière de prier, je vais aussi te le dire de mon mieux avec le secours de

Dieu [1].] Avant tout, il te faut acquérir trois choses — puis tu te mettras à ton objet : insouciance concernant les choses raisonnables (permises) et déraisonnables (défendues), c'est-à-dire mort à toutes choses; une conscience pure, en te gardant de toute condamnation de ta propre conscience; enfin immobile détachement de toute passion qui te ferait pencher vers le siècle présent ou même vers ton propre corps.

Alors, assieds-toi dans une cellule tranquille, à l'écart dans un coin [2] et applique-toi à faire ce que je te dis : ferme la porte, élève ton esprit au-dessus de tout objet vain ou passager. Puis, appuyant ta barbe contre ta poitrine, dirige l'œil du corps en même temps que tout ton esprit, sur le centre de ton ventre, c'est-à-dire sur ton nombril, comprime l'aspiration d'air qui passe par le nez de manière à ne pas respirer à l'aise et scrute mentalement l'intérieur de tes entrailles à la recherche de la place du cœur, là où toutes les puissances de l'âme aiment à fréquenter. Au début, tu trouveras des ténèbres et une opacité opiniâtre mais si tu persévères, si nuit et jour tu pratiques cet exercice, tu trouveras, ô merveille ! une félicité sans bornes. Car aussitôt que l'esprit a trouvé la place du cœur, il voit tout à coup ce que jamais encore il n'avait vu. Il voit l'air qui se trouve au-dedans du cœur, il se voit lui-même entièrement lumineux et rempli de discernement. Désormais, qu'une pensée pointe, elle n'aura pas le temps de prendre forme ni de devenir une image, qu'il la pourchassera et la réduira à néant par l'invocation de Jésus. L'esprit, dans son ressentiment contre le démon, excitera la colère que la nature lui a donnée contre les ennemis spirituels et les expulsera à grands coups. Le reste tu l'apprendras, Dieu aidant, en pratiquant la garde de l'esprit et en retenant

1. La péricope entre crochets ne figure que dans un seul des 6 témoins utilisés par I. Hausherr.

2. La même formule, certainement très ancienne, se retrouve *ad verbum* chez Syméon le N. Théol. *P. G.* 120, 621*c*.

Jésus dans ton cœur. " Assieds-toi, a-t-on dit, dans ta cellule et elle t'apprendra toutes choses. "

Question : Pourquoi donc la première et la deuxième garde sont-elles incapables de faire un moine accompli ?

Réponse : Parce qu'elles ne respectent pas l'ordre. Jean de l'Échelle a fixé cet ordre suivant une échelle : " Les uns se consacrent à amoindrir leurs passions; les autres psalmodient et donnent à cette occupation la majeure partie de leur temps; les autres persévèrent dans la prière; les autres ont le regard arrêté sur la contemplation dans les profondeurs; c'est à la manière d'une échelle qu'il faut étudier le problème (chap. 27). Celui qui veut gravir une échelle ne va pas de haut en bas mais de bas en haut; il franchit d'abord le premier échelon, puis le suivant et ainsi, successivement, tous les autres. De la sorte il arrivera à s'élever de la terre pour monter jusqu'au ciel. Si donc nous voulons arriver à l'homme parfait de la plénitude du Christ, commençons à gravir l'échelle établie, à la manière des petits enfants, en parcourant toutes les étapes de croissance des enfants, afin d'atteindre petit à petit la mesure de l'homme fait, puis du vieillard.

Le premier âge de la croissance monastique consiste à réduire ses passions : c'est la tâche des débutants.

Le deuxième degré et palier de croissance qui, d'un être spirituel encore à l'adolescence, fait un jeune homme, c'est l'assiduité à la psalmodie. Une fois les passions amoindries et assoupies, la psalmodie prend de la douceur sur la langue, elle gagne un prix devant Dieu, car il n'est pas possible de " chanter le Seigneur sur une terre étrangère ", c'est-à-dire dans un cœur attaché aux passions. C'est à quoi l'on reconnaît ceux qui progressent.

Le troisième degré et palier de croissance fait passer le jeune homme à la virilité spirituelle : c'est la persévérance dans la prière et le signe distinctif de ceux qui ont progressé. A l'échelon où nous sommes, il y a autant de différence entre la psalmodie et la prière qu'entre un homme fait et un adolescent et un jeune homme.

Suit le quatrième degré et palier de croissance spirituelle, celui du vieillard et des cheveux blancs : c'est le regard fixe et immobile de la contemplation, l'apanage des parfaits. L'itinéraire est achevé, le sommet de l'échelle est atteint.

Tel est l'ordre que l'Esprit a établi, et il n'est pas d'autre moyen pour l'enfant de devenir un homme et de parvenir à la condition du vieillard que de commencer par le premier degré, pour gravir ensuite, comme il convient, les quatre autres et s'élever ainsi à la perfection.

Le premier pas vers la lumière de celui qui veut renaître spirituellement consiste à amoindrir ses passions et à garder son cœur. Impossible autrement d'amoindrir ses passions.

Vient en deuxième lieu l'intensité de la psalmodie. Lorsque la résistance du cœur a assoupi et amoindri les passions, le désir de la réconciliation divine enflamme l'esprit. L'esprit ainsi réconforté donne la chasse, au moyen de l'attention, aux pensées qui soufflent à la surface du cœur. Puis, de nouveau, il s'adonne à la deuxième prière et attention. Alors se déchaîne la tempête des esprits; les souffles des passions se mettent à soulever l'abîme du cœur mais l'invocation du Seigneur Jésus les fait fondre et les dissipe comme de la cire. Expulsés, ils agitent encore, par les sensations, la surface de l'esprit, puis la bonace ne tarde pas à se faire sentir. Mais y échapper tout à fait sans combattre, c'est chose impossible. C'est le privilège de celui qui est parvenu à l'âge d'homme fait, de l'anachorète accompli, assidu à l'attention ininterrompue du cœur.

Puis, celui qui a acquis l'attention s'élève lentement à la sagesse des cheveux blancs c'est-à-dire de la contemplation, le lot des parfaits. Celui qui aura parcouru ces degrés en temps et ordre voulus pourra, après avoir expulsé de son cœur les passions, s'adonner à la psalmodie, repousser régulièrement les pensées suscitées par les sensations et le trouble de la surface de l'esprit, diriger vers le ciel, quand il en est besoin, à la fois l'œil du corps et celui de l'esprit, pratiquer la prière pure, mais cela en passant et rarement à cause des ennemis embusqués dans les airs. Tout ce qui nous est demandé, c'est un cœur purifié par la surveillance : " Si la racine est pure, dit l'apôtre, les rameaux le seront aussi " (*Rom.* 11, 16) et le fruit avec. Mais lever l'œil et l'esprit autrement que nous l'avons dit, en voulant se représenter mentalement des images, c'est voir un vain miroitement d'images plutôt que la réalité. C'est parce que le cœur est impur que la première et la deuxième attention ne font pas faire de progrès.

Celui qui bâtit une maison ne met pas le toit avant les fondations (ce qui est impossible) mais il pose d'abord les fondations, puis la bâtisse et par-dessus, le toit. Il en va de même ici. En gardant notre cœur et en amoindrissant nos passions, nous jetons les bases de notre maison spirituelle; puis, en repoussant par la deuxième attention la tempête des mauvais esprits soulevés par les sensations extérieures, nous échappons sans tarder au combat et nous établissons sur les fondements les murs de la maison spirituelle, enfin, par la perfection de notre penchant pour Dieu et de notre retraite, nous étendons notre toit et achevons ainsi la maison spirituelle dans le Christ Jésus, notre Seigneur.

17. Théolepte de Philadelphie

(1250-1321/6)

Marié, il quitte sa jeune femme pour la solitude. Il se met à l'école du moine Nicéphore dont nous avons parlé plus haut et devient dans la suite évêque de Philadelphie.

Son œuvre consiste en instructions adressées aux religieuses d'un monastère byzantin et notamment à leur supérieure, Irène-Eulogie Choumnos, la Paléologine. Cette fille de Nicéphore Choumnos, mariée à 12 ans au despote Jean Paléologue, restée veuve à 16 ans, s'était retirée au couvent du Sauveur-Philanthrope qu'elle fit restaurer. (Sur Irène, voir l'article très vivant de V. Laurent, Une Princesse byzantine au cloître, *Échos d'Orient, 1930, 29 p. 29 s.)*

La Philocalie *reproduit de Théolepte (dont l'œuvre spirituelle est contenue à peu près entièrement dans le manuscrit* Ottob. Vat. 405) *une instruction à Irène sur l'*activité secrète dans le Christ *et des pensées diverses. Migne a accueilli le tout dans la Patrologie grecque, tome 143, 381 s.*

Théolepte y analyse les composantes de la prière : attention de l'esprit (noûs : intellect) *à Dieu par le souvenir de Dieu, attention de la raison discursive* (dianoia) *à l'invocation du Nom du Seigneur, enfin componction du* pneuma[1]. *Ce concours des puissances opère l'unification de l'âme en Dieu. A vrai dire, Théolepte ne dit pas qu'il s'agit du nom de Jésus. Mais sa pensée est claire. Aucune allusion, en revanche, à la technique respiratoire.*

La traduction qui suit repose sur le texte de la P. G.

1. *Pneuma* (esprit), qui désigne parfois chez St Paul l'esprit de l'homme en tant que mû par le Saint-Esprit, me paraît désigner chez Théolepte le *sens spirituel*, cette sorte de sensibilité supérieure qui est le siège des sentiments de componction, de joie, d'humilité.

collationné avec les corrections du P. Salaville, Formes de prière d'après un Byzantin du XIVe siècle, *Échos d'Orient* *1940, 39, p. 3 s.*

RENONCEMENT AUX SOUVENIRS ET PENSÉES

De l'activité secrète dans le Christ et de l'objet de la vie monastique.

... Quand vous aurez supprimé, au-dehors, les distractions; quand vous aurez, au-dedans, renoncé aux pensées, votre esprit s'éveillera aux œuvres et aux paroles spirituelles. Au commerce de vos proches et de vos amis succédera celui des diverses vertus. Plus de ces vains discours inséparables des relations mondaines : la méditation et l'élucidation des divines paroles brassées dans votre esprit, illuminera et instruira votre âme.

Le relâchement des sens est une chaîne pour l'âme; leur assujettissement lui apporte la liberté. Le coucher du soleil amène la nuit : ainsi, le Christ se retire de l'âme que les ténèbres envahissent et que déchirent les bêtes invisibles. Le soleil se lève : les bêtes sauvages regagnent leurs tanières; le Christ se lève au firmament de l'âme en prière, tout le commerce du monde s'évanouit, l'amitié de la chair s'efface et l'esprit s'en va à son œuvre, la méditation des choses divines, jusqu'au soir. Il n'inscrit pas dans des limites temporelles la pratique de la loi spirituelle, il ne lui suffit pas de l'accomplir dans une certaine mesure, il l'étend jusqu'à l'échéance de la mort et de la délivrance de l'âme. C'est à quoi déjà songeait le prophète quand il disait : " Combien j'aime ta loi ! tout le jour, je m'applique à la méditer " (*Ps.* 118, 97). Le jour, c'était pour lui tout le cours de la vie terrestre.

Arrêtez donc les fréquentations au-dehors, et bataillez au-dedans contre les pensées, tant que vous ayez trouvé le lieu de la prière pure, la maison où le

Christ habite : il vous y éclairera par sa science, vous délectera par sa visite et vous fera trouver de la joie aux épreuves endurées pour lui et rejeter, comme vous feriez l'absinthe, les plaisirs du monde.

La tempête soulève les flots de la mer; tant que ne tombent pas les vents, les vagues ne se calment pas ni la mer ne s'apaise. Les souffles du mal soulèvent de même dans l'âme négligente les souvenirs de la parenté, des proches, des connaissances, des festins, des fêtes, des spectacles et de toutes les autres images du plaisir. Ils lui suggèrent de s'y mêler par les yeux, la conversation, le corps tout entier de manière à lui faire gâcher l'heure présente. Ensuite, vous vous retrouvez seule [1] dans votre cellule, l'âme dévorée par le souvenir de ce que vous avez vu et entendu. Voilà comment la vie d'une moniale s'écoule parfaitement inutile.

Les occupations mondaines impriment des souvenirs dans l'âme comme les pieds laissent leur trace dans la neige. Si nous donnons à manger aux bêtes, quand les ferons-nous mourir ? Si nous musons dans la pratique et les pensées d'attachements et de fréquentations déraisonnables, quand ferons-nous mourir le sens de la chair ? Quand vivrons-nous la vie selon le Christ que nous avons embrassée ? L'empreinte des pas dans la neige s'évanouit aux rayons du soleil ou elle est emportée par une bonne pluie. Ainsi les souvenirs que notre penchant au plaisir et nos actes avaient imprimés dans notre âme s'évanouissent lorsque le Christ, dans la prière, se lève dans le cœur au milieu d'une brûlante pluie de larmes.

Ainsi donc, la moniale qui ne se conduit pas suivant l'ordre de la raison — quand effacera-t-elle l'acquis d'impressions et de tendances accumulées dans son âme ? En quittant la société du monde, on accomplit matériellement la pratique des vertus. Mais pour vous graver dans l'âme les bons souvenirs, pour obtenir

1. La *Philocalie* a tout mis au masculin.

que les paroles divines y fixent volontiers leur séjour, il vous faut, par des prières soutenues accompagnées de componction effacer de votre âme le souvenir de vos actions antérieures. L'illumination produite par le souvenir persévérant de Dieu, uni à la contrition du cœur, tranche les souvenirs mauvais comme au rasoir.

Imitez la prudence des abeilles. Quand elles aperçoivent un essaim de frelons voleter autour d'elles, elles se tiennent dans leur ruche et échappent ainsi à la malfaisance de leurs adversaires. Par frelons, entendez les fréquentations mondaines : fuyez-les avec le plus grand soin, demeurez dans la ruche de votre monastère et de là, efforcez-vous de pénétrer dans le " château " le plus intérieur de l'âme, dans la maison du Christ, là où règnent sans contradiction paix, joie et quiétude. Ce sont les dons, les rayons par lesquels notre soleil spirituel, le Christ, récompense l'âme qui l'accueille avec une libérale générosité.

ANALYSE DE LA PRIÈRE

Assise dans votre cellule, souvenez-vous de Dieu, élevez votre esprit au-dessus de toutes choses et prosternez-vous en silence devant Dieu, répandez à ses pieds tous les sentiments (litt. : toute la disposition) de votre cœur en adhérant à lui par l'amour de charité.

Le souvenir de Dieu, c'est la contemplation de Dieu attirant à lui le regard et le désir ardent de l'esprit et l'illuminant de sa propre lumière.

L'esprit qui se tourne vers Dieu suspend tous les concepts informants des êtres et il voit alors Dieu sans image ni forme et, dans l'inconnaissance suprême, liée à la gloire inaccessible, il éclaircit son regard. Il ne connaît pas — son objet est incompréhensible — et pourtant il connaît dans la vérité de Celui qui est par essence et qui seul possède ce qui dépasse l'être. À la débordante bonté qui jaillit de cette connaissance, il nourrit son amour et connaît ainsi un repos bienheureux et sans borne. Tels sont les caractères du véritable souvenir de Dieu.

La prière, elle, est une conversation de l'intelligence avec le Seigneur. L'intelligence (discursive) parcourt les paroles de la supplication, cependant que l'esprit est entièrement braqué sur Dieu. L'intelligence ne cesse de suggérer le nom du Seigneur, l'esprit applique intensément son attention à l'invocation du Saint Nom et la lumière de la science divine étend sur l'âme son ombre.

Le véritable souvenir de Dieu est suivi de l'amour et de la joie : " Je me suis souvenu de Dieu et je me suis réjoui " (*Ps.* 77, 4). La prière pure est suivie de la science et de la componction " Quand je crie vers toi, je le sais : tu es mon Dieu " (*Ps.* 56, 10) et " Le sacrifice agréable à Dieu c'est un cœur contrit " (*Ps.* 51, 19). En effet, lorsque l'esprit et l'intelligence se tiennent devant Dieu avec une intense attention et une ardente prière, la componction suit.

Lorsque l'esprit, l'intelligence et le *pneuma* se tiennent prosternés devant Dieu, le premier par l'attention, la seconde par l'invocation, le troisième par la componction et l'amour, l'homme intérieur tout entier sert le Seigneur suivant le commandement du Seigneur : " Tu aimeras le Seigneur ton Dieu de tout ton cœur... " (*Luc* 10, 27).

Je veux que vous sachiez encore ceci, pour que vous ne risquiez pas, vous figurant prier, de vous éloigner de la prière et de " courir en vain " (*Gal.* 2, 20).

Il arrive dans la psalmodie vocale que souvent la langue dit les versets tandis que l'esprit se laisse emporter ailleurs et éparpiller entre les passions et les objets, et la signification de la psalmodie est perdue. C'est ce qui se passe aussi pour l'intelligence. Souvent, tandis qu'elle parcourt les paroles de la prière, l'esprit ne suit pas, il ne fixe pas son regard sur Dieu, l'interlocuteur du dialogue de prière. Il se laisse, sans y prendre garde, détourner par certaines pensées. L'intelligence prononce les paroles par routine, l'esprit laisse échapper la connaissance de Dieu. L'âme s'en trouve confuse et froide, du fait que l'esprit se disperse parmi des images et vague au gré des choses qui l'ont surpris ou qu'il a cherchées.

Si la science fait défaut à la prière, si celui qui prie n'est pas présent à celui qui peut consoler, comment l'âme pourrait-elle sentir un adoucissement ? comment pourrait se réjouir le cœur qui fait semblant de prier mais n'apporte pas la vraie prière ? “ Le cœur de ceux qui cherchent le Seigneur se réjouira ” (*Ps.* 105, 3). Or, cherche le Seigneur celui qui, d'une intelligence entière et d'une affection chaleureuse, se prosterne devant Dieu, repousse toute pensée mondaine, par la science et l'amour de Dieu qui jaillissent de la prière soutenue et pure.

Pour plus de clarté, je proposerai une double image : celle de l'œil pour la contemplation du souvenir de Dieu dans l'esprit, celle de la langue pour la dignité et l'office de l'intelligence dans la prière pure.

La pupille est à l'œil, l'émission de la parole est à la langue ce que le souvenir et la prière sont respectivement à l'esprit et à l'intelligence.

L'œil jouit de la sensation visuelle de l'objet visible sans l'intermédiaire d'une parole : il perçoit, dans l'expérience visuelle même, la connaissance de l'objet vu. Ainsi, l'esprit qui s'approche de Dieu amoureusement par le souvenir, dans l'adhérence d'un sentiment brûlant et le silence de l'intellection souverainement simple, est illuminé par l'irradiation divine et touche les arrhes de la splendeur future.

De son côté, la langue, en émettant les paroles, manifeste à l'auditeur l'intention secrète de l'esprit. De même, l'intelligence, en proférant avec assiduité et ferveur les brèves paroles de la prière (litt. les paroles de quelques syllabes) manifeste la requête de l'âme au

Dieu qui sait tout, par la persévérance dans la prière et l'insistance de la contrition du cœur; la contrition ouvre les entrailles affectueuses du Miséricordieux et reçoit l'abondance du salut. Le prophète a dit : " Dieu, tu ne méprises pas le cœur contrit et brisé " (*Ps.* 51, 19).

Un autre exemple pour vous guider vers la prière pure : l'attitude devant l'empereur de la terre. S'il vous arrive d'obtenir une introduction auprès de l'empereur, vous vous tenez droite devant lui, vous le priez avec votre langue, vous fixez les yeux sur lui. Lorsque, avec vos sœurs, vous vous réunissez au nom du Seigneur, à la présence du corps, à la psalmodie vocale ajoutez l'attention de l'esprit aux paroles et à Dieu, consciente de celui à qui vous vous adressez et qui vous accorde audience. Quand l'intelligence s'adonne à la prière avec élan et pureté, le cœur jouit d'une joie inviolable et d'une paix indicible.

Lorsque ensuite vous vous retrouvez dans votre cellule, attachez-vous à la prière de l'intelligence, l'esprit vigilant et le *pneuma* contrit, et la contemplation étendra sur vous son ombre grâce à la vigilance et la science habitera en vous par la prière, la sagesse descendra en vous par la contemplation, bannissant tout plaisir déraisonnable et le remplaçant par l'amour divin.

Croyez-moi : c'est la vérité que je vous dis. Si, dans toutes vos occupations, vous ne vous séparez jamais de la mère de tout bien, la prière, avant peu elle vous montrera la chambre nuptiale, vous y introduira et vous comblera d'une joie et d'une allégresse inexprimables. Car elle lève tous les obstacles, aplanit le chemin de la vertu et le rend aisé à celui qui cherche.

Écoutez les effets de la prière d'intelligence. La conversation avec Dieu détruit les pensées passionnées; la fixation de l'esprit en Dieu met en fuite les idées mondaines. La componction de l'âme chasse l'amitié de la chair. La prière qui consiste à répéter silencieusement le nom divin apparaît comme l'harmonie et l'union évidente de l'esprit, de la raison et de l'âme car « là où deux ou trois sont réunis en mon nom, je suis au milieu d'eux » (*Mt.* 18, 20). Voilà comment la prière, rappelant les puissances de l'âme dispersées parmi les passions, les nouant entre elles et avec elle-même, unit l'âme trine au Dieu un en trois Personnes.

D'abord, par la conduite vertueuse elle racle de l'âme la laideur du vice puis elle reproduit la beauté des traits divins par la sainte science qu'elle a de soi-même et présente l'âme à Dieu. L'âme aussitôt reconnaît son créateur et est connue de lui car « le Seigneur connaît les siens » (*II Tim*, 2, 19). Elle le connaît dans la pureté de l'image, car toute image renvoie à son modèle; elle est connue de lui grâce à la ressemblance des vertus qui, à la fois, lui font connaître Dieu et la font connaître de Lui [1].

Celui qui veut obtenir la bienveillance divine peut s'y prendre de trois manières : soit qu'il supplie en paroles, soit qu'il se tienne silencieux, soit qu'il se prosterne devant celui qui peut venir à son aide.

La prière pure, qui noue en elle esprit, intelligence et *pneuma*, par l'intelligence invoque le nom de Dieu, par l'esprit dirige sans distraction vers le Dieu qui console, par le *pneuma* manifeste sa contrition, son humilité, son amour et s'abaisse devant l'éternelle Trinité et seul Dieu, Père, Fils et Saint-Esprit.

La variété des mets éveille l'appétit. De même, la variété des vertus réveille la diligence de l'esprit. Aussi, parcourant la voie de l'intelligence, répétez sans cesse les paroles de la prière, sans vous lasser d'invoquer... à l'exemple de la veuve importune. Alors vous marcherez suivant l'esprit, vous ne prêterez pas attention aux convoitises de la chair et vous n'interromprez pas la continuité de votre prière par des pensées mondaines. Lorsque vous chantez Dieu sans distraction, vous

1. Cf. J. Daniélou, *Platonisme et théologie mystique*, Paris, 1944, p. 223 s. sur cette connaissance de Dieu dans le miroir de l'âme, qui est « le thème essentiel de la théologie mystique de Grégoire de Nysse ».

devenez le temple de Dieu. Si vous priez ainsi dans l'intelligence, vous obtiendrez d'accéder au souvenir de Dieu, de pénétrer dans les profondeurs de l'esprit, de voir l'invisible dans une mystique contemplation et de servir Dieu, seule à Seul, dans l'union de la science et les effusions de l'amour.

Si vous remarquez que votre prière fléchit, recourez à un livre; lisez-le attentivement pour en pénétrer la signification, ne vous contentez pas d'en parcourir superficiellement les mots mais scrutez-les avec votre intelligence et thésaurisez-en le sens. Puis réfléchissez à ce que vous avez lu afin d'affecter agréablement votre intelligence par la signification et de la lui rendre inoubliable. Les saintes réflexions ainsi enflammeront de plus en plus votre ferveur... Comme la trituration des aliments en rend la dégustation agréable, les paroles divines, tournées et retournées dans l'âme donnent à l'intelligence onction et joie...

PENSÉES DIVERSES

1. L'esprit qui fuit le monde extérieur et se concentre au-dedans revient à lui-même, il s'unit ainsi à son verbe mental naturel et, par ce verbe essentiellement inhérent, il s'unit à la prière. Par la prière il s'élève à la science de Dieu de toute la puissance et de tout le poids de son amour. La convoitise de la chair alors s'évanouit, toutes les sensations du plaisir cessent, les beautés de la terre n'ont plus pour lui d'agrément... l'âme s'engage derrière la beauté du Christ... elle voit le Christ, elle l'a présent devant elle... elle s'entretient avec lui dans la prière pure et jouit de ses délices... Car Dieu, d'être ainsi aimé, d'être ainsi nommé, d'être ainsi appelé au secours — accueille le langage de la prière, et il accorde à l'âme qui prie une joie inexprimable. L'âme qui « se souvient de Dieu » dans l'entretien de la prière « est réjouie par le Seigneur » (*Ps.* 77, 4).

2. Fuis les sensations, tu aboliras le plaisir des sens; fuis encore les imaginations et tu aboliras l'agrément des pensées. L'esprit qui se garde pur d'imaginations, n'admettant l'empreinte ni la marque d'une conduite voluptueuse, ni les pensées de la convoitise, se trouve dans la simplicité. Dépassant tout le sensible et l'intelligible, il fait monter vers Dieu sa pensée, sans rien murmurer d'autre dans son tréfonds que le nom du Seigneur uni à un souvenir ininterrompu. Comme le petit enfant appelle son père.

3. Adam [1], dans les mains divines, de poussière devint, sous le souffle de Dieu, une âme vivante. Ainsi l'esprit, modelé par les vertus, subit la mutation divine, grâce à l'invocation assidue du Seigneur murmurée dans une intelligence pure et un sentiment fervent : il trouve dans la science et l'amour de Dieu, vie et déification.

Quand une prière continue et sincère vous a arrachée à la convoitise terrestre, quand — ce sera votre sommeil — vous aurez suspendu toute pensée étrangère et vous serez totalement fixée dans le seul souvenir de Dieu, — alors s'élèvera en vous, tel un auxiliaire, l'amour de Dieu. Car le cri attendri de la prière fait jaillir l'amour de Dieu, l'amour de Dieu réveille l'esprit pour lui montrer les secrets. L'esprit alors, conjugué avec l'amour, donne son fruit : la sagesse, et par la sagesse, annonce les réalités ineffables. Dieu le Verbe, tendrement nommé par le cri de la prière, retire de l'esprit son intellection, telle une côte, et donne la connaissance et remplit la place libre par la bonne disposition, donne la vertu, édifie l'amour illuminateur et l'amène à l'esprit en proie à l'extase, assoupi, vacant de toute convoitise terrestre.

L'amour est l'auxiliaire de l'esprit en repos de tout attachement déraisonnable au sensible. Il éveille l'esprit,

1. Tout ce chapitre doit être lu en regard du récit biblique de la formation d'Ève.

maintenant pur, aux paroles de la sagesse. L'intellect l'aperçoit et se réjouit et il annonce aux autres dans un flux d'éloquence... les dispositions secrètes des vertus et les opérations invisibles de la science.

5. L'homme qui s'applique à observer les commandements persévère dans le paradis de la prière et se tient devant Dieu dans un souvenir ininterrompu — Dieu le soustrait aux influences voluptueuses de la chair, à tous les mouvements des sens, à toutes les " formes " de l'intelligence et, le faisant mourir au péché, le fait communier à la vie divine...

6. Si vous connaissez ce que vous psalmodiez, vous recevrez la connaissance supérieure. La connaissance supérieure vous procurera l'intelligence. L'intelligence a pour fille la pratique, et la pratique pour fruit la connaissance habituelle. La connaissance puisée dans l'expérience produit la véritable contemplation, de laquelle se lève la sagesse qui, sous les rayons de la grâce, remplit l'atmosphère intérieure et manifeste aux profanes les choses cachées.

7. L'esprit d'abord cherche et trouve, puis il s'unit à ce qu'il a trouvé. Il mène sa recherche au moyen de la raison, il opère par l'amour. La recherche de la raison s'opère dans l'ordre de la vérité, l'union de l'amour dans celui de la bonté.

8. Vous êtes faible, ne laissez pas la prière un seul jour, tant qu'il y aura un souffle en vous. Écoutez celui qui a dit : " C'est lorsque je suis faible que je suis fort " (*Rom.* 8, 14). Ne renoncez pas aux génuflexions : accomplissez chaque génuflexion en invoquant intérieurement le Christ.

18. *Grégoire le Sinaïte*

(1255-1346)

Originaire d'Asie Mineure, sa vie n'est pendant longtemps qu'une suite de pérégrinations qui le mènent de Clazomènes à Laodicée, à Chypre, au Sinaï d'où il ramènera son surnom, en Crète où l'hésychaste Arsène lui découvre la prière de l'esprit. Il porte la bonne nouvelle à l'Athos, où l'on s'étonne que Nicéphore n'ait pas fait davantage école, et s'y recrute quelques disciples, parmi lesquels son futur biographe Calliste (plus tard patriarche de Constantinople, le premier du nom).

L'instabilité politique et l'insécurité du pays le contraignent à de nouveaux déplacements. Après une première installation en Bulgarie, dans la solitude de la Parorée, il y reviendra plus tard pour s'y fixer et y mourir.

La Philocalie *contient cinq écrits de Grégoire que l'on retrouve dans la P. G. 150, 1239 s. : un* Acrostiche sur les commandements... *de forme plutôt spéculative et parfois curieusement allégorique — que le " Pèlerin russe " déconseille aux débutants —, des* Chapitres *disparates et trois opuscules très apparentés sur la vie hésychaste.*

La vie spirituelle consiste pour Grégoire à recouvrer, ou plutôt à redécouvrir expérimentalement, l' " énergie " baptismale et à percevoir la lumière. On peut y aboutir par divers chemins. Le plus court est celui de la prière de l'esprit au sens que le mot prend de plus en plus : prière de Jésus accompagnée de la technique respiratoire. Grégoire, sans s'étendre beaucoup plus sur le rythme de la respiration, précise davantage que d'autres l'utilisation de l'invocation, fait allusion à un certain endolorissement physique consécutif à la méthode, détaille enfin un peu plus longuement ses effets psychologiques : chaleur, joie etc. Il lui arrive toutefois de souligner une fois avec décision le caractère strictement relatif de la technique elle-même (p. 192).

*Nourri de Climaque et de Syméon le Nouveau Théologien, Grégoire domine toute la restauration hésychaste du XIII-XIV*e *siècles. Il aura des disciples et des imitateurs. Mais ils n'ajouteront pas grand-chose. On le verra par les auteurs qui vont suivre.*

ACROSTICHE SUR LES COMMANDEMENTS, ETC.

3. La science de la vérité, c'est essentiellement, sache-le, le sentiment de la grâce...

7. Sanctuaire véritable, avant même la condition future, le cœur sans pensées mû par l'Esprit. Tout s'y célèbre et s'y exprime *pneumatiquement*. Celui qui n'a pas dès maintenant obtenu cet état peut être, par ses autres vertus, une pierre qualifiée pour l'édification du temple de Dieu, il n'est pas le temple de l'Esprit ni son pontife.

17. Au-dessus des commandements, il y a le commandement qui les embrasse tous : le souvenir de Dieu : " Souviens-toi du Seigneur ton Dieu en tout temps " (*Deut.* 8, 18). C'est à son propos que les autres ont été violés, c'est par lui qu'on les garde. L'oubli, à l'origine, a détruit le souvenir de Dieu, obscurci les commandements et découvert la nudité de l'homme.

59. Il y a essentiellement deux amours extatiques dans l'Esprit : l'amour du cœur et l'amour d'extase. Le premier est le fait de ceux qui en sont encore à l'illumination, le second de ceux qui sont consommés dans la charité. L'un comme l'autre expulsent de la sensation l'esprit qu'ils meuvent, s'il est vrai que l'amour divin est cette ivresse spirituelle de ce qu'il y a de plus élevé dans la nature qui ôte le sentiment de toute relation au monde extérieur.

60. Le principe et la cause des pensées c'est, à la suite de la transgression, l'éclatement de la mémoire

simple et homogène. En devenant composée et diverse, de simple et homogène qu'elle était, elle a perdu le souvenir de Dieu et a corrompu ses puissances.

61. Le remède pour délivrer cette mémoire primordiale de la mémoire pernicieuse et mauvaise des pensées, c'est le retour à l'originelle simplicité. L'instrument du péché, la désobéissance, n'a pas seulement faussé les rapports de la mémoire simple avec le bien, elle a corrompu ses puissances et affaibli son attirance naturelle pour la vertu. Le grand remède de la mémoire, c'est le souvenir persévérant et immobile de Dieu dans la prière.

111. Le principe de la prière spirituelle, c'est l'opération ou la vertu purificatrice de l'Esprit et le sacerdoce mystique de l'Esprit. Le principe de la quiétude (hésychie), c'est la vacance. Son milieu, la vertu illuminative et la contemplation. Son terme, l'extase et le rapt de l'esprit auprès de Dieu.

DE LA CONTEMPLATION [1] ET DE LA PRIÈRE

Nous devrions parler comme le grand Docteur et n'avoir besoin du secours de l'Écriture ni des Pères mais être " enseignés de Dieu " (*Jn.* 6, 45), au point d'apprendre et de connaître en Lui et par Lui tout ce qui convient. Pas seulement nous, mais n'importe quel fidèle. N'avons-nous pas été appelés à porter gravées dans nos cœurs les tables de la loi de l'Esprit et à converser avec Jésus par la prière pure, immédiatement, à la manière admirable des chérubins ?

Mais nous ne sommes que des enfants lors de notre seconde création, incapables de comprendre la grâce, de saisir le renouvellement; plutôt nous ignorons la suréminente grandeur de la gloire à laquelle nous participons, nous ne savons pas qu'il nous faut, par l'obser-

1. Traduction approximative de la polyvalente *hésychia*.

vation des commandements, croître d'âme et d'esprit et voir dans l'esprit ce que nous avons reçu. Voilà comment la plupart d'entre nous tombent par négligence et habitude vicieuse dans l'insensibilité et l'aveuglement et nous ne savons même plus s'il y a un Dieu, ce que nous sommes, ce que nous sommes devenus en passant fils de Dieu, fils de lumière, enfants et membres du Christ.

Avons-nous été baptisés à l'âge adulte ? nous ne percevons que l'eau et non l'Esprit. Si même nous sommes renouvelés dans l'Esprit, nous ne croyons que d'une foi morte et inactive... nous sommes en fait chair et nous nous conduisons suivant la chair.

Faisons-nous pénitence ? nous ne connaissons et observons les commandements que dans le corps et non dans l'esprit. Si la grâce, sensible à notre labeur, gratifie certains d'entre nous, de sa manifestation, nous y voyons une illusion. Si on nous le rapporte d'autres, l'envie nous y montre un mirage. Et nous demeurons morts jusqu'à l'heure de notre fin, sans vivre dans le Christ ni être mus par lui. Et " ce que nous avons " à l'heure du passage et du jugement, " nous sera enlevé " à cause de notre incrédulité et de notre manque d'espérance, faute d'avoir compris que les enfants doivent être pareils au Père, dieux comme Dieu, esprits issus de l'Esprit...

2. Nous dirons d'abord, avec l'aide de Dieu qui " donne la parole à ceux qui annoncent ces biens " (*Rom.* 10, 15), comment on trouve — je devrais dire comment est trouvé — le Christ reçu par le baptême dans l'Esprit (" ne savez-vous pas que le Christ habite dans vos cœurs ? " *I Cor.* 6, 15), puis comment on progresse et conserve sa trouvaille. La meilleure façon — et la plus brève — sera d'exposer brièvement à la fois les extrêmes et le milieu, car l'affaire est d'étendue. Aussi beaucoup poussent-ils le combat jusqu'à ce qu'ils aient trouvé puis ils arrêtent leur désir. Peu leur chaut d'aller plus avant, il leur suffit d'avoir trouvé

la tête du chemin; à leur insu ils s'engagent dans une bifurcation et s'imaginent être dans la bonne route alors qu'ils cheminent pour rien en dehors d'elle. D'autres, arrivés à mi-chemin de l'illumination, capitulent avant la fin par manque de courage ou bien leur conduite indifférente les ramène en arrière, à la condition des débutants. D'autres atteignent la perfection puis, faute d'attention, reviennent en arrière et se retrouvent au commencement ou à mi-chemin de leur entreprise.

Les débutants ont pour part l'action, les moyens l'illumination, les parfaits la purification et la résurrection de l'âme.

3. Il y a deux manières de trouver l'opération (énergie) de l'esprit reçue sacramentellement au saint baptême :

a) ce don se révèle d'une manière générale par la pratique des commandements et au prix de longs efforts. Saint Marc l'ermite nous le dit : « A mesure même que nous exerçons les commandements, ce don fait resplendir davantage à nos yeux ses feux. »

b) il se manifeste, dans la vie de soumission (à un père spirituel), par l'invocation méthodique et continue du Seigneur Jésus, c'est-à-dire par le souvenir de Dieu.

La première voie est la plus longue, la seconde la plus courte, à condition d'avoir appris à fouiller la terre avec courage et persévérance pour découvrir l'or.

Si donc nous voulons découvrir et connaître la vérité sans risque d'erreur, cherchons à n'avoir que l'opération du cœur absolument sans forme ni figure, à ne refléter dans notre imagination ni forme ni impression de soi-disant choses saintes, à ne contempler aucune lumière (l'erreur, au début surtout, a coutume d'abuser l'esprit des moins expérimentés par ces phantasmes mensongers). Efforçons-nous de n'avoir d'active en notre cœur que l'opération de la prière qui réchauffe et réjouit l'esprit et consume l'âme d'un amour indicible pour Dieu et pour les hommes. Et l'on pourra voir naître de la prière une grande humilité et contrition, s'il est vrai que la prière est, chez les débutants, l'opération spirituelle infatigable de l'Esprit qui, au début, jaillit du cœur tel un feu joyeux et, à la fin, opère comme une lumière de bonne odeur [1].

4. Voici les signes de ce commencement pour ceux qui cherchent en vérité... Chez certains, elle se manifeste comme une lumière d'aurore; chez d'autres, comme une exultation mêlée de tremblement; chez d'autres, c'est de la joie, ailleurs, un mélange de joie et de crainte, chez certains de tremblement et de joie, parfois encore de larmes et de crainte.

L'âme se réjouit de la visite et de la miséricorde de Dieu mais elle craint et tremble à la pensée de sa présence et à cause de ses nombreux péchés. Chez d'autres encore, il se produit une contrition et une douleur inexprimables de l'âme, pareilles à celle de la femme en travail dont parle l'Écriture. Car " la parole de Dieu vivante et agissante ", c'est-à-dire Jésus, " atteint jusqu'à la division de l'âme et du corps, des jointures et des moelles " (*Heb*. 4, 12) pour retrancher à vif des membres de l'âme et du corps tout ce qu'ils renferment de passions. Chez d'autres, cela se manifeste sous la forme d'un amour et d'une paix indicibles à l'égard de tous; chez d'autres, c'est une exultation et un bondissement, suivant l'expression fréquente des Pères, mouvement du cœur vivant et vertu de l'esprit.

Cela s'appelle encore pulsation et soupir ineffable de l'Esprit qui intercède pour nous auprès de Dieu (*Rom*. 8, 26). Isaïe l'appelle " jugement de la justice ", Ephrem " piqûre ", le Seigneur une " source d'eau qui jaillit pour la vie éternelle " (l'eau est l'Esprit), qui jaillit et bouillonne dans le cœur avec puissance.

5. Il y a deux sortes d'exultations et de bondissements : une exultation tranquille : c'est la pulsation, le soupir, l'intercession, de l'Esprit; la grande exultation : c'est le saut, le bondissement, l'envol puissant

1. Métaphore déjà reprise de Climaque par Nicéphore le Solitaire. Voir plus haut.

du cœur vivant dans l'air divin. L'Esprit divin donne les ailes de l'amour à l'âme délivrée des liens des passions; avant même la mort, l'âme s'efforce de s'envoler dans son désir d'échapper à la pesanteur...

8. Tout débutant a deux opérations qui opèrent distinctement dans le cœur. L'une sous l'effet de la grâce, l'autre sous l'effet de l'erreur. Marc l'atteste : " Il y a une opération spirituelle et il y a une opération satanique inconnue des enfants. " D'autre part, une triple ardeur d'opération brûle dans l'homme : l'une allumée par la grâce, la seconde par l'erreur et le péché, la troisième par l'excès de sang, Thalassius l'Africain appelle encore cette dernière le tempérament et nous dit qu'on l'adoucit par une abstinence convenable.

9. L'opération de la grâce est une vertu du feu de l'Esprit qui s'exerce dans le cœur avec joie, fortifie, échauffe et purifie l'âme, suspend pour un temps ses pensées et mortifie provisoirement les mouvements du corps. Voici les fruits et les signes qui témoignent de sa vérité : les larmes, la contrition, l'humilité, la tempérance, le silence, la patience, la retraite et tout ce qui nous apporte un sentiment de plénitude et de certitude indubitable.

10. L'opération de l'erreur, c'est le feu du péché qui échauffe l'âme par la volupté. ... Elle est indécise et désordonnée, nous dit Diadoque (§ 31). Elle apporte une joie déraisonnable, la présomption, le trouble..., elle allume le tempérament, travaille l'âme et l'échauffe, l'attire à elle afin que l'homme, contractant l'habitude de la passion, peu à peu expulse la grâce. (*P. G.* 150, 1304 s.)

DE LA VIE CONTEMPLATIVE ET DES DEUX MODES DE LA PRIÈRE

Il existe deux types d'union, ou plutôt, une double entrée donne accès à la prière spirituelle que le Saint-

Esprit meut (opère) dans le cœur. Ou bien l'esprit, " adhérant au Seigneur ", y entre d'abord ou bien l'opération s'ébranle peu à peu au milieu d'un feu joyeux et le Seigneur attire à lui l'intellect et le lie à l'invocation unitive du Seigneur Jésus. Car, si l'Esprit opère en chacun de la manière qui lui plaît, il arrive qu'une forme d'union précède l'autre.

Tantôt l'opération se produit dans le cœur, les passions une fois amoindries par l'invocation soutenue de Jésus-Christ accompagnée d'une chaleur divine. " Dieu est un feu qui consume " (*Deut.* 4, 23) les passions. Tantôt l'Esprit attire à lui l'esprit, le bloque au fond du cœur, lui interdit ses va-et-vient coutumiers. Ce n'est plus un captif qu'on emmène de Jérusalem en Assyrie, c'est une avantageuse migration de Babylone à Sion... L'esprit peut dire : " Jacob sera dans l'allégresse, Israël sera dans la joie " (*Ps.* 13, 17) : entendez l'esprit actif qui, par les labeurs de la vie active, a vaincu, après Dieu, les passions; l'esprit contemplatif qui voit Dieu dans la contemplation autant que cela se peut...

2. *Comment exercer la prière.*

" Dès le matin sème ta semence " — la prière — et " le soir que ta main ne s'arrête pas " — pour ne pas interrompre la continuité de la prière et risquer de manquer l'heure de l'exaucement — " car tu ne sais pas lequel des deux t'apportera la prospérité " (*Eccl.* 11, 6).

Dès le matin, assieds-toi sur un siège bas, d'une demi-coudée, refoule ton esprit de ta raison dans ton cœur et maintiens-l'y, cependant que, laborieusement courbé, avec une vive douleur de la poitrine, des épaules et de la nuque, tu crieras avec persévérance dans ton esprit ou ton âme : " Seigneur Jésus-Christ, ayez pitié de moi ! " Puis, à cause de la contrainte, de la difficulté et, peut-être, de l'ennui consécutif à la continuité (non certes à cause du menu unique et invariable du triple nom : car " ceux qui me mangeront auront encore faim "), tu transporteras ton esprit sur la seconde moitié en disant : " Fils de Dieu, ayez pitié de moi ! " Répète cette moitié un grand nombre de fois et garde-toi, par indolence, de changer souvent, car les plantes trop transplantées ne prennent plus.

Maîtrise la respiration du poumon de manière à ne pas respirer à l'aise. Car la tempête des souffles qui monte du cœur obscurcit l'esprit et agite l'âme, la distrait, la livre captive à l'oubli, ou bien lui fait repasser toutes sortes de choses à la suite et la jette insensiblement dans ce qu'il ne faut pas. Si tu vois l'impureté des esprits mauvais ou des pensées se lever et prendre forme dans ton esprit, ne te déconcerte pas; si des concepts bons des choses se présentent à toi, n'y attache pas attention mais tant que tu peux, retiens ton souffle, enferme ton esprit dans ton cœur et exerce sans trêve ni relâche l'invocation du Seigneur Jésus, et tu les consumeras et réprimeras sans tarder, en les flagellant invisiblement par le Nom divin, suivant la parole de Jean de l'Échelle.

3. De la respiration.

Que tu doives retenir ton souffle, Isaïe l'anachorète l'atteste et bien d'autres avec lui. " Discipline ton esprit indiscipliné, dit Isaïe, c'est-à-dire l'esprit bousculé et dissipé par la puissance ennemie, que la négligence ramène après le baptême avec tous ses mauvais esprits... " (*Mt.* 12, 45). Un autre a dit : " Le moine doit avoir le souvenir de Dieu pour respiration "; un autre : " L'amour de Dieu doit passer avant notre respiration [1] " et Syméon le Nouveau Théologien : " Comprime l'aspiration d'air qui passe par le nez de manière à ne pas respirer à l'aise "...

1. Pour ces deux textes, voir plus haut, p. 35.

Lors de notre purification, nous avons reçu les arrhes de l'Esprit et les semailles du verbe intérieur (*Jac.* 1, 21)... mais la négligence des commandements nous a fait retomber dans les passions et, au lieu de respirer l'Esprit-Saint, nous nous sommes remplis du souffle des esprits mauvais. C'est manifestement l'origine du bâillement, nous le tenons des Pères. Celui qui a obtenu l'Esprit et est purifié par lui, est aussi réchauffé par lui et respire la vie divine, la parle, la pense et la vit suivant la parole du Seigneur : " Ce n'est pas vous qui parlez... " (*Mt. 10*, 20)...

4. Comment psalmodier.

" Celui qui est fatigué, nous dit Jean de l'Échelle, se lèvera pour prier puis il se rassiéra et reprendra vaillamment sa première occupation. " Ce conseil destiné à l'esprit qui est parvenu à la garde du cœur n'est pas déplacé en matière de psalmodie. Le grand Barsanuphe, interrogé sur la manière de psalmodier répondit : " Les heures et les hymnes sont des traditions ecclésiastiques qui nous ont été transmises très à propos en raison de la vie commune. Les solitaires de Scété, eux, ne psalmodient ni n'ont d'hymnes; ils ont un travail manuel et une méditation solitaire. Quand tu te mets à la prière, dis le *Trisagion* et le *Notre Père* pour demander à Dieu de t'arracher au vieil homme et sans t'y attarder. Aussi bien, c'est tout le jour que ton esprit est en prière. " L'Ancien entend montrer par là que la méditation solitaire, c'est la prière du cœur. La prière intermittente, c'est la station de la psalmodie...

5. Des diverses psalmodies.

Question : D'où vient que les uns enseignent à beaucoup psalmodier, d'autres peu, certains pas du tout mais à s'en tenir à la prière, à un travail manuel quelconque ou à quelque autre exercice de pénitence.

Réponse : Voici la raison. Ceux qui ont trouvé la grâce par la vie active au prix d'années d'efforts enseignent aux autres ce qu'on leur a appris à eux-mêmes. Ils ne veulent pas croire à ceux qui y sont parvenus méthodiquement et en peu de temps, grâce à la miséricorde de Dieu et au moyen d'une foi ardente, comme s'exprime Isaac. Victimes de l'ignorance et de la suffisance, ils les blâment et soutiennent que toute autre expérience est illusion et non opération de la grâce. Ils ne savent pas qu'il ne coûte rien à Dieu de faire d'un seul coup un riche d'un pauvre et que " le commencement de la sagesse, c'est de l'acquérir " (*Prov.* 4, 7). L'apôtre reprend ainsi ses disciples qui ignorent la grâce : " Ne savez-vous pas que le Christ habite en vous ? à moins que vous ne soyez des réprouvés " (*II Cor.* 13, 5). Voilà pourquoi l'incrédulité et la présomption les empêchent d'admettre les effets extraordinaires et singuliers que l'Esprit opère en certains.

6. *Objection :* Dis-moi un peu : jeûner, s'abstenir, veiller, se tenir debout, faire pénitence, faire des métanies, pratiquer la pauvreté, n'est-ce pas là de la vie active ? Comment peux-tu nous dire, en alléguant uniquement la psalmodie, que sans vie active il est impossible de posséder la prière. Ce que j'ai dit, ne serait-ce pas aussi des actions ?

Réponse : A quoi bon prier vocalement quand l'esprit circule ? L'un démolit ce que l'autre édifie : beaucoup de labeur pour aucun profit. Comme on travaille du corps, il faut travailler aussi avec l'esprit, sinon on sera juste de corps tandis que l'esprit sera rempli d'acédie et d'impureté. L'apôtre le confirme : " Si je prie avec ma langue " savoir de bouche, " mon *pneuma* prie ", entendez par là ma voix, mais " mon esprit est stérile. Je prie de bouche, je prierai aussi avec mon esprit... j'aime mieux dire cinq paroles avec tout mon esprit etc. " (*I Cor.* 14, 14 s.)... " Il n'est rien de plus redoutable que la pensée de la mort, dit saint Maxime, ni rien de plus magnifique que le souvenir de Dieu. " Il veut montrer par là l'excellence de l'œuvre.

Plusieurs, aveuglés et rendus incrédules par leur extrême insensibilité et ignorance, ne veulent même pas admettre qu'il y ait une grâce à notre époque.

7. Ceux qui psalmodient peu ont raison, c'est mon avis. Ils observent les proportions, et la mesure c'est l'excellence, nous apprennent les sages. Ils n'épuisent pas toute la puissance de l'âme dans la vie active, afin de ne pas rendre l'esprit négligent à l'oraison et sans élan pour la prière. Ils psalmodient un peu et donnent la meilleure partie de leur temps à l'oraison. Il arrive que l'esprit, fatigué par la prolongation de son cri intérieur et de son immobilité, prenne un court répit et se détende dans les espaces de la psalmodie du resserrement de l'*hésychia*. Telle est la hiérarchie idéale et la doctrine des plus sages.

8. Quant à ceux qui ne psalmodient pas du tout, ils font bien s'ils sont parmi les avancés. Ils n'ont pas besoin des psaumes mais de silence, de prière ininterrompue et de contemplation, s'ils sont parvenus à l'illumination. Ils sont unis à Dieu, ils n'ont pas à détacher leur esprit de lui pour le jeter dans la dissipation. " L'obéissant tombe par la volonté propre, dit Climaque, l'hésychaste par l'interruption de sa prière " (*Degré* 27). Son esprit, en se séparant de l'époux — le souvenir de Dieu — commet l'adultère et se prend d'amour pour les toutes petites choses.

Il n'est pas opportun d'enseigner à tous indifféremment cette conduite. Aux simples et illettrés qui vivent dans l'obéissance, oui, parce que l'obéissance participe à toutes les vertus dans l'humilité. En revanche, ne pas la donner à ceux qui vivent hors l'obéissance, ils risqueraient de s'égarer, qu'il s'agisse de simples ou de gnostiques. Car l'indépendant n'échappe pas à la présomption qui accompagne naturellement l'erreur, nous dit Isaac.

Certains, faute de mesurer les dangereuses conséquences, enseignent au premier venu la pratique exclusive de cet exercice pour dresser l'esprit, disent-ils, à l'usage et à l'amour du souvenir de Dieu. Il ne faut pas, surtout quand il s'agit d'idiorythmes [1]. Leur esprit est encore impur, du fait de la négligence et de l'orgueil, les larmes ne l'ont pas encore purifié, il reflète les mauvaises images des pensées plutôt que la prière, quand les esprits impurs du cœur, troublés par le nom redoutable grondent et menacent de détruire celui qui les flagelle. L'idiorythme qui veut apprendre cette occupation et la pratiquer, de deux choses l'une : ou bien il s'évertuera, et il se trompera, ce qui ne changera rien à son état; ou bien il se montrera négligent et ne fera aucun progrès de toute sa vie.

9. J'ajouterai moi-même ceci, sur la foi de ma petite expérience : Lorsque, de jour et de nuit, tu es assis silencieux à prier Dieu avec insistance, sans pensées, humblement, que ton esprit est fatigué de crier, que ton corps est endolori, que ton cœur n'éprouve aucune chaleur ni joie à l'invocation vigoureusement soutenue de Jésus qui procure aux combattants résolution et patience, alors lève-toi, psalmodie seul ou avec ton compagnon ou encore livre-toi à la méditation d'une parole, au souvenir de la mort, au travail des mains ou à la lecture debout pour fatiguer ton corps.

Quand tu t'attaches à la psalmodie solitaire, dis le *Trisagion*, la prière du Seigneur, l'esprit attentif au cœur. Si l'acédie te presse, dis encore deux ou trois psaumes, les tropaires pénitentiels, sans les chanter... Comme le conseille saint Basile, « il faut varier chaque jour les psaumes pour stimuler la résolution, pour que l'esprit ne se dégoûte pas de toujours répéter les mêmes

1. Moines vivant à part dans le monastère sous le régime de l'autonomie.

psaumes et lui donner une certaine liberté, et sa résolution ne s'en trouvera que mieux ". Si tu psalmodies en compagnie d'un disciple fidèle, laisse-lui dire les psaumes, tandis que, tout à l'attention et à la prière secrète du cœur, tu te surveilleras. Avec le concours de la prière, méprise toute représentation sensible ou intellectuelle qui montera de ton cœur; la quiétude (hésychie) est le dépouillement provisoire des pensées qui ne viennent pas de l'Esprit, pour ne pas lâcher la meilleure part en s'arrêtant sur leur bonté.

10. L'illusion.

Amant de Dieu, sois bien attentif... Lorsque, occupé à ton œuvre, tu vois une lumière ou un feu, en toi-même ou au-dehors, ou la soi-disant image du Christ, des anges ou des saints, ne l'accepte pas, tu risquerais d'en pâtir. Ne permets pas non plus à ton esprit d'en forger. Toutes ces formations extérieures intempestives ont pour effet d'égarer l'âme. Le vrai principe de la prière, c'est la chaleur du cœur qui consume les passions, produit dans l'âme la gaieté et la joie, et confirme le cœur dans un amour sûr et un sentiment de plénitude indubitable.

Tout ce qui se présente à l'âme de sensible ou d'intellectuel, et jette le cœur dans le doute et l'hésitation ne vient pas de Dieu, mais a été envoyé par l'ennemi. C'est l'enseignement des Pères. Quand tu verrais ton esprit attiré au-dehors ou vers le ciel par quelque puissance invisible, n'y crois pas, ne le laisse pas entraîner mais ramène-le aussitôt à son œuvre. " Les choses divines viennent toutes seules; tu en ignores l'heure " dit Isaac. L'ennemi intérieur et naturel des reins transforme à plaisir les objets spirituels les uns dans les autres, il fait passer les uns pour les autres, il introduit sous les apparences de la ferveur son feu désordonné pour appesantir l'âme. Il fait passer pour joie la gaieté déraisonnable et la volupté lubrique avec son cortège de présomption et d'aveuglement. Il se cache aux débutants inexpérimentés et leur fait prendre l'œuvre de son mensonge pour l'opération de la grâce. Mais le temps, l'expérience et le sens spirituel ont pour effet naturel de le dévoiler à ceux qui n'ignorent point par trop sa perversité... " Le gosier, dit l'Écriture, discerne les aliments " (*Job* 34, 3), entendez que le goût spirituel découvre infailliblement la nature de tout cela.

11. " Tu es un ouvrier, dit Climaque, aie des lectures d'action. Cette sorte de lecture dispense de toutes les autres " (ch. 27). Ne cesse de relire les livres qui traitent de la vie hésychaste et de la prière tels que l'*Échelle*, Isaac, Maxime, les écrits de Syméon le Nouveau Théologien, de son disciple Nicétas Stéthatos, d'Hésychius, de Philothée le Sinaïte et autres de même esprit. Laisse les autres pour l'instant. Ce n'est pas qu'il faille les rejeter mais ils ne répondent pas à la fin que tu poursuis et détournent ton esprit vers l'étude... L'esprit se fortifiera et prendra des forces pour prier plus intensément. Toute autre lecture lui procurera obscurité, relâchement, troublera l'esprit, sa raison lui fera mal à la tête et il manquera d'élan pour la prière.

13. Il nous faut encore énumérer les labeurs et les fatigues de l'action et exposer clairement de quelle manière s'adonner à chaque action. Quelqu'un qui, après nous avoir écouté, se mettrait à l'œuvre et manquerait le fruit, pourrait nous reprocher, à nous ou à d'autres, de n'avoir pas dit les choses comme elles sont.

Le labeur du cœur [1] et la fatigue corporelle font l'œuvre véritable. Ils manifestent l'opération du Saint-Esprit qui t'a été donné — ainsi qu'à tout autre fidèle — par le baptême, et que la négligence des commandements ensevelit sous les passions, et que la pénitence doit nous restituer avec le concours de l'ineffable misé-

1. L'effort intérieur.

ricorde... L'œuvre spirituelle qui ne s'accompagne de peine ni de fatigue ne portera aucun fruit à son auteur. Car le " royaume des cieux se prend de force... " (*Mt* 11, 12). La violence, c'est une mortification persévérante du corps... Ceux qui œuvrent dans la négligence et le relâchement ont peut-être l'impression de se donner beaucoup de mal; ils ne goûteront jamais de fruit, parce qu'ils demeurent insensibles au fond d'eux-mêmes. Témoin celui qui a dit : " Quand nous aurions pour nous les actions les plus élevées, si nous n'acquérons pas la contrition du cœur, elles ne seront jamais que bâtardes et éventées "... (*P. G.* 150, 1313 s.)

L'HÉSYCHASTE DOIT SE TENIR ASSIS EN PRIÈRE SANS SE PRESSER DE SE LEVER

Tantôt demeure assis sur un escabeau, et cela la plupart du temps, à cause de l'incommodité; tantôt étends-toi sur ta couche mais rarement et en passant, pour la détente. Tu resteras patiemment assis à cause de celui qui a dit : " persévérant dans la prière " (*Act.* 1, 14); tu ne seras pas pressé de te lever par négligence, à cause de la douleur pénible de l'invocation intérieure de l'esprit et de l'immobilité prolongée. " Voici, dit le prophète, que m'ont pris les douleurs de l'enfantement " (*Jér.* 6, 24).

Plié en deux, tu rassembleras ton esprit dans ton cœur, si toutefois il est ouvert, et tu appelleras Jésus-Christ à l'aide. Les épaules et la tête douloureuses, persévère laborieusement et ardemment, occupé à chercher le Seigneur au-dedans de ton cœur...

Comment dire la prière.

Les Pères conseillent les uns de la dire en entier, les autres de la dire par moitié, ce qui est plus facile, vu la faiblesse de l'esprit. Car " nul ne peut dire intérieurement et de lui-même Seigneur Jésus sinon dans l'Esprit-Saint "; comme un enfant encore aux balbutiements il est incapable de l'articuler. Il ne faut pas alterner fréquemment les invocations par paresse, mais rarement, pour assurer la persévérance.

De même, certains enseignent à prononcer l'invocation oralement, d'autres dans l'esprit. Je conseille l'un et l'autre. Car c'est tantôt à l'esprit, tantôt aux lèvres d'être touchés par la lassitude. On priera donc des deux façons : avec les lèvres et avec l'esprit. Mais on invoquera tranquillement et sans trouble, de peur que la voix ne dissipe et ne paralyse le sentiment et l'attention de l'esprit. Un jour viendra où l'esprit, entraîné, aura fait des progrès et recevra puissance de l'Esprit pour prier totalement et intensément : alors il n'aura plus besoin de la parole, il en sera même incapable et se contentera d'opérer son œuvre exclusivement et totalement en lui.

Comment discipliner son esprit.

Nul, sache-le, ne peut tout seul maîtriser son esprit si l'Esprit ne l'a d'abord maîtrisé car il est indiscipliné. Non qu'il soit inquiet de nature mais la négligence l'a affligé dès l'origine d'une disposition vagabonde. La transgression des commandements de Celui qui nous a régénérés nous a séparés de Dieu et nous a fait perdre l'union à Dieu, le sentiment spirituel intime de Dieu. Depuis lors l'esprit, fourvoyé et séparé de Dieu, se laisse sans cesse emmener captif n'importe où, et il lui est impossible de se fixer autrement qu'en se soumettant à Dieu, en se tenant auprès de lui, en s'unissant à lui joyeusement, en le priant assidûment et avec persévérance et en lui confessant chaque jour nos péchés... car il pardonne à ceux qui ne cessent d'invoquer son saint Nom.

La rétention du souffle, en serrant les lèvres, discipline l'esprit, mais seulement partiellement, pour le dissiper à nouveau. Lors donc que survient l'opération de la prière, alors c'est vraiment elle qui le discipline et le garde auprès d'elle, le réjouit et le délivre de ses chaînes. Mais il arrive encore que, tandis que l'esprit est en prière et immobile dans le cœur, l'imagination vague, occupée à autre chose... Elle n'obéit à personne, si ce n'est aux parfaits dans l'Esprit-Saint, à ceux qui ont atteint l'immobilité dans le Christ Jésus.

Comment chasser les pensées.

Aucun débutant ne chasse une pensée que Dieu ne la chasse le premier. Il appartient aux forts de la combattre et de la chasser. Encore ceux-ci ne la chassent-ils pas d'eux-mêmes mais ils engagent la lutte aux côtés de Dieu et revêtus de l'armure. Pour toi, quand te viennent les pensées, invoque souvent et avec patience Jésus-Christ et elles s'enfuiront : elles ne supportent pas la chaleur que la prière dégage dans le cœur.

Comment psalmodier.

... Pour toi, imite ceux qui psalmodient de temps à autre, rarement... La psalmodie fréquente est l'affaire des actifs, à cause de leur ignorance et pour la fatigue qu'elle impose, mais non des hésychastes qui se contentent de prier Dieu seul dans leur cœur et de se tenir à l'abri de toute pensée... Quand tu vois la prière opérer et s'exercer dans ton cœur sans s'arrêter, ne l'arrête pas ni ne te lève pour psalmodier, à moins qu'avec la permission de Dieu, elle ne te laisse la première. Car ce serait quitter Dieu au-dedans pour lui parler au-dehors et choir des hauteurs sur la terre. Sans compter que tu produis la dissipation et que tu troubles la tranquillité de ton esprit. Car la quiétude (*hésychia*), comme l'indique son nom, possède aussi l'action : elle la possède dans la paix et la tranquillité...

A ceux qui ignorent la prière, il convient de beaucoup psalmodier et d'être sans cesse dans la multiplicité et de ne s'arrêter que lorsque leur action pénible les aura conduits à la contemplation, qu'ils auront trouvé la prière spirituelle qui opère en eux. Autre l'action de l'hésychaste, autre celle du cénobite. Quiconque sera fidèle à sa vocation sera sauvé... Celui qui pratique la prière sur la foi de ce qu'il entend et de ses lectures se perd, faute de maître.

... Si l'on veut chicaner en objectant que les saints Pères ou certains modernes ont pratiqué la station nocturne et la psalmodie ininterrompue, nous répondrons, forts du témoignage de l'Écriture, que tout n'est pas parfait en tous, que le zèle et les forces ont leurs bornes, et que " ce qui semble petit aux grands n'est pas nécessairement petit ni ce qui paraît grand aux petits nécessairement parfait [1] ". Aux parfaits tout est facile. Voilà pourquoi tous ne furent jamais ni ne seront jamais des actifs; tous ne suivent pas le même chemin ou ne le suivent pas jusqu'au bout. Beaucoup sont passés de la vie active à la contemplation, ont cessé toute activité; ils ont célébré le sabbat spirituel, se sont réjouis dans le seul Seigneur, rassasiés de la nourriture divine, incapables de psalmodier ou de rien méditer par l'effet de la grâce. Ils ont connu le rapt et ont atteint partiellement, en arrhes, l'ultime désirable. D'autres sont morts et ont fait leur salut dans la vie active et ils ont reçu leur récompense dans l'au-delà. D'autres, dont une suave émanation a manifesté *post mortem* le salut, n'ont eu que dans la mort la certitude de cette grâce du baptême qu'ils possédaient comme tous les baptisés mais à laquelle la captivité et l'ignorance de leur esprit leur avaient interdit de participer mystiquement quand ils étaient encore en vie. D'autres ont acquis un renom à la fois de prière et de psalmodie, riches d'une grâce toujours en activité et libre de tout

1. Citation tacite de Jean Climaque, *Degré* 26. A moins qu'il ne s'agisse d'une sorte de proverbe.

obstacle. D'autres encore sont demeurés jusqu'à la fin attachés à l'*hésychie*, gens simples, contents à juste titre de la prière seule qui les unissait à Dieu, seul à seul. Les parfaits " peuvent tout dans le Christ qui les fortifie ".

DE L'ERREUR

Les démons aiment rôder autour des débutants et des idiorythmes... Il ne faut pas s'étonner que certains se soient fourvoyés, aient perdu la tête, aient admis ou admettent l'erreur, voient des choses contraires à la réalité ou disent, par ignorance ou par inexpérience, des incongruités. Que de fois on a vu des gens simples, voulant exprimer la vérité, dire à leur insu une chose pour une autre, faute de pouvoir s'exprimer comme il faut, troubler les autres, attirer sur eux-mêmes, et par contrecoup sur les hésychastes, le blâme et la risée. Rien de surprenant qu'un débutant s'égare, même après beaucoup d'efforts; cela est arrivé dans le passé comme dans le présent à beaucoup de ceux qui cherchent Dieu. Le souvenir de Dieu ou prière spirituelle est la plus élevée de toutes les actions, la cime des vertus avec la charité. Celui qui entreprend témérairement d'aller à Dieu, de le confesser en toute pureté et fait violence pour le posséder en lui, est facilement la victime des démons, si Dieu l'abandonne à lui-même.

Pour toi, si tu pratiques comme il convient la quiétude, dans l'attente de l'union à Dieu, ne laisse jamais un objet sensible ou mental, extérieur ou intérieur, fût-ce l'image du Christ, ou la forme prétendue d'un ange ou de saints, ou encore une lumière s'inscrire ou se dessiner dans ton esprit. L'esprit a une faculté naturelle d'imagination et se laisse aisément marquer par l'objet de ses désirs chez ceux qui n'y prennent pas bien garde et il fait ainsi son propre malheur. Le souvenir même des objets bons ou mauvais marque le sens de l'esprit et le porte aux imaginations... Aussi garde-toi d'ajouter foi trop vite et de donner ton assentiment, même lorsqu'il s'agit de quelque chose de bon, avant d'avoir interrogé les experts, d'avoir longtemps examiné, pour ne rien risquer. Ce que Dieu avait envoyé par manière d'épreuve et pour augmenter la récompense a souvent été nuisible à plus d'un. Notre Seigneur met à l'épreuve notre libre arbitre pour voir de quel côté il penchera. Celui qui voit quelque chose dans sa pensée, dans son sens, même venant de Dieu, et l'accueille sans prendre l'avis des experts, se trompe facilement ou il se trompera, parce qu'il est trop complaisant à accepter. Le débutant doit s'attacher à l'œuvre du cœur — elle, ne trompe pas — et ne rien admettre d'autre avant que soit venue l'heure de l'apaisement des passions. Dieu n'en veut pas à celui qui se surveille rigoureusement lui-même, par crainte de s'égarer, même s'il n'admet pas ce qui vient de Lui avant d'avoir beaucoup consulté et examiné; presque toujours il loue sa sagesse...

Celui qui travaille à obtenir la prière pure cheminera donc dans la tranquillité, un tremblement et une componction extrême sous la conduite de conseillers éprouvés, il pleurera sans cesse ses péchés, toujours à craindre le châtiment futur et à redouter d'être séparé de Dieu en ce monde ou en l'autre... La prière infaillible, c'est la prière brûlante de Jésus... qui consume les passions comme le feu des épines, apporte à l'âme joie et allégresse, qui ne part ni à droite ni à gauche ni au-dessus, mais, telle une source, jaillit en plein cœur de l'Esprit vivifiant. Que ton désir soit de ne trouver et de ne posséder qu'elle en ton cœur, gardant sans trêve ton esprit de toute image, nu de pensées et de concepts. Ne crains rien... nous ne devons ni craindre ni gémir quand nous invoquons le Seigneur. Si certains se sont fourvoyés et ont perdu le sens, ils l'ont dû, sache-le, à l'idiorythmie et à l'orgueil. Celui qui cherche Dieu dans la soumission et consulte humblement n'aura jamais à craindre de malheur de cette sorte. L'hésychaste ne lâchera jamais la voie royale. L'excès en tout produit la suffisance, que suit l'erreur. Réprime la détente et le relâchement de l'esprit, en serrant un peu tes lèvres durant la prière, et non pas la détente des narines, comme les sots, pour ne pas succomber à l'orgueil...

L'apparition de la grâce dans la prière se présente sous des formes diverses et le partage de l'Esprit se manifeste et se fait connaître diversement, suivant qu'il plaît à l'Esprit. Élie le Thesbite nous en offre le prototype. Chez certains, l'esprit de crainte passe en fendant les montagnes, en brisant les rochers — les cœurs durs — cloue la chair pour ainsi dire de crainte et la laisse morte. Chez d'autres, une secousse ou une exultation (un bond, disent plus clairement les Pères) absolument immatériel mais substantiel se produit dans les entrailles (substantiel car ce qui n'a ni essence ni substance n'existe pas). Chez d'autres enfin, Dieu produit — c'est le fait surtout de ceux qui ont progressé dans la prière — une brise lumineuse et légère et paisible, tandis que le Christ prend demeure dans le cœur et se manifeste mystiquement dans l'Esprit. Voilà pourquoi Dieu a dit à Élie sur le mont Horeb : le Seigneur n'est dans le premier ni dans le second (phénomènes), c'est-à-dire dans les œuvres particulières des commençants, mais dans la brise lumineuse et légère, c'est-à-dire dans la prière parfaite. (cf. *I Rois* 19, 11 s. *P. G.* 150, 1329 s.)

19. Grégoire Palamas

(ca. 1296-1359)

Évêque de Thessalonique et le dernier grand nom de la théologie byzantine. Sans la poussée hésychaste et les remous qu'elle provoqua dans le tout-Byzance entiché de théologie, il aurait laissé une œuvre d'auteur édifiant et de prédicateur. Les circonstances en firent le théologien et le docteur abondant d'un système métaphysique.

Des indiscrétions avaient ébruité des techniques qui, prétendaient certains, menaient tout droit à l'union divine et à la vision d'une lumière identique à celle du Thabor. Un Calabrais assez brouillon et frotté de philosophie, Barlaam, le clan laïc des théologiens byzantins, d'un autre côté, s'insurgèrent. Palamas prit la défense des moines et, pour expliquer la vision de la lumière divine, édifia toute une métaphysique de la distinction de l'essence et des énergies qui, sans trahir entièrement la tradition orthodoxe, l'aventurait dangereusement dans la scolastique.

Nous retiendrons ici deux des textes palamites de la Philocalie : *trois* chapitres sur la prière (P. G. *150, 1117*) *et l'*Apologie des hésychastes (*ibid. 1101 s.*). *Les premiers développent une théorie générale de la prière, étrangère à la controverse, et qui allie Denys à la tradition hésychaste. La seconde défend contre Barlaam et ses pareils (aucun n'est nommé) la méthode respiratoire au moyen d'arguments théologiques et, ce n'est pas le moins intéressant, de considérations psychologiques. Au fond, dans un esprit scolastique que Palamas partageait, avec un peu moins de pédanterie sinon d'assurance, avec ses adversaires.*

Enfin un court appendice évoquera la position du tome

hagiorite de 1340 (condamnation des anti-hésychastes) sur l'anthropologie de la " prière du cœur ". (P. G. *150, 1232* a)

DE LA PRIÈRE ET DE LA PURETÉ DU CŒUR

1. Dieu est le Bien en soi, la Miséricorde même et un abîme de Bonté, ou plutôt il embrasse cet abîme et il excède tout nom et tout concept possibles. Aussi n'est-il d'autre moyen d'obtenir sa miséricorde que l'union. On s'unit à Dieu en partageant, autant qu'il est possible, les mêmes vertus et par ce commerce de supplication et d'union qui s'établit dans la prière.

La participation des vertus, par la ressemblance qu'elle instaure, a pour effet de disposer l'homme vertueux à recevoir Dieu. Il appartient à la puissance de la prière d'opérer cette réception et de consacrer mystiquement l'essor de l'homme vers le divin et son union avec lui — car elle est le lien des créatures raisonnables avec leur Créateur — à condition toutefois que la prière ait dépassé, grâce à une componction enflammée, le stade des passions et des pensées. Car un esprit attaché aux passions ne saurait prétendre à l'union divine. Tant que l'esprit prie dans cette sorte de disposition, il n'obtient pas miséricorde; en revanche, plus il réussit à éloigner les pensées, plus il acquiert de componction et, à la mesure de sa componction, il a part à la miséricorde et à ses consolations. Qu'il persévère humblement dans cet état, et il transfigurera entièrement la partie passionnée de l'âme.

2. Quand l'unité de l'esprit un devient trine, sans cesser d'être une, c'est alors que l'esprit s'unit à la Monade trinitaire suprême, interdisant toutes ses issues à l'erreur et dominant chair, monde et prince de ce monde. L'esprit échappe ainsi entièrement à leur prise, il est totalement en lui-même et en Dieu, à jouir de l'exultation spirituelle qui sourd en lui, tant qu'il se maintient dans cet état. L'unité de l'esprit

devient trine tout en demeurant une, lorsque l'esprit se tourne vers lui-même et monte de lui-même vers Dieu. La conversion de l'esprit vers lui-même consiste à se garder lui-même; son ascension vers Dieu s'opère avant tout par la prière : tantôt prière ramassée et concentrée, tantôt prière plus étendue [1], ce qui est alors plus laborieux. Celui qui persévère dans cette concentration de l'esprit et cet essor vers Dieu, en contenant énergiquement les évasions de sa pensée, s'approche intérieurement de Dieu, entre en possession de biens ineffables, goûte le siècle futur, connaît par le sens spirituel combien le Seigneur est bon, suivant la parole du psalmiste : " Goûtez et voyez combien le Seigneur est bon ! " (*Ps.* 34, 9)

Arriver à la trinité de l'esprit, tout en le gardant un, et joindre la prière à cette garde : cela n'est pas tellement difficile. Mais persévérer longtemps dans cet état générateur d'ineffable, c'est la difficulté même. Le labeur de toute autre vertu est insignifiant et léger en comparaison. Voilà pourquoi beaucoup renoncent au resserrement de la vertu de prière et ne parviennent pas aux grands espaces ouverts des charismes. Mais pour ceux qui patientent, des secours divins plus grands les attendent, qui les soutiennent et les portent joyeusement en avant, leur rendent facile la difficulté même et leur confèrent une aptitude pour ainsi dire angélique; enfin ils donnent à la nature humaine de vivre dans la familiarité des natures qui la dépassent. Le prophète l'a dit : " Ceux qui patientent volent comme des aigles, ils prennent de nouvelles forces " (*Is.* 40, 31).

3. L'esprit, c'est aussi l'acte (*énergie*) de l'esprit qui consiste en pensées et concepts. C'est également la puissance qui produit ces effets et que l'Écriture appelle le cœur : c'est la reine de nos puissances, celle qui fonde notre qualité d'âme raisonnable. L'acte de l'esprit — ses pensées — se règle et se purifie facilement quand

1. Prière discursive ou vocale.

on s'adonne à la prière, surtout à la prière *monologique*. Mais la puissance qui produit cet acte n'est purifiée que lorsque toutes les autres puissances le sont aussi. Car l'âme est une essence à puissances multiples; qu'un mal résulte de quelqu'une de ses puissances elle est souillée tout entière : toutes communiquent dans la même unité. Du fait que chaque puissance a son acte à elle, il est possible, avec une certaine application, de purifier pour quelque temps un acte quelconque. La puissance n'en sera pas purifiée d'autant, car elle communique avec les autres et elle est ainsi plutôt impure que pure.

Prenez quelqu'un qui, par son assiduité à la prière, ait purifié l'acte de son esprit, ait connu une illumination partielle soit de la lumière de science, soit de l'éclair spirituel : s'il s'estime pour cela purifié, il s'abuse et par sa présomption ouvre la porte toute grande à celui qui n'attend qu'une occasion pour le duper. Si, au contraire, il mesure l'impureté de son cœur et qu'au lieu de s'élever pour cette pureté partielle, il s'en fait un moyen et un auxiliaire, il verra plus nettement l'impureté des autres puissances de l'âme, il progressera dans l'humilité, ajoutera sans cesse à sa componction et découvrira les remèdes appropriés à chaque puissance de l'âme. Par l'action, il purifiera ses facultés actives, par la science ses facultés de connaissance, par la prière sa faculté contemplative, et cet itinéraire le conduira à la pureté parfaite, vraie, stable du cœur et de l'esprit. Nul n'y saurait atteindre que par la perfection de l'action, de la perpétuelle contrition, de la contemplation et de la prière contemplative.

L'APOLOGIE DES SAINTS HÉSYCHASTES

Question : Ils (certains professionnels de la culture profane) prétendent que nous avons tort de vouloir reclure notre esprit dans notre corps : nous devrions plutôt l'en expulser à tout prix. Leurs écrits malmènent certains des nôtres sous prétexte qu'ils conseillent aux débutants de ramener leurs regards sur eux-mêmes et d'introduire, au moyen de l'inspiration, leur esprit en eux-mêmes. L'esprit, disent-ils, n'est pas séparé de l'âme; comment dès lors pourrait-on introduire en soi ce qui n'est pas séparé mais uni ? Ils ajoutent que tels des nôtres parlent d'introduire la grâce en eux par les voies nasales. Je sais que c'est là une calomnie (car je n'ai jamais rien entendu de pareil dans notre milieu) et une malignité ajoutée aux autres. A celui qui déforme il coûte peu d'inventer.

Expliquez-moi donc, mon Père, pourquoi nous mettons tous nos soins à introduire en nous notre esprit et que nous n'avons pas tort de le reclure dans notre corps...

Réponse de Grégoire : (Notre corps n'a rien de mauvais comme tel; il est bon de sa nature; il n'est de damnable que l'esprit charnel, le corps prostitué au péché.) Le mal ne vient pas de la chair mais de ce qui l'habite. Le mal n'est pas que l'esprit habite dans le corps mais bien que la loi opposée à la loi de l'esprit s'exerce dans nos membres. Voilà pourquoi nous nous insurgeons contre la loi du péché et l'expulsons du corps pour y introduire l'autorité de l'esprit. Grâce à cette autorité, nous fixons sa loi à chaque puissance de l'âme et aux membres du corps : à chacun son dû. Aux sens la nature et les limites de leur exercice : cette œuvre de la loi porte nom tempérance; à la partie passionnée de l'âme, nous procurons l'habitus excellent : c'est la charité ; reste la partie raisonnable, que nous améliorons en rejetant tout ce qui s'oppose à l'ascension de l'esprit vers Dieu : cette partie de la loi s'appelle la sobriété. Celui qui a purifié son corps par la tempérance, qui, par la charité, a fait de son irascible et de son concupiscible des occasions de vertu, qui enfin présente à Dieu un esprit purifié par la prière, acquiert et voit en lui-même, la grâce promise aux cœurs purs... “ Nous portons ce trésor dans des vases d'argile ” (*II Cor.* 4, 6-7), entendez par là nos corps. Comment dès lors, en retenant notre esprit au-dedans de notre corps, manquerions-nous à la sublime noblesse de l'esprit ?...

Notre âme est une essence pourvue de puissances multiples, elle a pour organe le corps qu'elle anime. Sa puissance — l'esprit, comme nous l'appelons — opère au moyen de certains organes. Or, qui a jamais supposé que l'esprit pût siéger dans les ongles, les paupières, les narines ou les lèvres ? Tout le monde s'accorde à le placer au-dedans de nous. Les avis divergent quand il s'agit de désigner l'organe intérieur. Les uns placent l'esprit dans le cerveau comme dans une sorte d'acropole; d'autres lui attribuent la région centrale du cœur, celle qui est pure de tout souffle animal. Pour nous, nous savons de science certaine que notre âme raisonnable n'est pas au-dedans de nous comme elle serait dans un vase — puisqu'elle est incorporelle — pas plus qu'au-dehors — puisqu'elle est unie au corps — mais qu'elle est dans le cœur comme dans son organe.

Nous ne le tenons pas d'un homme mais bien de Celui qui a façonné l'homme : “ Ce n'est pas ce qui entre dans la bouche qui souille l'homme, mais bien ce qui en sort ... car c'est du cœur que viennent les mauvaises pensées ” (*Matth.* 15, 11, 19). Et le grand Macaire ne dit pas autrement : “ Le cœur préside à tout l'organisme. Quand la grâce s'est emparée des pâturages du cœur il règne sur toutes les pensées et sur tous les membres. Car c'est là que se trouvent l'esprit et toutes les pensées de l'âme. ” Notre cœur est donc le siège de la raison et son principal organe corporel. Si nous voulons nous appliquer à surveiller et à redresser notre raison, au moyen d'une attentive sobriété, quelle meilleure manière de le surveiller que de rassembler notre esprit éparpillé au-dehors par les sensations, le reconduire au-dedans de nous jusqu'à ce même cœur qui est le siège des pensées. C'est bien pourquoi Macaire poursuit un peu plus bas : " C'est donc là qu'il faut regarder pour voir si la grâce y a gravé les lois de l'Esprit. " Où là ? dans l'organe directeur, le trône de la grâce, là où se trouvent l'esprit et toutes les pensées de l'âme, bref, dans le cœur. Tu mesures maintenant la nécessité pour ceux qui ont résolu de se surveiller dans la quiétude, de ramener, de reclure leur esprit dans leur corps et surtout dans ce corps au sein du corps, que nous appelons cœur...

Si " le royaume des cieux est au-dedans de nous " (*Luc* 17, 21), comment ne s'exclurait pas du royaume celui qui délibérément s'applique à faire sortir son esprit ? " Le cœur droit, dit Salomon, cherche le sens " (*Prov.* 27, 21) [1], ce sens qu'ailleurs il appelle " spirituel et divin " (*Prov.* 2, 5) et dont les Pères nous disent : " l'esprit, tout entier spirituel, est enveloppé d'une sensibilité spirituelle; ne cessons de poursuivre ce sens, tout à la fois en nous et hors de nous [2] ".

Vois-tu que si l'on veut se dresser contre le péché, acquérir la vertu et la récompense du combat vertueux, plus exactement les arrhes de cette récompense, le sentiment spirituel, il est nécessaire de ramener l'esprit au-dedans du corps et de lui-même. Vouloir faire sortir l'esprit, je ne dis pas de la pensée charnelle mais du corps lui-même, pour aller au-devant de spectacles spirituels, c'est le comble même de l'erreur grecque (= païenne)... Pour nous, nous renvoyons l'esprit, non seulement dans le corps et le cœur mais en lui-même. Ceux qui disent que l'esprit n'est pas séparé mais uni peuvent nous jeter : " comment pourrait-on faire rentrer son esprit ? " Ils ignorent que l'essence de l'esprit est une chose et que son acte (son *énergie*) en est une autre. A vrai dire, ils ne sont pas dupes, et c'est délibérément qu'à l'abri d'une équivoque, ils se rangent parmi les imposteurs... Il ne leur échappe pas

1. Traduction d'Origène, reprise par S. Grégoire de Nysse.
2. Ce texte se retrouve *ad verbum* dans l'*Échelle, Degré* 26.

que l'esprit n'est pas comme l'œil qui voit les autres objets sans se voir lui-même. L'esprit accomplit les actes extérieurs de sa fonction suivant un mouvement longitudinal, pour parler comme Denys; mais aussi il revient à lui-même et opère en lui-même son acte quand il se regarde : c'est ce que Denys appelle mouvement circulaire. C'est là l'acte le plus excellent, l'acte propre, s'il en est, de l'esprit. C'est par cet acte qu'à de certains moments il se transcende pour s'unir à Dieu. (*Noms divins*, chap. 4)

" L'esprit, dit saint Basile, qui ne se répand pas au-dehors (il sort donc ! il lui faut donc rentrer ! écoute la suite :) revient à lui-même et il s'élève de lui-même à Dieu par un chemin infaillible. " Denys, l'infaillible époptе du monde spirituel, nous dit que ce mouvement de l'esprit ne saurait égarer. Le père de l'erreur et du mensonge qui n'a jamais cessé de vouloir dévoyer l'homme... vient de trouver des complices, s'il est vrai que certains individus composent des traités en ce sens et persuadent aux gens, et même à ceux qui ont embrassé la vie supérieure de la quiétude qu'il vaut mieux, durant la prière, tenir leur esprit hors de leur corps. Et cela au mépris de la définition de Jean dans son *Échelle céleste* : " L'hésychaste est celui qui s'efforce de circonscrire l'incorporel dans le corps. " Nos pères spirituels nous ont tous enseigné la même chose...

Constate, mon frère, que la raison s'ajoute aux considérations spirituelles pour montrer la nécessité, quand on aspire à se posséder vraiment et à devenir de vrais moines selon l'homme intérieur, de faire rentrer et de maintenir l'esprit au-dedans du corps. Il n'est donc pas déplacé d'inviter surtout les débutants à se regarder eux-mêmes et à introduire leur esprit en eux-mêmes en même temps que le souffle. Quel esprit sensé détournerait celui qui n'est pas encore parvenu à se contempler, d'employer certains procédés pour ramener à lui son esprit ? C'est un fait que, chez ceux qui viennent de descendre dans la lice, l'esprit n'est pas plutôt rassemblé qu'il s'échappe; force leur est bien de mettre la même obstination à le ramener. Novices encore, ils ne se rendent pas compte que rien au monde n'est plus rétif à l'examen de soi ni plus prompt à s'égailler. Voilà pourquoi certains leur recommandent de contrôler le va-et-vient du souffle en le retenant un peu, de manière à retenir l'esprit, en même temps qu'ils restent sur leur inspiration. En attendant que, Dieu aidant, ils aient fait des progrès, aient purifié l'esprit, l'aient interdit au monde extérieur et puissent le ramener parfaitement dans une concentration unificatrice.

Chacun peut constater que c'est là un effet spontané de l'attention de l'esprit : le va-et-vient du souffle se fait plus lent dans tout acte de réflexion intense. Et cela particulièrement chez ceux qui pratiquent la quiétude de l'esprit et du corps. Ceux-là célèbrent vraiment le sabbat spirituel; suspendant toutes les œuvres personnelles, ils suppriment, autant que faire se peut, l'activité mobile et changeante, lâchée et multiple des puissances cognitives de l'âme en même temps que toute l'activité des sens, bref, toute activité corporelle en dépendance de notre vouloir. Quant à celles qui ne dépendent pas entièrement de nous, telle que la respiration, ils la réduisent autant qu'ils peuvent. Ces effets suivent spontanément et sans y penser chez ceux qui sont avancés dans la pratique hésychaste; ils se produisent nécessairement et d'eux-mêmes dans l'âme parfaitement introvertie.

Chez les débutants, cela ne va pas sans peine. Prenons une comparaison : " La patience est un fruit de la charité — la charité en effet supporte tout " (*I Cor.* 13, 7) — or, ne nous enseigne-t-on pas à employer tous les moyens pour l'obtenir et parvenir ainsi à la charité ? Le cas est le même ici. Tous ceux qui ont l'expérience pour eux se rient des objections de l'inexpérience; leur maître ne s'appelle pas le discours, c'est l'effort et l'expérience qu'il engendre. L'expérience qui porte un fruit utile et renverse les propos stériles des chicaneurs.

Un grand docteur a écrit que " depuis la transgression, l'homme intérieur se modèle sur les formes extérieures ". Comment dès lors celui qui veut introvertir son esprit et lui imposer, au lieu du mouvement longitudinal, le mouvement circulaire et infaillible, n'aurait-il pas grand profit, plutôt que de promener son regard de-ci de-là, à le caler sur sa poitrine ou son nombril. En se ramassant extérieurement en cercle, il imite le mouvement intérieur de son esprit et, par cette attitude du corps, il introduit dans son cœur la puissance de l'esprit que la vue répand au-dehors. S'il est vrai que la puissance de la bête intérieure a son siège dans la région du nombril et du ventre, où la loi du péché exerce son empire et lui fournit pâture, pourquoi ne pas poster là précisément, toute armée de la prière, la loi opposée à la première ? Afin d'empêcher que l'esprit mauvais expulsé par le bain de régénération ne revienne avec sept esprits plus mauvais s'y installer une deuxième fois et que la situation nouvelle soit pire que la première (*Luc* 11, 26).

" Prends garde à toi " a dit Moïse (*Deut.* 15, 9). A tout toi-même. Non pas à ceci et pas à cela. Comment ? par l'esprit ! Il n'existe pas d'autre moyen de prendre garde à soi. Poste cette garde devant ton âme et ton corps; elle te délivrera facilement des mauvaises passions de l'âme et du corps... Ne laisse sans surveillance aucune partie de ton âme ni de ton corps. Ainsi tu franchiras la zone des tentations inférieures et tu te présenteras avec assurance à celui qui " scrute les reins et les cœurs " car tu les auras d'abord scrutés toi-même. " Jugeons-nous nous-mêmes et nous ne serons pas jugés " (*I Cor.* 11, 31). Tu partageras la bienheureuse expérience de David : " Les ténèbres ne seront plus obscures, la nuit resplendit comme le jour, parce que tu as formé mes reins " (*Ps.* 138, 12). Tu n'as pas seulement fait tienne toute la partie concupiscible de mon âme mais s'il restait dans mon corps quelque foyer de ce désir, tu l'as ramené à son origine et, par la force même de ce désir, il s'est envolé vers toi, s'est attaché à toi. Ceux qui s'attachent aux plaisirs sensibles de la corruption épuisent dans la chair toute la puissance de désir de leur âme et deviennent ainsi tout chair. L'Esprit ne saurait demeurer en eux. Au contraire, ceux qui ont élevé leur esprit à Dieu, établi leur âme dans l'amour de Dieu; leur chair transformée partage l'essor de l'esprit et se joint à lui dans la communion divine. Elle devient, elle aussi, le domaine et la maison de Dieu, elle n'abrite plus l'inimitié divine ni ne désire plus contre l'esprit.

Quel est le lieu le plus désigné à l'esprit de la chair qui monte en nous d'en bas ? l'esprit ou la chair ? n'est-ce pas la chair, qui n'abrite rien de bon, nous dit l'apôtre, tant que n'y habite point la loi de vie ? Raison s'il en est de ne jamais la laisser sans surveillance. Comment nous appartiendrait-elle, comment interdire son accès à l'ennemi, nous surtout qui n'avons pas encore la science spirituelle voulue pour repousser les esprits du mal, sinon en nous dressant à cette attention au moyen d'une attitude extérieure ? Pourquoi nommer ceux qui viennent de se mettre à l'œuvre quand on en voit de bien plus parfaits utiliser cette attitude dans la prière et fléchir ainsi la bienveillance de Dieu ? Et cela non seulement parmi ceux qui ont suivi la descente du Christ parmi nous mais même parmi ceux qui l'ont précédée. Élie lui-même, consommé dans la théoptie, appuie sa tête sur ses genoux, rassemble vaillamment son esprit en lui-même et en Dieu et met ainsi fin à une sécheresse de plusieurs années.

Les gens dont tu me rapportes les propos me paraissent partager le mal du pharisien... ils dédaignent l'attitude de la prière justifiée du publicain et exhortent les autres à ne pas l'imiter dans leur prière. " Il n'osait même pas lever les yeux au ciel " dit le Seigneur (*Luc* 18, 13). L'imitent au contraire ceux qui, en priant, appliquent leurs yeux sur eux-mêmes. Ceux qui leur donnent le surnom d'*omphalopsyques* (ceux qui ont ou mettent l'âme au nombril) calomnient leurs adversaires — qui d'entre eux a jamais placé l'âme dans le nombril ? — ils se comportent en outre en détracteurs de pratiques louables et non en redresseurs de torts. Car ce n'est pas la cause de la vie hésychaste et de la vérité qui les pousse à écrire, c'est la vanité. Ce n'est pas le désir d'amener à la sobriété mais d'en éloigner. Par tous les moyens ils s'emploient à ruiner l'œuvre et ceux qui s'y adonnent avec zèle. Ils pourraient aussi bien traiter de *koiliopsyques* celui qui a dit : " Mon ventre (*koilia*) frémira comme une harpe... " (*Is.* 16, 11) et envelopper dans la même calomnie ceux qui représentent, nomment et poursuivent les réalités invisibles au moyen de symboles corporels...

Tu connais la vie de Syméon le Nouveau Théologien, ses écrits... et Nicéphore l'hagiorite... Ils enseignent clairement aux débutants ce que d'aucuns, me dis-tu, combattent. Et pourquoi me borner aux saints du passé ? Des hommes auxquels la puissance du Saint-Esprit a rendu témoignage nous ont enseigné tout cela de leur propre bouche : Théolepte, l'évêque de Philadelphie, Athanase le Patriarche (fin du XIIIe s.-début du XIVe s)... Tu les entends tous et que d'autres avant eux, avec eux et après eux, inviter à garder cette tradition que nos nouveaux maîtres en hésychasme... s'appliquent à mépriser, à déformer et à ruiner, sans profit pour leurs auditeurs. Nous avons vécu nous-même avec certains des saints plus haut nommés; il furent nos maîtres. Comment compterions-nous pour rien ceux que l'expérience, jointe à la grâce, a formés, pour nous ranger derrière ceux qui n'ont d'autre titre à nous enseigner que leur orgueil. C'est impossible, cela ne doit pas être.

Fuis ces gens-là et redis-toi sagement à toi-même après David : " Mon âme, bénis le Seigneur, et que tout ce qui est en moi bénisse son saint nom ! " (*Ps.*

102, 1) Écoute docilement les pères et écoute-les te conseiller la manière de faire rentrer l'esprit.

LE TOME HAGIORITIQUE

Celui qui traite de Messaliens ceux qui donnent pour siège à l'esprit le cerveau ou le cœur — qu'il le sache : il s'attaque aux saints. Saint Athanase place le siège de la raison dans le cerveau. Macaire, dont l'éclat n'est pas inférieur, place dans le cœur l'opération de l'esprit. Et presque tous les saints sont d'accord avec eux. Saint Grégoire de Nysse, en affirmant que l'esprit n'est ni au-dedans ni au-dehors du corps n'est pas en contradiction avec eux. Car les autres mettent l'esprit dans le corps en tant qu'uni à lui. Ils parlent simplement en se plaçant à un autre point de vue mais ne sont pas d'un avis différent.

20. *Calliste et Ignace Xanthopouloi*

(fin du XIVe s.)

Moines au couvent des Xanthopouloi, à Constantinople; Calliste fut patriarche trois mois (1397), deuxième du nom. Auteurs d'une Règle tirée des saints Pères à l'intention des hésychastes (*voir* P. G. *147, 635 s.*) *que reproduit la* Philocalie.

Cette centurie n'est pratiquement qu'une enfilade de textes, relativement ordonnés, sur la vie contemplative. Les auteurs ont la hantise de la prière de Jésus et de sa méthode. Elle revient à tout propos. Un autre opuscule de la Philocalie, *attribué à Calliste Télicoudès ou Angélicoudès* (P. G. *147, 817 s.*), *présente une version simplifiée, dans laquelle toutes les citations ont disparu et où il ne reste que les transitions explicatives, parfaitement cohérentes d'ailleurs, de la centurie. Cette édition abrégée pourrait représenter le canevas sur lequel Calliste et Ignace ont construit leur anthologie.*

A lire celle-ci, on sent bien que la crise *créatrice est dépassée. La méthode hésychaste est maintenant en possession* [1]. *C'est l'heure des épigones et des théologiens. On commente, on met en garde, on n'invente plus. On retranscrit simplement Nicéphore, en expliquant bien sûr qu'il ne s'agit que d'un pur moyen, d'un auxiliaire.*

On s'applique, en revanche, à dresser un arbre généalogique à la prière de Jésus (qu'on se garde d'identifier à la méthode, mais dont on ne la sépare pas) retrouvée chez les grands apôtres, Pierre, Paul et Jean. Le thème ne sera pas perdu et que de théologiens le reprendront dans la suite !

1. La *Centurie* consacre, en même temps, la vulgarisation du thème palamite de la lumière thaborique sur lequel il n'y a pas à insister ici.

Plus personnels, peut-être, les détails sur l'horaire de la prière, dans le cadre des occupations et du régime alimentaire de l'hésychaste.

C'est par ces précisions, en même temps que par son incontestable ferveur et souvent la beauté de ses citations, que ce manuel de l'hésychaste conjure l'ennui.

On consultera avec profit la traduction allemande de cet opuscule par le P. A. M. Ammann, Die Gotteschau im Palamitischen Hesychasmus : ein Handbuch der spätbyzantinischen Mystik... *Wurzburg 1938 (avec nos remarques dans* Échos d'Orient, *37, 1938, 456-460).*

MÉTHODE ET RÈGLE DÉTAILLÉE, INSPIRÉE DES SAINTS, A L'USAGE DE CEUX QUI ONT ÉLU LA VIE HÉSYCHASTE...

8. Le principe de toute activité agréable à Dieu, c'est l'invocation, pleine de foi, du Nom sauveur de Notre Seigneur Jésus-Christ. C'est lui qui nous le dit : " Sans moi vous ne pouvez rien faire " (*Jn.* 15, 5). Ensuite la paix, car il faut " prier, dit-il, sans colère ni contention " (*I Tim.* 2, 8) et la charité, parce que " Dieu est amour " et que celui " qui demeure dans l'amour demeure en Dieu et Dieu en lui " (*I Jn.* 4, 16). La paix et la charité ne rendent pas seulement la prière agréable à Dieu mais, à leur tour, elles naissent de la prière, tels des rayons divins jumeaux et, par elle, croissent et se consomment...

13. Très sagement nos glorieux chefs et docteurs, mus par le saint Esprit qui habite en eux, nous enseignent à tous — à ceux surtout qui veulent descendre dans l'arène de la déifiante hésychie — à avoir pour occupation et exercice incessants le Nom très saint et très doux, à le porter sans cesse dans notre esprit, notre cœur et sur nos lèvres...

18. Il nous semble bon et particulièrement utile d'exposer d'abord une méthode naturelle du bien-

heureux Nicéphore touchant l'entrée dans le cœur au moyen de l'inspiration, et qui contribue dans une certaine mesure au recueillement de l'esprit. Ce saint homme dit, entre autres affirmations appuyées sur le témoignage écrit des Pères, ce qui suit : ... (suit le texte cité ailleurs).

19. L'intention première du bienheureux père est celle-ci : grâce à cette méthode naturelle, ramener l'esprit de sa distraction coutumière, de sa captivité, de sa dissipation, à l'attention et, par l'attention, le conjoindre à lui-même, l'unir ainsi à la prière pour le faire descendre dans le cœur en même temps que la prière et l'y faire demeurer définitivement. Un autre sage, commentant pour ainsi dire ces paroles, explique de même les choses, sur la foi de sa propre expérience.

20. Il importe d'ajouter ceci pour l'esprit qui aime s'instruire. Si nous dressons notre esprit à descendre en nous en même temps que le souffle, nous saurons alors clairement que l'esprit ainsi descendu ne sort pas avant d'avoir renoncé à toute pensée, d'être devenu un et nu, de n'avoir plus d'autre souvenir que l'invocation de Jésus-Christ; et en se retirant pour sortir, il se fractionne à contrecœur dans la mémoire multiple.

23. Les saints Pères et les docteurs recommandent et enseignent, sur la foi de leur expérience de ce bienheureux exercice, à celui qui s'applique à la sobriété spirituelle du cœur, le débutant, surtout de se tenir en tout temps et particulièrement aux heures fixées pour la prière, dans un coin tranquille et obscur. La vue distrait et disperse naturellement l'esprit parmi les objets vus et regardés, le tourmente et le diversifie. Qu'on l'emprisonne dans une cellule tranquille et obscure, et il cessera d'être divisé et diversifié, pour ainsi dire, par la vue et le regard. Ainsi, bon gré mal gré, l'esprit s'apaisera partiellement et se recueillera en lui-même.

24. Mais avant cela, plus justement avant toute autre chose, c'est par le secours de la grâce divine

que l'esprit vient à bout de ce combat. C'est la grâce divine qui couronne l'invocation monologique adressée à Jésus-Christ avec une foi vive, en toute pureté, sans distraction, par le cœur. Ce n'est pas l'effet pur et simple de la méthode naturelle de la respiration pratiquée dans un lieu tranquille et obscur. Que non ! Les saints Pères, en inventant cette méthode, n'ont eu en vue qu'un auxiliaire, si je puis dire, pour recueillir l'esprit, pour le ramener de son habituelle distraction à lui-même et procurer l'attention. Grâce à ces dispositions naît dans l'esprit la prière constante, pure et sans distraction. Comme le dit saint Nil (Évagre) : " L'attention qui cherche la prière trouvera la prière. Si quelque chose suit l'attention, c'est bien la prière. Appliquons-nous donc à l'attention. " Suffit. Pour toi, mon enfant, si tu désires couler des jours heureux et " vivre incorporellement dans ton corps ", vis suivant la règle que je t'ai exposée.

25. Au coucher du soleil, après avoir appelé à l'aide le Seigneur Jésus-Christ, souverainement bon et puissant, assieds-toi sur ton escabeau, dans une cellule tranquille et obscure, rassemble ton esprit de son habituelle distraction et de son vagabondage; pousse-le alors lentement dans ton cœur en même temps que ton souffle et attache-toi à la prière : " Seigneur Jésus-Christ, Fils de Dieu, ayez pitié de moi ! " Je m'explique : parallèlement au souffle, introduis, pour ainsi dire, les paroles de la prière suivant le conseil d'Hésychius : " A ta respiration unis la sobriété et le nom de Jésus et la méditation de la mort. Car les deux sont précieux : prière et pensée du Jugement... "

Si les larmes ne viennent pas, demeure assis, attentif à ces pensées ainsi qu'à la prière, pendant une heure environ. Puis lève-toi, psalmodie attentivement le petit *apodeipnon* (complies); assieds-toi derechef, attache-toi à la prière de toutes tes forces, purement et sans distraction, c'est-à-dire sans souci ni pensée, ni imagination en toute vigilance pendant une demi-heure.

Pour obéir à celui qui a dit : “ Hors la respiration et la nourriture, mets-toi hors de toutes choses durant la prière si tu veux ne faire qu'un avec ton seul esprit. ” Signe-toi alors ainsi que ta couche, assieds-toi sur ton lit, songe aux fins dernières... demande pardon avec ferveur... étends-toi, sans lâcher la prière, docile au conseil de celui qui dit : “ que le souvenir de Jésus partage ton sommeil ” (Climaque)...

26. A ton réveil, rends grâces à Dieu et derechef appelle-le à l'aide et remets-toi à l'œuvre essentielle, la prière pure et sans distraction, la prière du cœur. Pendant une heure. C'est un moment où l'esprit est le plus souvent tranquille et paisible. Il nous a été prescrit d'immoler à Dieu nos prémices, c'est-à-dire d'élever pour ainsi parler tout droit notre première pensée vers Jésus-Christ par la prière du cœur... Puis tu diras le *mésonyktichon* (matines) avec toute l'application et attention possibles. Ensuite tu t'assiéras de nouveau et prieras dans ton cœur en toute pureté et sans distraction, comme je t'ai montré, pendant une heure. Davantage si le Dispensateur de tout bien te l'accorde.

38. Sache, mon frère, que toutes les méthodes, règles et exercices n'ont d'autre origine et raison que notre impuissance à prier dans notre cœur avec pureté et sans distraction. Lorsque, par la bienveillance et la grâce de N. S. Jésus-Christ, nous y sommes parvenus, nous abandonnons la pluralité, la diversité et la division et nous nous unissons immédiatement, au-dessus de tout discours, à l'Un, au Simple, à Celui qui unifie. C'est le “ Dieu uni aux dieux et connu d'eux ” du Théologien mais c'est un privilège rarissime...

45. Il est cinq œuvres honorant Dieu, par lesquelles doit passer jour et nuit le novice en hésychie : la prière c'est-à-dire le souvenir du Seigneur Jésus-Christ introduit sans interruption par le nez dans le cœur, lentement et ensuite expiré, lèvres fermées, sans aucune autre pensée ni imagination. Ce qui s'obtient par une

tempérance générale dans la nourriture, le sommeil, les sensations, exercée en cellule avec une très sincère humilité. Puis la psalmodie, la lecture du psautier, de l'Apôtre, des Évangiles, des œuvres des saints Pères, celles surtout sur la prière et la sobriété; le souvenir douloureux des péchés dans le cœur, la méditation du Jugement, de la mort, du châtiment et de la récompense etc.; un petit travail manuel comme frein à l'acédie. Et puis revenir à la prière, même s'il y faut un effort, jusqu'à ce que l'esprit soit entraîné à renoncer facilement à ses divagations naturelles par la conversation unique de Jésus-Christ, par son souvenir constant, par une inclination continue qui l'emporte vers la chambre intérieure, la région secrète du cœur, par un enracinement opiniâtre...

48. Les paroles " Seigneur Jésus-Christ, Fils de Dieu " dirigent l'esprit immatériellement vers celui qu'elles nomment. Par les paroles " ayez pitié de moi " l'esprit fait retour sur lui-même comme s'il ne pouvait supporter l'idée de ne pas prier pour lui-même. Lorsqu'il aura progressé dans l'amour par l'expérience, il se dirigera uniquement vers le Seigneur Jésus-Christ, car il aura la certitude évidente du second (du pardon de ses péchés).

49. Cela explique que les saints Pères ne donnent pas toujours la prière en entier, mais celui-ci en entier, celui-là une partie, un troisième une autre... suivant les forces, sans doute, et l'état de celui qui prie.

50. (La prière du cœur remonte aux apôtres, pour ce qui est de ses éléments essentiels et de sa justification)... Les Pères ensuite ont ajouté et ajusté aux paroles salutaires : " ayez pitié ", à cause surtout de ceux qui étaient encore dans le bas âge de la vertu, c'est-à-dire les débutants et les imparfaits... Les avancés et les parfaits peuvent se contenter de la première formule... et parfois même de la seule invocation du nom de Jésus, qui constitue toute leur prière...

52. Cette prière perpétuelle du cœur et ce qui

l'accompagne ne s'obtient pas comme cela, tout simplement, au terme d'un court et modeste effort. Cela a pu se vérifier parfois par une disposition ineffable de Dieu, mais il y faut en règle générale beaucoup de temps, de peine et d'effort corporel et spirituel et de violence soutenue.

54. La prière du cœur, pure et sans distraction, est celle qui produit une chaleur au cœur...

56. Cette chaleur élimine les obstacles qui empêchent la première prière pure de consommer sa perfection...

21. Calliste II

Du même Calliste ces quelques chapitres sur la Prière (P. G. *147, 813 s.*) *où l'auteur cisèle plus ou moins adroitement des métaphores inégalement explicites à la gloire de la prière du cœur, de l'" énergie " transformante de l'Esprit,* etc.

1. Voulez-vous apprendre la vérité ? Prenez modèle sur le joueur de cithare. Il incline légèrement la tête de côté, prête l'oreille au chant tandis que sa main manie l'archet et que les cordes se répondent harmonieusement. La cithare émet sa musique et le cithariste est transporté par la suavité de la mélodie.

2. Laborieux ouvrier de la vigne, que mon exemple vous décide et n'hésitez pas. Soyez vigilant (" sobre ") comme le cithariste, je veux dire au fond du cœur, et vous posséderez sans peine ce que vous cherchez. Car l'âme saisie jusqu'au fond d'elle-même par l'amour divin ne peut plus revenir sur ses pas. Car, dit le prophète David : " Mon âme est attachée à toi " (*Ps.* 63, 9).

3. Mon bien-aimé, par la cithare entendez le cœur. Les cordes sont les sens, le cithariste [1] c'est l'intelligence qui par la raison ne cesse de mouvoir l'archet, c'est-à-dire le souvenir de Dieu, qui fait naître dans l'âme un indicible bonheur et fait miroiter dans l'intellect purifié les rayons divins.

4. Tant que nous ne boucherons pas les sens du

1. Nous interprétons. Le texte dit : " l'archet, c'est l'intelligence qui, par la raison, meut l'archet "...

corps, l'eau jaillissante que le Seigneur accorda généreusement à la Samaritaine ne sourdra pas en nous. Elle cherchait l'eau matérielle et elle trouva l'eau de la vie qui jaillit au-dedans d'elle. Car, de même que la terre à la fois contient naturellement de l'eau et l'épanche, ainsi la terre du cœur contient cette eau jaillissante et sourdissante : je veux dire la lumière originelle que sa désobéissance fit perdre à Adam.

5. Cette eau vive et jaillissante sourd de l'âme comme d'une source perpétuelle. C'est elle qui hantait l'âme d'Ignace le théophore et lui faisait dire : " Ce que j'ai en moi, ce n'est pas le feu avide de matière, c'est l'eau qui opère et qui parle. "

6. La bénie — que dis-je ? la trois fois bénie — sobriété de l'âme ressemble à l'eau qui jaillit et sourd de la profondeur du cœur. L'eau qui jaillit de la source remplit la fontaine; celle qui jaillit du cœur, et que l'Esprit, pour ainsi dire, agite sans cesse, remplit l'homme intérieur tout entier de la rosée divine et de l'Esprit tandis qu'elle rend de feu l'homme extérieur.

8. L'intellect qui s'est purifié de tout ce qui est extérieur et qui a soumis entièrement ses sens par la vertu active demeure immobile, tel l'axe céleste. Il arrête son regard sur son centre, les profondeurs du cœur. De la tête où il domine, il fixe le cœur et projette pareils à des éclairs les rayons de sa pensée et il y puise les contemplations divines et soumet tous les sens du corps [1].

9. Que nul profane, que nul enfant encore à l'âge du lait ne touche à ces objets interdits avant le temps. Les saints Pères ont dénoncé la folie de ceux qui cherchent les choses avant leur temps et tentent d'entrer dans le port de l'impassibilité (*apatheia*) sans disposer des moyens voulus. Celui qui ne sait pas ses lettres est incapable de déchiffrer une tablette.

1. La lettre grecque est passablement obscure.

9. Dans le combat intérieur, le Saint-Esprit produit une motion qui rend le cœur paisible et crie en lui : Abba, Père. Cette motion n'a forme ni figure; elle nous transfigure par l'éclat de la lumière divine, nous façonne au feu de l'Esprit divin mais aussi nous altère et nous transforme comme Dieu seul peut le faire par la puissance divine.

10. L'intellect purifié par la sobriété s'obscurcit facilement, s'il ne se détache entièrement du monde extérieur par le souvenir constant de Jésus. Celui qui unit l'action à la contemplation c'est-à-dire à la garde du cœur, ne s'insurge pas contre les bruits confus ou non, car l'âme blessée par l'amour du Christ le suit comme on suit son Bien-Aimé.

12. Parmi les eaux vives, les unes ont un mouvement plus rapide, les autres plus paisible et plus lent. Les premières ne se laissent pas facilement troubler, en raison même de la vitesse de leur mouvement. Se troublent-elles quelque temps, elles retrouvent facilement leur pureté pour la même raison. Lorsque le flux diminue et s'amincit, il ne se trouble pas seulement mais il devient presque immobile, car il a besoin d'une nouvelle purification pour ainsi dire et d'une motion.

13. Les démons s'attaquent aux débutants de la vie active au moyen de bruits confus ou non. A ceux qui sont dans la contemplation ils forgent des imaginations, colorent l'air d'une sorte de lumière, parfois ils le présentent sous forme de feu pour égarer l'athlète du Christ du mauvais côté.

14. Si vous voulez apprendre à prier, considérez la fin de l'attention et de la prière et ne vous égarez pas. Sa fin c'est, mon bien-aimé, la constante componction, la contrition du cœur, l'amour du prochain. Son contraire est évident : pensée de convoitise, murmure de calomnie, haine du prochain et toute disposition semblable.

22. *Témoignages tardifs en marge de la* Philocalie

I. — TEXTE ANONYME

Le texte qui suit est emprunté à un codex *du XVIII*e *ou du XIX*e *siècle appartenant à l'Institut français d'Études byzantines qui a bien voulu nous le communiquer* [1]. *Il reprend vraisemblablement une version plus ancienne, plus proche de l'âge byzantin (allusion à l'empereur et à la cour).*

Ce factum filandreux et souvent confus apporte quelques éléments curieux qui justifient son insertion ici : ce sont, outre ses schémas, la dénonciation de " contrefaçons " islamiques qui paraît viser certaines méthodes de dhikr, *l'allusion à certaines conséquences physiologiques fâcheuses de son emploi imprudent, et aussi à telles déviations érotiques.*

Allusions plutôt qu'exposés, ces détails nous laissent sur notre curiosité. Quoi qu'il en soit, elles nous font assister à une sorte de réhabilitation de la prière du cœur des hésychastes.

Le texte est précédé de quelques explications illustrées d'un croquis, touchant la " topographie " de la prière. Nous le présenterons en premier lieu.

Instruction pour le mystère de la prière de l'esprit : Seigneur Jésus-Christ, Fils de Dieu, ayez pitié de moi.

La grâce que nous avons reçue au saint baptême est cachée dans les profondeurs de l'esprit.

1. De même que nous donner accès aux éditions rarissimes de Barsanuphe et de Nicodème. Nous sommes heureux de lui exprimer ici notre vive gratitude.

Le cœur devient le réceptacle de la grâce lorsque, grâce à une persévérante prière d'attention, l'intellect-recteur le garde par son attention en invoquant le Seigneur.

La fraude de Satan enveloppe le cœur en tout temps : elle y projette les pensées impures et abuse l'intellect par l'imagination de formes. Le combattant n'a d'autre moyen de l'expulser que l'invocation du Nom Sauveur.

Appliquez votre attention au côté gauche de votre poitrine, là où se trouve le cœur. Gardez-vous de l'opération (" énergie ") qui descend dans le nombril et aboutit à la volupté. Car c'est là qu'opère la fraude de Satan et qu'elle meut les organes du bas-ventre à l'émission honteuse. Faites attention : le signe qui ne trompe pas, c'est la componction, la contrition et les larmes. La fraude opère dans le ventre, déclenche le plaisir honteux et endurcit. Attention donc à votre cœur, en invoquant, en même temps que vous inspirez, le Seigneur Jésus.

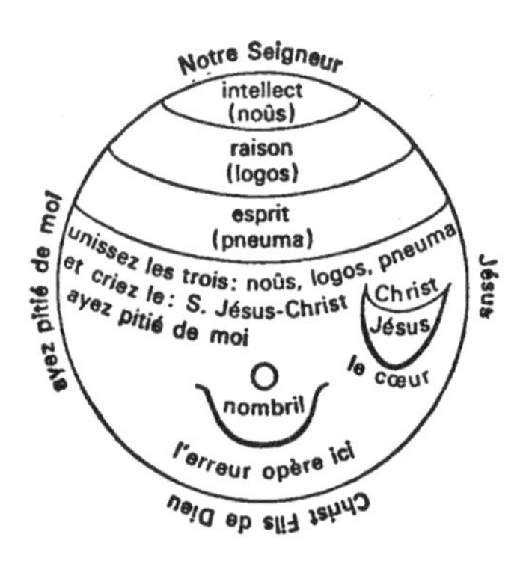

Méthode ou instruction héritée des Pères touchant le mystère de la prière de l'esprit — la prière qui s'exerce par l'attention de l'intellect, l'union de la raison et de l'esprit (*pneuma*) et par la respiration, dans un sentiment de componction; celle que l'on appelle encore sobriété et contemplation. Explication de celle qu'exercent les réprouvés sous l'influence de la fraude de Satan. Que l'opération (" énergie ") infaillible est source de componction et que son exercice aboutit d'abord aux larmes qui consument les péchés et les passions de colère et d'orgueil, puis lorsque la conscience s'est peu à peu purifiée, mène à la joyeuse componction. Que l'opération issue de la fraude est pleine de vanité, d'orgueil et d'arrogance et finit dans l'émission défendue de la volupté honteuse. Celle, au contraire, qui procède de la grâce, déborde de joie et d'allégresse spirituelles dans la certitude sentie d'une conscience pure et de la mort des passions impures. D'où la nécessité d'une extrême attention de la part de ceux qui ont résolu de s'y exercer sous peine de s'égarer. L'opération qui ne trompe pas est de la plus grande utilité quand on la pratique comme il convient suivant les indications qui suivent.

L'attention et la prière sont l'union des trois parties de l'âme : intellect, raison et esprit (*pneuma*) [1], opérée par l'invocation du Nom sauveur de Notre Seigneur Jésus-Christ, proféré en silence, au plus profond du cœur par la pensée et le verbe intérieur. Cette sainte méthode, la grâce aidant, submerge dans l'impassibilité (*apatheia*) les trois parties de l'âme : rationnelle, appétit irascible ou concupiscible.

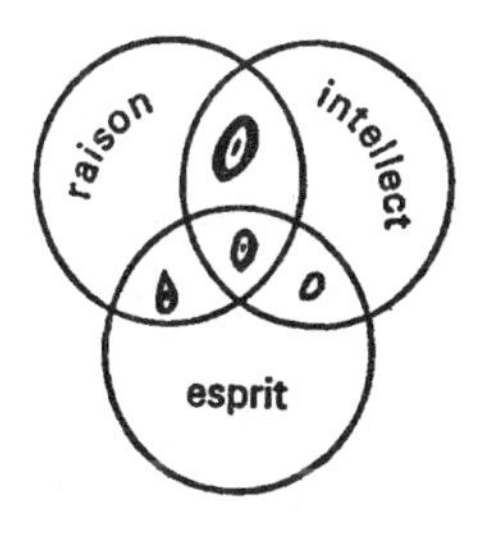

1. Cf. note, p. 165.

Le principe, le milieu et le terme de cette laborieuse opération, de cet " art des arts ", de cette " science des sciences " les voici : rassembler sa pensée pour l'empêcher de se promener parmi les vanités, en même temps que votre verbe intérieur que vous prononcez tout seul au-dedans de vous, les mêler avec l'air que vous inspirez et donner pour travail à votre intellect la prière : " Seigneur Jésus-Christ, Fils de Dieu, ayez pitié de moi " suivant la parole du Seigneur : " Dieu est esprit et ceux qui l'adorent doivent l'adorer en esprit et en vérité " (*Jn* 4, 24).

Cette prière nous vient des saints apôtres. Elle leur servait pour prier sans interruption suivant l'injonction de saint Paul aux chrétiens, de prier sans cesse; c'est-à-dire de pratiquer cette prière en secret, de la dire en pensée, soit qu'ils prient, soit qu'ils se promènent, mangent, dorment ou veillent, parce qu'elle garde de tout péché. Cette prière, les anciens chrétiens l'ont pratiquée, les martyrs en allant au supplice, les saints des déserts et des cavernes se sont sauvés grâce à elle et elle leur a valu d'opérer eux-mêmes des miracles. L'ont pratiquée les grands dignitaires de la cour, les *basileis* même au milieu du tracas des affaires. Cette prière brève, outre qu'elle est à la portée de tous et dispense de livres nombreux et variés, inspire la componction, est pleine de l'Esprit-Saint et est très théologique : elle réfute toutes les hérésies, embrasse dans sa concision tout le mystère de l'Économie (plan divin de l'Incarnation) en même temps que le sentiment orthodoxe (suit un graphique illustrant la portée dogmatique de la prière relativement à toutes les hérésies de l'arianisme au luthéranisme).

(Les saints apôtres et les plus parfaits des Pères " sobres " et contemplatifs, assurés de leur sainteté et de leur salut, se contentaient de dire " Jésus ". Le reste de la prière est fonction du niveau spirituel du sujet.) Ce très profitable négoce de l'opération mentale se recommande à tout le monde mais en premier lieu aux moines, en raison de son extrême utilité. Beaucoup malheureusement, à cause de leur inexpérience de cet exercice, à notre époque surtout où il est presque entièrement négligé, en pâtissent au lieu d'en tirer profit. Pourquoi ? Parce qu'au lieu de s'attacher à la sobriété et à l'attention de l'esprit, en même temps qu'à la pensée de la mort, et de répandre ces larmes de componction génératrices de pureté et de joie par la certitude qu'elles apportent du pardon de ses péchés —, ils partagent l'erreur des faux prophètes ventriloques et l'opération dénaturée et impie des pseudo-moines mahométans. Les premiers avaient Satan assis dans leur cœur et leur ventre était rempli des mauvais esprits, ils prononçaient des oracles et des prophéties pour ceux qui venaient leur en demander : ainsi les prophètes de Baal et des autres idolâtres qui se tailladaient avec des épées et des dards pour rendre un culte aux démons. Les autres sont les derviches musulmans qui tournoient en faisant claquer [1] leur langue, en bavant et en éructant toutes sortes de blasphèmes comme leur Docteur Mahomet.

Les nôtres, égarés par leur inexpérience, se laissent suborner par le séducteur, et Satan, rompu au mal, les égare et les précipite dans le même abîme de perdition. Au lieu d'acquérir la contrition, de briser leur cœur par la pensée de la mort et de leurs péchés, et de faire cela en général sans se représenter la manière dont ils ont commis ces péchés, — ce qui est très funeste aux faibles et les attire sournoisement dans le plaisir et la complaisance du passé... —, il convient de les rappeler à la mémoire d'une manière anonyme, imprécise, en gros, pour s'en humilier et les expulser aussitôt, de manière que la pensée ne s'attarde pas parmi eux et ne soit pas souillée.

C'est pourquoi je récuse ceux qui, pour acquérir la contrition et rechercher le pardon divin, par l'invo-

1. Obscur. Peut-être : “ en roulant ? ”

cation du nom sauveur, portent leur attention sur leur ventre, d'autres sur leur poitrine tout droit au milieu, d'autres sur leur gosier. Délectés par un certain plaisir étrange qui se matérialisant (litt. s'épaississant) aboutit, disent-ils, au nombril et au bas-ventre et les souille par l'écoulement de la luxure. Voilà comment les malheureux sombrent lamentablement dans l'abîme de perdition. Cela tient à deux causes et à une troisième. Au lieu de se rendre au dispensaire du salut avec humilité, pour consulter les experts, par une sournoise présomption ils se sont mis en tête d'acquérir d'emblée la grâce du Saint-Esprit et de devenir des contemplatifs. Ils ont voulu gravir les hauteurs et Dieu a permis qu'ils tombent misérablement à cause de leur présomptueuse témérité et de leur orgueil. Voilà pourquoi souvent Satan présente à leur odorat un parfum sensible, arômes ou encens, comme on nous rapporte de lui. Parfois il leur découvre une lumière de feu, génératrice de ténèbres, pleine de démence, de lâcheté, de blasphème et de joie mensongère. La manifestation de la lumière divine est, au contraire, pleine d'une joie ineffable et la contemplation de la sainte lumière n'est pas comme la contemplation du feu matériel : c'est une contemplation immatérielle, étrange et supérieure à l'entendement, qui ravit les intellects bienheureux dans la contemplation des mystères indicibles, comme il apparaît dans la vie des saints. Ils s'égarent ensuite faute de conseil. Enfin certains, ne comprenant pas l'exercice de l'inspiration, se font violence pour retenir leur expiration et compromettent leur santé physique; ils contractent le mal d'étisie à la suite de la déréliction divine consécutive à leur orgueil, car la grâce procure la vie et non la mort.

Que la pratique de cette opération soit noble et avantageuse, les saints Pères en portent témoignage qui ont combattu avec elle. Raison de plus pour exciter l'envie de Satan. Il ne veut pas que le malheureux découvre comment lui, le fourbe, vendange le cœur de l'homme, en possède les pâturages, répand l'ivraie des pensées et des souvenirs mauvais et enfin que cette pratique répétée suffit à le chasser. C'est bien pourquoi il tâche que l'homme néglige de purifier son cœur au moyen de l'oraison mentale. Il s'attache à tromper les hommes pour ainsi dire avec une pièce fausse, à leur faire accepter les ténèbres pour la lumière et, au lieu de la componction et des larmes d'humilité, la présomption et le feu du plaisir honteux et pour finir l'égarement de l'esprit. Il tente ainsi d'inspirer à ceux qui l'écoutent de l'aversion pour cette œuvre si avantageuse à l'âme.

Le fourbe n'y a que trop bien réussi. Les moines d'aujourd'hui ne veulent rien entendre de l'attention ou prière mentale; il se gaussent de ceux qui la pratiquent, ni plus ni moins que les Barlaamites et les Latinophrones et deviennent insensiblement le jouet de l'esprit impie de Satan. Ils ne voient pas que, dans la prière qui consiste dans la lecture et le pur mouvement des lèvres, le lecteur qui n'élève pas son esprit de la lettre aux pensées plus élevées n'amasse que du vent sans le moindre fruit de prière. Les saints Pères, en composant les prières et les tropaires riches de contemplations, ont eu en vue des moyens de stimuler les lecteurs. Celui donc qui prie seulement de bouche en hymnes et en psaumes a l'esprit qui vagabonde et se disperse au gré des pensées terrestres et des distractions. Celui qui, au contraire, fait prière mentale et élève son esprit des paroles prononcées à la contemplation de leur contenu, fait bonne cueillette, et progresse de la vie active à la contemplation. L'actif — celui qui pratique la prière — boit le breuvage de componction et persévère dans l'opération spirituelle et franchit pour ainsi dire la porte de la pratique des commandements de Dieu quand il fait oraison, pour recevoir alors la récompense, lorsqu'il désire atteindre le sommet de la contemplation. Le contemplatif, c'est-à-dire celui qui est parfait en contemplation, s'enivre du breuvage puissant des larmes et pénètre dans le parvis de la maison de Dieu, il rend grâces non plus seulement parce qu'il a vaincu ses ennemis mais encore les a faits prisonniers. L'intellect foulé par les pas de la prière mentale ressemble à un sol fréquemment foulé par les passants et qui devient un chemin battu et uni. La prière accompagnée de la contemplation spirituelle est la terre de la promesse. Grands et louables l'œuvre et le combat de cet exercice mental, lorsque le combattant s'y adonne comme il faut...

S'il est des monnaies fausses, il existe aussi des changeurs préposés à l'expertise de l'or et de l'argent au moyen de la pierre de touche et auxquels nous pouvons les porter à expertiser. Entendez qu'il nous faut consulter les hommes éprouvés dans cet exercice et apprendre d'eux la vérité. La pierre, c'est-à-dire l'interprétation des Pères, nous éclairera à souhait, celle surtout de notre saint Père Nicéphore l'Hagiorite, le maître sûr de cette méthode et tant d'autres avec lui...

II. — NICODÈME L'HAGIORITE (1749-1809)

Théologien, compilateur, traducteur, Nicodème a été, à la fin du XVIIIe siècle, notamment avec Macaire de Corinthe, le champion d'une renaissance spirituelle au sein de l'orthodoxie. On a dit le rôle exact qu'il eut dans la préparation de la Philocalie (*introduction*).

Nicodème, au chapitre 10 de son Enchiridion, *a repris à son tour le thème de la prière du cœur. Nous en reproduisons ici la majeure partie moins les notes. Le P. Hausherr en avait donné, dès 1927, une traduction à peine plus courte dans* La Méthode d'oraison hésychaste *déjà citée*, p. *107 s.*

De quelle manière l'esprit rentre dans le cœur

Cela connu, je vais maintenant vous dire, Monseigneur, comment vous devez garder votre esprit c'est-à-dire l'acte (énergie) de votre esprit et votre cœur. Vous savez que tout acte essentiel entretient une relation naturelle à l'essence et à la puissance qui l'exerce et qu'il revient naturellement vers elle pour s'y unir et reposer. C'est pourquoi votre Sainteté, une fois qu'elle a libéré l'acte de son esprit (qui a pour organe le cerveau, nous l'avons dit) de tous les objets extérieurs du monde au moyen de la garde de ses sens et de son imagination (dont nous avons traité plus haut), devra alors ramener cet acte à son essence et à sa puissance propre. En d'autres termes, elle ramènera son esprit au centre de son cœur — qui est, nous l'avons dit, l'organe de l'essence et de la puissance de l'esprit— et contemplera mentalement l'homme intérieur tout entier. Cette conversion de l'esprit, les débutants ont accoutumé de la pratiquer, suivant l'enseignement des saints Pères " sobres ", en inclinant la tête et en appuyant le menton sur la poitrine.

Que le retour de l'esprit dans le cœur est exempt de déviation.

Cette conversion, Denys l'Aréopagite dans son passage sur les trois mouvements de l'âme, l'appelle le mouvement circulaire et sans déviation de l'esprit. De même, en effet, que la périphérie du cercle revient sur elle-même et s'unit à elle-même, ainsi l'esprit dans cette conversion revient sur lui-même et devient un. C'est pourquoi le plus excellent des théologiens, Denys, a dit : " Le mouvement circulaire de l'âme, c'est son entrée en elle-même par le détachement des objets extérieurs et l'enroulement unifiant de ses puissances intellectuelles qui lui confère son absence de déviation comme dans un cercle " (*Noms divins*, ch. 4) et, de son côté, le grand Basile : « L'esprit qui n'est ni dispersé parmi les objets extérieurs ni répandu sur le monde par les sens revient vers lui-même et monte par lui-même à la pensée de Dieu » (*Lettre* 1).

Que l'esprit une fois entré dans le cœur doit prier.

Que votre esprit, une fois dans le cœur, ne reste pas uniquement à contempler sans rien faire de plus. Il y trouvera la raison, ce verbe intérieur grâce auquel nous raisonnons et composons des ouvrages, jugeons à part nous et examinons et lisons des livres entiers en silence, sans que notre bouche profère une parole. Que votre esprit donc, ayant trouvé le verbe intérieur, ne lui permette de dire autre chose que la courte prière appelée *monologique* : « Seigneur Jésus-Christ, Fils de Dieu, ayez pitié de moi. »

Mais cela seul ne suffit pas. Vous devez, en outre, mettre en mouvement la puissance volitive de votre âme, en d'autres termes, dire cette prière de toute votre volonté, de toute votre puissance, de tout votre amour. Plus clairement : que votre verbe intérieur applique son attention, tant avec sa vue mentale qu'avec son ouïe mentale, aux seules paroles, et bien plus encore au sens des paroles. Cela, en demeurant sans images ni figures, en n'imaginant ni pensant quoi que ce soit d'autre, sensible ou intellectuel, extérieur ou intérieur, fût-ce quelque chose de bon. Car Dieu est en dehors de tout le sensible et l'intelligible, au-dessus de tout cela; l'esprit donc qui veut s'unir à Dieu par la prière doit sortir à la fois du sensible et de l'intelligible, dépasser tout cela pour obtenir l'union divine. D'où la parole du divin Nil (Évagre)— « Dans ta prière, ne te figure pas la divinité, ne laisse pas ton esprit subir l'empreinte d'une forme quelconque mais tiens-toi immatériel devant l'Immatériel et tu comprendras » (*De la prière*, 56). Que votre volonté s'attache tout entière par l'amour aux paroles de la prière de sorte que votre esprit, votre verbe intérieur et votre volonté, ces trois parties de l'âme, soient un et que l'un soit les trois. De cette manière, en effet, l'homme, qui est l'image de la sainte Trinité, adhère et s'unit à son prototype. Suivant la parole de ce grand héros et docteur de la prière et de la sobriété mentales, Grégoire Palamas de Thessalonique : " Lorsque l'unité de l'esprit devient trine tout en demeurant une, alors il s'unit à la Monade trine de la divinité, fermant toute issue à la déviation et se tenant au-dessus de la chair, du monde et du prince de ce monde " (*De la prière*, nº 2).

Pourquoi il faut retenir sa respiration durant la prière.

Parce que votre esprit — l'acte de votre esprit — a coutume de se répandre et de se disperser sur les objets sensibles et extérieurs du monde, quand vous dites cette sainte prière ne respirez pas continuellement comme la nature a accoutumé. Mais retenez un peu votre respiration jusqu'à ce que votre verbe intérieur ait dit une fois la prière. Alors respirez, suivant que l'enseignent les Pères.

1. Parce que la rétention mesurée de la respiration tourmente, comprime et, par suite, fait peiner le cœur qui ne reçoit pas l'air réclamé par sa nature. L'esprit, de son côté, grâce à cette méthode, se recueille plus facilement et revient au cœur, en raison à la fois de la peine et de la douleur du cœur et du plaisir qui naît de ce souvenir vif et ardent de Dieu. Car Dieu procure plaisir et joie à ceux qui se souviennent de Lui suivant la parole : " Je me suis souvenu de Dieu et je me suis réjoui " (cf. *Ps.* 76, 4). Et Aristote a remarqué, d'autre part, que l'esprit se porte et se recueille dans le membre qui éprouve une sensation de peine ou de plaisir.

2. Parce que la rétention mesurée de la respiration subtilise le cœur dur et épais. Et les éléments humides du cœur convenablement comprimés, échauffés, deviennent de ce fait plus tendres, plus sensibles, humbles, mieux disposés à la componction et plus aptes à verser

facilement des larmes. Le cerveau, d'autre part, se subtilise aussi et du même coup avec lui l'acte de l'esprit qui devient uniforme, transparent, plus apte à l'union que procure l'illumination surnaturelle de Dieu.

3. Parce que cette rétention mesurée de la respiration comprime et fait souffrir le cœur; cette peine et cette douleur lui font vomir l'hameçon empoisonné du plaisir et du péché qu'il avait avalé. Et suivant l'adage des anciens médecins, le contraire guérit le contraire. D'où la parole de Marc : " Le souvenir de Dieu est une peine du Christ embrassée pour la piété " (*Sur ceux qui...* 1). " Quiconque oublie Dieu devient ami du plaisir et insensible " et encore : " L'esprit qui prie sans distraction comprime le cœur " et " un cœur contrit et humilié, Dieu ne le méprise pas " (*ibid.* 34).

4. Par cette rétention mesurée de la respiration, toutes les autres puissances de l'âme s'unissent aussi et reviennent à l'esprit et par l'esprit à Dieu, ce qui est admirable à dire. Ainsi l'homme offre à Dieu toute la nature sensible et intellectuelle, dont il est le lien et la synthèse suivant Grégoire de Thessalonique (*Vie de saint Pierre l'Athonite*).

J'ai dit que les débutants surtout ont quelque besoin de cette rétention mesurée de la respiration quand ils prient parce que, sans cette rétention, ils entrent aussi dans le cœur par le seul verbe intérieur et y demeurent. Mais quand ils veulent faire rentrer l'esprit dans le cœur avec un plus grand zèle (surtout en période de guerre des passions et des pensées) et par ce retour prier plus uniformément, ils le font en recourant à la rétention mesurée de la respiration.

Telle est, en résumé, très saint Seigneur, la célèbre prière à laquelle les saints Pères ont donné le nom de prière mentale et cordiale. Si vous désirez en savoir plus long, lisez dans le livre de la sainte *Philocalie* le traité de saint Nicéphore, le discours de Grégoire de Thessalonique sur les saints hésychastes et la Centurie de Calliste et Ignace Xanthopouloi.

Je vous exhorte encore chaleureusement en dehors de la lecture des sept heures canoniques quotidiennes fixées par l'antique législation de l'Église, à vaquer aussi à cette prière cordiale et mentale. À en faire votre œuvre incessante et perpétuelle. A prononcer dans votre cœur le Nom suave et aimable entre tous de Jésus, à penser Jésus en votre esprit, à désirer Jésus et à l'aimer avec votre volonté. À diriger vers Jésus toutes les puissances de votre âme. A chercher auprès de Jésus la miséricorde en toute contrition et humilité. S'il vous est impossible, à cause des soucis et des tracas de ce monde, de vous y adonner sans cesse, du moins fixez-vous une heure ou deux, de préférence, vers le soir et dans un endroit tranquille et obscur, pour vaquer à cette sainte et spirituelle occupation... (Suit un développement sur les fruits de cet exercice.)

23. Appendice

UNE TECHNIQUE SOUFIE
DE LA PRIÈRE DU CŒUR

Le texte qui suit est emprunté au Tanwîr alqulûb *(3e éd., Le Caire, p. 548-558) du Sheikh Muhammad Amîn al-Kurdî al-Shâfi'î al-Naqshabandî, mort en 1332 de l'hégire (-1914)* [1].

Sa présence ici n'est pas celle d'un hors-d'œuvre. Aucun des textes chrétiens en notre possession ne peut rivaliser avec lui pour le caractère didactique, l'étendue et la précision des détails. Sa topographie symbolique des centres pourra éclairer la notion, vague chez un pseudo-Syméon, de l'exploration du cœur ; sa technique respiratoire est plus minutieuse. D'autre part, il offre nombre de parallèles frappants avec la tradition chrétienne, notamment à propos de la pensée de la mort et de la nécessité absolue d'un maître.

Ces constatations ne prétendent pas dissimuler l'hermétisme de certains aspects non plus qu'à minimiser les différences. Mais il est difficile de ne pas songer, soit à une souche lointaine commune des méthodes, soit plus simplement à la vérification multiple d'une loi psychologique identique s'exerçant naturellement dans des circonstances données.

Quand nous nous sommes procuré ce texte, nous n'avions pas encore connaissance de l'article de M. L. Gardet, La mention du nom divin en mystique musulmane, *Revue*

1. Qu'il nous soit permis de remercier chaleureusement, pour leur obligeance et leur égal désintéressement, les deux collaborateurs bénévoles qui ont l'un transcrit et l'autre (un théologien musulman) traduit en français le texte en question.

thomiste, 1952, 642 s. qui constitue un guide particulièrement averti dans cette matière encore très peu étudiée.

Section sur le *dhikr* intérieur ou pratiqué dans le cœur (*adh-dhikru-l-qalbî*), qui est supérieur au *dhikr* vocal (*adh-dhikru-l-jahrî*).

Sache que le *dhikr* est pratiqué de deux manières : avec le cœur et avec la langue. Chacune de ces formes a ses bases légales dans le Coran et dans la Sunnah.

Le *dhikr* avec la langue, comportant une parole composée de sons et de lettres, ne peut être pratiqué à tout moment. L'activité commerciale et les activités similaires le contrarient nécessairement, à la différence du *dhikr* du cœur, car ce *dhikr* considère la signification de la parole en dehors de toute prononciation de lettres et de sons et, de ce fait, aucun obstacle n'arrête celui qui invoque intérieurement.

Vers :
Invoque Allâh dans le cœur, en un secret
Que ne saisissent pas les créatures, sans lettres et sans voix !
Ce *dhikr* est la meilleure de toutes les incantations
C'est de là que vient la gloire des hommes spirituels.

C'est pour cela que nos maîtres naqchabendites ont préféré le *dhikr* pratiqué avec le cœur, car le cœur est " le lieu où regarde Allâh ", le Maître du pardon; il est " le siège de la Foi " ainsi que la " mine des secrets " et la " source des lumières "; quand il est sain, tout le corps est sain et quand il est corrompu il corrompt tout le corps, ainsi que nous l'a expliqué le Prophète choisi. Le serviteur n'est croyant que par l'engagement du cœur à ce qu'exige la foi et aucun acte d'adoration n'est qualifié comme tel que par l'intention adéquate. Les chefs religieux sont d'accord que les actes des membres ne sont acceptés que par l'acte du cœur mais que, par contre, l'acte du cœur peut être accepté sans les actes des membres; aussi enseignent-ils que si les actes du cœur ne sont pas acceptés, la foi ne sera pas acceptée.

La Foi (*al-Imân*) est l'adhésion sincère du cœur. Allâh a dit : " Il a inscrit dans leurs cœurs la Foi " (*Cor.* 58, 22). Il a dit : " Ceux-là sont ceux dont Il a soumis à l'épreuve les cœurs par la crainte " (*Cor.* 49, 3) et aussi : " Invoque ton Seigneur dans ton âme " (*Cor.* 7, 205) c'est-à-dire " dans ton cœur ", interprétation qui est appuyée par un autre verset : " Ils disent en leurs âmes : Si Allâh ne nous punissait pas pour ce que nous disons " (*Cor.* 58, 9).

Le poète Akhtal a dit :
En vérité la parole est dans le cœur
Et la langue n'a été mise que comme preuve contre le cœur.

Allâh a dit : " Invoquez votre Seigneur humblement et secrètement " (*Cor.* 7, 55). Aïcha — qu'Allâh soit satisfait d'elle ! — rapporte que le Prophète — qu'Allâh prie sur Lui et Le salue ! — a dit : " Le *dhikr* est 70 fois supérieur au *dhikr* (c'est-à-dire le *dhikr* secret est supérieur au *dhikr* vocal). Le jour de la Résurrection, Allâh ramènera les créatures à la reddition des comptes et les anges surveillants viendront avec ce qu'ils ont observé et inscrit. Allâh dira : " Regardez, reste-t-il encore quelque chose en faveur de mon serviteur ? " Les anges répondront : " Nous n'avons rien oublié de ce que nous avons appris et retenu, car nous avons tout compté et inscrit. " Allâh dira au serviteur : " Il te reste encore une chose chez Moi, et Je t'en récompenserai : c'est le *dhikr* secret (*adh-dhikru-l-khafî*). " De même il est rapporté dans les hadith sûrs qu'Allâh — qu'Il soit exalté ! — a dit : " Je suis auprès de la pensée que se fait de Moi Mon serviteur et Je suis avec lui quand il Me mentionne (*dhakarani*); s'il Me mentionne en son âme, Je le mentionne en Mon âme, s'il Me mentionne dans une assemblée, Je le mentionne dans une Assemblée meilleure que la sienne. " Un autre hadith du Petit Recueil (*al-Jâmi'u-ç-caghîr*) de as-Soyûtî dit : " Le meilleur *dhikr* est le *dhikr* secret, et la meilleure richesse est celle qui suffit. " Un autre hadith dit : " Le *dhikr* que n'entendent pas les anges surveillants est supérieur 70 fois à celui qu'ils entendent. " Ce hadith qui remonte à Aïcha est rapporté par al-Baîhaqî qui a dit : " ce hadith est considéré comme bon " (sous le rapport de l'authenticité). Enfin les hadith relatifs aux mérites du *dhikr* caché sont nombreux.

L'un des commentateurs a dit à propos du verset (*Cor.* 35, 29) : " Il y a des serviteurs qui sont injustes envers leurs âmes " : ce sont les invocateurs de langue seulement ! " Et il y en a de bien dirigés " : ce sont les invocateurs de cœur ! " Et il y a des serviteurs qui font à l'avance le bien " : ce sont les invocateurs qui n'oublient pas leur Seigneur (de sorte qu'ils n'ont pas à se ressouvenir de Lui par le *dhikr*) !

Un des Connaissants (al-Arifûn) a déclaré : " Le *dhikr* avec le cœur est le sabre des aspirants (*saîfu al-murîdîn*) : c'est par lui qu'ils combattent leurs ennemis et par lui ils repoussent les calamités qui veulent les atteindre. En vérité, quand le malheur attaque le serviteur et qu'il se réfugie avec son cœur vers Allâh, Allâh écarte aussitôt tout ce qui peine le serviteur. "

Le Prophète — qu'Allâh prie sur Lui et Le salue ! — a dit : " Quand Allâh veut le bien à quelqu'un, il lui ouvre la serrure du cœur et y met la certitude. "

Le Sheikh Abû Sa'îd al-Kharraz a dit : " Quand Allâh veut prendre comme ami l'un de Ses serviteurs, Il lui ouvre la porte de Son *dhikr*, et quand celui-ci se complaît au *dhikr*, Il lui ouvre la porte de la Proximité, ensuite Il l'élève à la séance de l'Intimité, ensuite Il l'installe sur le trône de l'Unité, ensuite Il lui enlève le voile et le fait entrer dans la Maison de la Singularité et lui dévoile la Majesté et la Magnificence, et lorsque le regard du serviteur rencontre la Majesté et la Magnificence, il reste " sans soi " (*bi-lâ huwa*). Alors il devient éteint pour un temps et entre dans la protection divine, préservé de toute prétention de soi. "

Khâlid ibn Ma'dân a dit : " Chaque homme a deux yeux dans son visage, par lesquels il voit les choses de ce bas-monde, et deux yeux dans son cœur par lesquels il voit l'autre monde. Si Allâh veut le bien pour un serviteur, Il lui ouvre les yeux du cœur pour que Son serviteur voie tout ce qu'Il lui a promis et qui n'est pas ici; et si Allâh veut autrement, Il le laisse dans l'état où il se trouve. "

Ahmed ben Khidrawaïh a dit : " Les cœurs sont des vases : s'ils sont remplis de vérité, le surplus de leurs lumières se déverse sur les membres et s'ils sont remplis d'erreur, sur les membres se déverse le surplus de leurs ténèbres. "

Dhû-n-Noun al-Miçri a dit : " La réconciliation du cœur pendant une heure est meilleure que les œuvres religieuses des deux espèces douées de pesanteur (les Djinns et les hommes). Si l'ange n'entre pas dans une maison où se trouve une image (ainsi que le dit un hadith), comment le Témoin de Dieu entrera-t-il dans un cœur qui contient les traits d'un autre que lui ?

L'un des hommes spirituels a dit : " Un atome des œuvres des cœurs est plus méritoire que des montagnes des œuvres des membres. "

SECTION SUR LA MÉTHODE DU DHIKR CHEZ LES MAÎTRES NAQCHABENDITES

Sache que le *dhikr* du cœur (*adh-dhikru-l-qalbî*) se pratique par deux moyens :

— 1) Avec le Nom de l'Essence Suprême (*Ismu-dh-Dhât*), ou

— 2) Avec la formule de négation et d'affirmation (*an-nafyu wa-l-ithbât*).

Le Nom de l'Essence eśt *Allâh*. (Sous ce rapport de pure désignation de Soi), Allâh a dit : " En vérité, Moi, Je suis *Allâh* " (*Cor.* 20, 14). Aussi (quant à l'emploi direct et précis de ce nom en tant que moyen de *dhikr*) Il a dit " Dis : *Allâh !* et laisse-les à leurs paroles frivoles " (*Cor.* 6, 91).

Vers :

Dis : " Allâh " et laisse l'univers et ce qu'il contient,
Si tu désires atteindre l'universalité !
Car tout ce qui eśt en dehors d'Allâh, si tu réalises bien la chose,
Eśt pur néant, que ce soit pris analytiquement ou synthétiquemnt.
Sache que toi et tous les mondes,
Sans Lui, vous êtes perdus sans aucune trace !
Ce qui n'a pas d'être à soi de soi-même
Sans Lui eśt pure impossibilité.
Les Connaissants qui se sont éteints en Lui,
Ne connaissent rien d'autre que le Tout-Puissant, Celui qui transcende les transcendances,
Et ce qui eśt " autre-que-lui ", ils le voient évanoui
Tant dans le présent que dans le passé et l'avenir.

Le *dhikr* du cœur a onze règles :

1° L'état de pureté rituelle (*at-tahârah*) obtenue par l'ablution, en raison de la parole du Prophète — qu'Allâh prie sur Lui et Le salue ! — : " L'ablution (*al-wud'û'*) efface les péchés. "

2° L'accomplissement d'une prière de deux *rak'ah*.

3° L'orientation avec la face tournée vers la *qiblah* (direction rituelle vers la Mecque, lieu de la Maison d'Allâh, la *Ka'abah*) en se tenant dans un endroit solitaire, conformément à la parole prophétique : " La meilleure position eśt celle où l'on se tient orienté vers la *qiblah* " et aussi à l'enseignement donné par le

Prophète à Alî : " Il te faut pratiquer continuellement le *dhikr* dans la solitude (*al-khalwah*). "

4° La position appuyé sur l'autre côté que celui sur lequel on s'appuie dans le rite de la prière (donc le séant appuyé sur le talon du pied droit couché vers l'intérieur pendant que le pied gauche reste en dehors appuyé sur la pointe des doigts et avec le talon redressé). Telle est la position qu'observaient les Compagnons auprès du Prophète — qu'Allâh prie sur Lui et Le salue ! — Cette position est plus propice à l'état d'humilité et plus favorable à la concentration des sens.

5° La demande de pardon (*al-istighfâr*) pour tous ses péchés, en se représentant leur étendue devant soi d'une façon synthétique, avec la conscience qu'Allâh voit l'être et ne cesse de le regarder; ainsi on se représente l'immensité et la majesté d'Allâh, ainsi que la sévérité de Sa saisie et de Son pouvoir réducteur, et en même temps on se débarrasse de toutes les pensées mondaines. On sent la frayeur devant le Seigneur, et on demande le pardon, tout en sachant qu'Il est généreux et pardonnant. C'est dans cet état qu'on prononce avec la langue : *Astaghfiru-llâh*, = " Je demande pardon à Allâh " et en même temps on considère avec le cœur le sens de ces paroles. On fait ainsi cinq fois, ou quinze fois, ou vingt-cinq fois, ce qui est plus méritoire. La pratique de l'*istighfâr* (= la demande de pardon) est en raison du hadith suivant (entre autres) : " A celui qui s'attache à la pratique de l'*istighfâr* Allâh accorde une issue de toute porte et un soulagement contre toute affliction, ainsi que des biens qui lui arrivent d'une manière imprévisible. "

6° La récitation de la *Fâtihah* (première sourate du Coran) une fois, et de la sourate al-Ikhlâç (la 112e) trois fois, en les offrant à l'esprit de notre Seigneur Muhammad — et aux esprits de tous les maîtres de la *Tarîqah Naqchabandiyyah*.

7° On ferme les yeux, on serre les lèvres, et on

colle la langue contre le palais vers la gorge avec un calme parfait; c'est ainsi qu'on expulse les pensées étrangères (*al-khawâtir*) que véhicule le regard. Cette règle est conforme à l'ordre que le Prophète — qu'Allâh prie sur Lui et Le salue ! — donna à Alî quand il enseignait comment il faut pratiquer le *dhikr* : " O Alî, ferme les yeux ! "

8° L'acte spirituel appelé " l'attache au tombeau " (*râbitatu-l-qabr*) qui désigne la considération de la mort : tu te vois mort, lavé, enveloppé dans le linceul; la prière funéraire faite à ton sujet; tu te vois porté au tombeau et enseveli dedans; ta famille et tes amis sont partis, te laissant tout seul, et tu sais ainsi que rien ne saurait te porter profit si ce n'est tes bonnes œuvres. Cette règle est conforme à la parole prophétique : " Sois dans ce bas monde comme un étranger ou un voyageur et compte-toi au nombre des habitants des tombeaux. "

9° L'acte initiatique appelé " l'attache au directeur spirituel " (*râbitatu-l-murchid*); par cet acte le disciple tient son cœur en face du cœur de son maître, et garde l'image de celui-ci dans sa conscience, même quand celui-ci est absent; il se représente que le cœur du maître (*Sheikh*) est comme une gouttière et que le flux spirituel (*al-faîd*) vient de sa " Mer enveloppante " vers son propre cœur et qu'il en reçoit ainsi la *barakah*, car le maître est le lien qui assure la jonction divine (*at-Tawaççul*) ainsi qu'il résulte de divers versets coraniques et hadith. Allâh — qu'Il soit exalté ! — a dit : " O ceux qui croyez, craignez Allâh et cherchez le moyen de la Proximité de Lui " (*Cor.* 5, 35) et encore : " O ceux qui croyez, craignez Allâh et soyez avec les Sincères " (*Cor.* 9, 119). D'autre part le Prophète — qu'Allâh prie sur lui et le salue ! — a dit : " L'homme est avec celui qu'il aime " et aussi " Sois avec Allâh ". Si tu n'y arrives pas, sois avec ceux qui sont avec Lui. "

On a dit : " L'extinction (*al-fanâ*) dans le cheikh est la prémisse de l'extinction en Allâh. "

Avertissement. Celui qui trouve dans la représentation de la forme (de son *Sheikh*) une ivresse (*sukr*) ou un évanouissement extatique (*ghaîbah*) doit renoncer à l'image et s'orienter vers l'état même qui en résulte pour lui.

10° La concentration de tous les sens corporels, en les soustrayant à toute autre occupation et à toute suggestion venue de l'intimité même de l'être, en s'orientant avec toutes les facultés de perception vers Allâh — qu'Il soit exalté ! — Ensuite on dit : « Tu es mon but et Ta satisfaction est ce que je demande. » Après cela on récite le Nom de l'Essence (*Ismu-dh-Dhât*) dans le Cœur, en faisant que le mot Allâh passe sur lui, pendant qu'on considère son sens, à savoir qu'il s'agit de l'Essence sans Similitude (*adh-Dhâtu bi-lâ mithl*). Cependant on est conscient qu'Allâh regarde l'être et l'enveloppe de toutes parts, conformément à la parole prophétique (dite dans la définition de l'*Ihsân*, la Vertu de perfection adoratrice) : « Que tu adores Allâh comme si tu le voyais, car si tu ne le vois pas, Lui te voit. »

11° L'attente de l'effet (éventuel) de l'invocation *wâridu-dh-dhikr*) lors de sa cessation, en restant ainsi un peu avant de rouvrir les yeux. S'il se présente un « évanouissement extatique » (*ghaîbah*) ou un « rapt spirituel » (*jadhbah*), qu'il évite de l'interrompre.

Remarque. Si, dans le cours de l'invocation, le *dhâkir* est importuné par quelque « resserrement » (*qabd*) ou par des idées qui troublent la concentration du cœur, qu'il ouvre donc les yeux, car le trouble cessera; s'il ne cesse pas, l'invocateur prononcera avec sa langue : « Allâh me regarde, Allâh est présent auprès de moi » (*Allâhu nâzhirî, Allâhu hadhirî*) trois fois.

Si toutefois la dispersion persiste, l'invocateur cessera le *dhikr* et reprendra « l'attache au directeur » (*râbitatu-l-murchid*). Si cela ne suffit pas, il fera la petite ablution (*wud'û*), ou même la grande (*ghusl*), et ensuite il fera une prière de deux *rak'ah* suivie de la " demande de pardon " et complétée par cette demande : " O Celui qui enlève toute peine, ô celui qui répond à toute demande ", ô Celui qui répare ce qui est brisé, ô Celui qui rend facile tout ce qui est difficile, ô Compagnon de tout étranger, ô Intime de tout isolé, ô Unificateur de toute division, ô Celui qui retourne tout cœur, ô celui qui convertit tout état ! Pas de Dieu autre que Toi ! Gloire à Toi, en vérité je suis d'entre les injustes ! Je Te demande de m'accorder un soulagement et une issue, de m'infuser l'amour de Toi dans le cœur, afin que je n'aie aucun désir ni souci dans mon cœur, et que Tu me protèges et me fasses miséricorde ! Par Ta Miséricorde, ô le plus Miséricordieux des Miséricordieux ! " Par cette demande seront chassées toutes les pensées troublantes, s'il plaît à Allâh, le Sublime.

Sache que les maîtres de cette voie élevée envisagent de façon technique certains centres subtils de l'être humain (*al-latâifu-l-insâniyyah*), dans le but de faciliter le parcours de la voie aux pratiquants.

Comme moyen de *dhikr* en rapport avec ces centres subtils, ils emploient le nom divin *Allâh* (désigné couramment par l'épithète de " Nom de la Majesté divine ") afin de réaliser l'état appelé le " rapt proprement essentiel " (*al-jadhbatu-l-mu'aiyanatu-dh-dhâtiyyah*).

1. — Le premier de ces centres subtils (*latâif*) est le " cœur " (*qalb*) qui est considéré comme se situant à deux largeurs de doigt sous le sein gauche, incliné vers le flanc et ayant la forme d'une " pomme de pin ". Le " cœur " ainsi considéré compte comme étant sous le " pied " (*qadam*) d'Adam — sur lui le salut ! La " lumière " qui lui correspond est " jaune ". Quand la lumière de ce centre subtil (*latifâh*) sort du côté de son épaule et s'élève, et qu'il s'y produit un tremblement (*ikhtilâj*) ou quelque agitation (*harakah*) puissante, l'invocateur fera un transfert dans le point qui

correspond au centre subtil appelé l' " esprit " (*ar-rûh*).

2. — L' " esprit " (*ar-rûh*) est symboliquement situé à deux largeurs de doigt sous le sein droit, vers la poitrine. Ce centre subtil est sous le " pied " de Noé et d'Abraham — sur les deux le salut ! Sa " lumière est " rouge ". Ainsi, le *dhikr* sera dans l' " esprit " et l' " arrêt " (*al-wuqûf*) dans le " cœur ". S'il s'y produit quelque agitation (*harakah*) qui trouble le *dhâkir*, celui-ci fera un transfert au point qui correspond au centre subtil appelé " secret " (*as-sirr*).

3. — Le " secret " (*as-sirr*) est situé de la même manière à deux largeurs de doigt au-dessus du sein gauche. Ce centre subtil est considéré comme étant sous le " pied " de Moïse — sur lui le salut ! Sa " lumière " est " blanche ". C'est dans ce centre que se fera le *dhikr* alors que l' " arrêt " sera dans le " cœur ". S'il s'y produit quelque trouble, le *dhâkir* fera un transfert au point qui correspond au centre subtil appelé le " caché " (*al-khafî*).

4. — Le " caché " (*al-khafî*) est situé symboliquement à deux doigts au-dessus du sein droit vers la poitrine. Ce point est sous le " pied " de Jésus — sur Lui le salut ! Sa " lumière " est " noire ". Si le *dhâkir* y éprouve quelque trouble, il fera un transfert au point qui correspond au centre subtil appelé " le-plus-caché " (*al-akhfâ*).

5. — " Le-plus-caché " (*al-akhfâ*) est situé symboliquement au milieu de la poitrine. Ce centre est considéré comme étant sous le " pied " de notre Prophète Muhammad — qu'Allâh prie sur Lui et Le salue ! Sa " lumière " est " verte ". Il y œuvrera comme il a été dit précédemment (c'est-à-dire, que comme pour tous les centres subtils indiqués, le *dhâkir* y fera son *dhikr* pendant que l' " arrêt " sera toujours dans le premier centre appelé " cœur ").

On entend par l'expression " pied " (*qadam*) la *sunnah* (le chemin) et la *tariqâh* (la Voie).

Celui qui obtiendra l'ascension (*at-taraqqî*) vers

l'un de ces centres subtils (*latâif*) et y constatera la particularité et l'état afférent puisera son " breuvage " (*machrab*) auprès du Prophète sous le " pied " duquel se trouve le centre subtil en question.

Ensuite le *dhâkir* passe à " la négation et à l'affirmation " (*annaîyu wa-l-ithbât*) représentées par la formule *Lâ'ilâha'illâh-Llâh* = " Pas de dieu si ce n'est le Dieu (Absolu et Universel ").

La méthode d'emploi de cette formule est la suivante:

Le *dhâkir* collera sa langue au palais de la gorge (*saqfu-l-halq*) et, après avoir inspiré, il retiendra son souffle. Alors il commencera la prononciation par le vocable *lâ* (= " Pas " ou " non ") en se l'imaginant (*bi-t-takhaiyul*) placé sous le nombril; de là il tirera ce vocable vers le milieu des centres subtils où se trouve le centre appelé " le-plus-caché " (*al-akhfâ*) et le prolongera jusqu'à ce qu'il atteigne le point qui correspond au centre subtil de l' " âme logique " ou " raisonnable " (*an-nafsu-n-nâtiqah*); ce dernier centre est situé symboliquement dans la première enceinte (*al-bâtinu-l-awalu*) du cerveau (*ad-dimâgh*) appelée le " chef " (*ar-ra'îs*).

— Ensuite le *dhâkir* procédera à l'articulation du mot *'ilâha* (= " Dieu ") en commençant imaginativement avec l'élément phonétique appelé *hamzah* (figuré dans la transcription par l'apostrophe) depuis le cerveau et le faisant descendre jusqu'à l'épaule droite pour le faire couler vers le point correspondant au centre subtil appelé l' " esprit " (*ar-rûh*).

— Enfin le *dhâkir* procédera à la prononciation de *'illâ-Llâh* (= " si ce n'est le Dieu "), en faisant partir imaginativement le *hamzah* de *'illâ* depuis l'épaule (droite) et en l'étendant vers le " cœur " (*al-qalb*) où le *dhâkir* frappera avec la parole finale *Allâh* (représentée dans la transcription précédente sans le *A* en raison de l'élision qu'amène la réunion de ces éléments de la formule); la force du souffle retenu frappera ainsi le " petit point noir du cœur " (*suwaîdâ'u-l-qalb*) pour en faire sortir l'effet (*al-athar*) et la chaleur (*al-harârah*) vers le reste du corps et pour que cette chaleur brûle toutes les parties corrompues du corps, alors que les parties pures de celui-ci seront illuminées par la lumière du nom *Allâh*.

Le *dhâkir* considérera la formule *Lâ 'ilâha 'illâ-Llâh* dans le sens qu'il n'y a pas d' " adoré " (*ma'bûd*) ni de " visé " (*maqçûd*) ni d' "existant " (*mawjûd*) si ce n'est Allâh. De ces trois acceptations la première (= il n'y a pas d' " adoré ") convient au commençant (*al-mubtadî*), la deuxième (il n'y a pas de " visé ") à " celui qui est au milieu de la voie " (*al-mutawassit*) et la troisième (= il n'y a pas d' "existant ") au " finissant " (*al-muntahî*).

Lorsque le *dhâkir* prononcera la partie négative de cette formule, il niera l'existence de toutes les choses contingentes (*al-muhdathât*) qui se présentent à sa vue et à sa pensée, et il considérera donc ces choses avec le regard de l'extinction (*bi-nazhari-l-fanâ*); lorsqu'il prononcera la partie affirmative, il affirmera dans son cœur et dans sa vue la réalité de l'Être vrai — qu'Il soit exalté ! et il considérera donc l'Être vrai du " regard de la permanence " (*bi-nazhari-l-baqâ*).

A la fin de cette formule, il fera imaginativement un arrêt en un nombre impair (de temps) et prononcera : *Muhammadun rasûlullâh* = " Muhammad est l'Envoyé d'Allâh ", du cœur au-dessous du sein gauche en entendant par cela la conformité au Prophète — qu'Allâh prie sur Lui et Le salue ! et l'amour pour Lui. Ensuite il relâchera son souffle lorsqu'il sentira la nécessité de le faire et il s' " arrêtera " selon un nombre impair (de temps) : trois ou cinq ou sept, etc. jusqu'à vingt et un. C'est ce qu'on appelle chez nos maîtres l'" arrêt compté " (*al-muqûfu-l-'adadî*). Quand il relâchera le souffle, le *dhâkir* dira avec sa langue mais silencieusement : " Mon Dieu, vers Toi je me dirige et Ta satisfaction est ce que je demande " (*Ilâhî Anta maqçûdî wa ridâ-ka matlûbî*).

Une fois le souffle expulsé, il reprendra un autre souffle qu'il utilisera de la même façon que le premier mais entre une expiration et une inspiration, il observera cette attitude imaginative (pour le décompte des « temps »).

Quand le *dhâkir* arrivera à la 21e fois, lui apparaîtra le résultat du *dhikr* du cœur. Ce résultat lui viendra de l'abolition de son humanité et de ses pensées de créature ainsi que de la perte de l'être dans le « rapt divin essentiel » (*al-jadhbatu-l-ilâhiyyatu-dh-dhâtiyyah*). Alors dans son cœur apparaîtra la vertu agissante de ce « rapt divin » et cela consiste dans l'orientation (*tawajjuh*) du cœur vers le Monde Sanctissime (*al-âlamu-l-aqdas*) qui est l'origine de l'amour essentiel conféré à l'être ainsi que l'effet survenu. L'être en tirera alors son profit selon sa « prédisposition » (*isti'dâd*). Cette « prédisposition » est elle-même le don divin fait aux esprits avant que ceux-ci ne s'attachent au corps, don qui provient de la proximité essentielle et datant de toute éternité.

Il y a des invocateurs chez lesquels survient au début un « évanouissement extatique » (*ghaîbah*) c'est-à-dire un abandon de tout ce qui est autre qu'Allâh.

Il y en a chez lesquels survient l'« ivresse extatique » (*as-sukr*) c'est-à-dire la stupéfaction (*al-haîrah*) et l'« évanouissement extatique » (*al-ghabah*) tout à la fois.

D'autres obtiennent l'état d'anéantissement (*al-dam*) c'est-à-dire l'extinction (*al-ifnâ*) de leur humanité, après quoi ils s'illuminent par l'extinction qui est la disparition dans le « rapt divin ».

Si le *dhâkir* n'obtient aucun résultat, cela est à imputer au défaut d'accomplissement des règles requises. Ces règles sont : la sincérité de la volonté (*çidqu-l-irâdah*), l'« attache au sheikh », la conformité aux ordres du sheikh, l'abandon entre ses mains de tous ses intérêts, la renonciation complète à toute préférence personnelle en faveur de la préférence du sheikh et la recherche de sa satisfaction en toute chose. Par l'observance de ces règles est attiré le flux divin (*al-faîdu-l-ilâhî*) de l'intérieur du sheikh vers l'intérieur du disciple, car le sheikh est la voie du flux et de la grâce divine. Il faut donc que ces règles soient observées strictement et la réussite est par Allâh.

Bibliographie générale

En dehors des travaux cités chemin faisant on aura intérêt à consulter les études suivantes :

1° Pour le cadre même de la pensée mystique de l'Orient gréco-russe : Vladimir Lossky, *Essai sur la théologie mystique de l'Église d'Orient*, Paris, 1944; Pierre Kovalevsky, *Saint Serge et la spiritualité russe*, coll. " Maîtres Spirituels " n° 16, Paris, 1958; Jean Meyendorff, *Saint Grégoire Palamas et la mystique orthodoxe*, coll. " Maîtres Spirituels " n° 20, Paris, 1959.

J. Lemaître (= I. Hausherr), article " Contemplation " du *Dict. de spiritualité ascétique et mystique*, tome II, 1951-1952; Jean Kirchmeyer, article " Grecque " (*Église*), *ibid.*, tome VI, 808-872.

2° Touchant la prière de Jésus et la méthode hésychaste :

Outre les articles cités de E. Behr-Siegel, de L. Gardet, A. Bloom, *Contemplation et ascèse : contribution orthodoxe* in *Études Carmélitaines* " Technique et Contemplation ", 1949, p. 49 s.; I. Hausherr, *La Méthode d'oraison hésychaste*. Rome, 1927; Un moine de l'Église d'Orient, *La Prière de Jésus*, 1951.

H. de B., *La Prière du Cœur*, Éditions orthodoxes, Paris, 1952 et *On the Prayer of Jesus in Ascetic Essays* of Bishop Ignatius Brianchaninov, Londres, 1952.

Table

IMPRIMERIE HÉRISSEY À ÉVREUX (11-2007)
DÉPÔT LÉGAL : NOVEMBRE 1979. N° 5348-8 (106618)
IMPRIMÉ EN FRANCE

Collection Points

SÉRIE SAGESSES

dirigée par Vincent Bardet et Jean-Louis Schlegel

Sa1. Paroles des anciens. Apophtegmes des Pères du désert *par Jean-Claude Guy*
Sa2. Pratique de la voie tibétaine, *par Chögyam Trungpa*
Sa3. Célébration hassidique, *par Elie Wiesel*
Sa4. La Foi d'un incroyant, *par Francis Jeanson*
Sa5. Le Bouddhisme tantrique du Tibet, *par John Blofeld*
Sa6. Le Mémorial des saints, *par Farid-ud-D'in' Attar*
Sa7. Comprendre l'Islam, *par Frithjof Schuon*
Sa8. Esprit zen, esprit neuf, *par Shunryu Suzuki*
Sa9. La Bhagavad Gîtâ, *traduction et commentaires par Anne-Marie Esnoul et Olivier Lacombe*
Sa10. Qu'est-ce que le soufisme ?, *par Martin Lings*
Sa11. La Philosophie éternelle, *par Aldous Huxley*
Sa12. Le Nuage d'inconnaissance *traduit de l'anglais par Armel Guerne*
Sa13. L'Enseignement du Bouddha, *par Walpola Rahula*
Sa14. Récits d'un pèlerin russe, *traduit par Jean Laloy*
Sa15. Le Nouveau Testament *traduit par Émile Osty et Joseph Trinquet*
Sa16. La Voie et sa vertu. Tao-tê-king, *par Lao-tzeu*
Sa17. L'Imitation de Jésus-Christ, *traduit par Lamennais*
Sa18. Le Mythe de la liberté, *par Chögyam Trungpa*
Sa19. Le Pèlerin russe, trois récits inédits
Sa20. Petite Philocalie de la prière du cœur *traduit et présenté par Jean Gouillard*
Sa21. Le Zohar, *extraits choisis et présentés par Gershom G. Scholem*
Sa22. Les Pères apostoliques *traduction et introduction par France Quéré*
Sa23. Vie et Enseignement de Tierno Bokar *par Amadou Hampaté Bâ*
Sa24. Entretiens de Confucius *traduction par Anne Cheng*
Sa25. Sept Upanishads, *par Jean Varenne*
Sa26. Méditation et Action, *par Chögyam Trungpa*
Sa27. Œuvres de saint François d'Assise
Sa28. Règles des moines, *introduction et présentation par Jean-Pie Lapierre*

Sa29. Exercices spirituels par saint Ignace de Loyola
traduction et commentaires par Jean-Claude Guy
Sa30. La Quête du Graal, *présenté et établi par Albert Béguin et Yves Bonnefoy*
Sa31. Confessions de saint Augustin
traduction par Louis de Mondadon
Sa32. Les Prédestinés, *par Georges Bernanos*
Sa33. Les Hommes ivres de Dieu, *par Jacques Lacarrière*
Sa34. Évangiles apocryphes, *par France Quéré*
Sa35. La Nuit obscure, *par saint Jean de la Croix traduction du P. Grégoire de Saint-Joseph*
Sa36. Découverte de l'Islam, *par Roger Du Pasquier*
Sa37. Shambhala, *par Chögyam Trungpa*
Sa38. Un saint soufi du XXe siècle, *par Martin Lings*
Sa39. Le Livre des visions et instructions *par Angèle de Foligno*
Sa40. Paroles du Bouddha, *traduit du chinois par Jean Eracle*
Sa41. Né au Tibet, *par Chögyam Trungpa*
Sa42. Célébration biblique, *par Elie Wiesel*
Sa43. Les Mythes platoniciens, *par Geneviève Droz*
Sa44. Dîwân, *par Husayn Mansûr Hallâj*
Sa45. Questions zen, *par Philip Kapleau*
Sa46. La Voie du samouraï, *par Thomas Cleary*
Sa47. Le Prophète *et* Le Jardin du Prophète *par Khalil Gibran*
Sa48. Voyage sans fin, *par Chögyam Trungpa*
Sa49. De la mélancolie, *par Romano Guardini*
Sa50. Essai sur l'expérience de la mort *par Paul-Louis Landsberg*
Sa51. La Voie du karaté, *par Kenji Tokitsu*
Sa52. Le Livre brûlé, *par Marc-Alain Ouaknin*
Sa53. Shiva, *traduction et commentaires d'Alain Porte*
Sa54. Retour au silence, *par Dainin Katagiri*
Sa55. La Voie du Bouddha, *par Kyabdjé Kalou Rinpoché*
Sa56. Vivre en héros pour l'éveil, *par Shantideva*
Sa57. Hymne de l'univers, *par Pierre Teilhard de Chardin*
Sa58. Le Milieu divin, *par Pierre Teilhard de Chardin*
Sa59. Les Héros mythiques et l'Homme de toujours *par Fernand Comte*
Sa60. Les Entretiens de Houang-po
présentation et traduction de Patrick Carré
Sa61. Folle Sagesse, *par Chögyam Trungpa*
Sa62. Mythes égyptiens, *par George Hart*
Sa63. Mythes nordiques, *par R. I. Page*
Sa64. Nul n'est une île, *par Thomas Merton*

Sa65. Écrits mystiques des Béguines, *par Hadewijch d'Anvers*
Sa66. La Liberté naturelle de l'esprit, *par Longchenpa*
Sa67. La Sage aux champignons sacrés, *par Maria Sabina*
Sa68. La Mystique rhénane, *par Alain de Libera*
Sa69. Mythes de la Mésopotamie, *par Henrietta McCall*
Sa70. Proverbes de la sagesse juive, *par Victor Malka*
Sa71. Mythes grecs, *par Lucilla Burn*
Sa72. Écrits spirituels d'Abd el-Kader
présentés et traduits de l'arabe par Michel Chodkiewicz
Sa73. Les Fioretti de saint François
introduction et notes d'Alexandre Masseron
Sa74. Mandala, *par Chögyam Trungpa*
Sa75. La Cité de Dieu
1. Livres I à X, *par saint Augustin*
Sa76. La Cité de Dieu
2. Livres XI à XVII, *par saint Augustin*
Sa77. La Cité de Dieu
3. Livres XVIII à XXII, *par saint Augustin*
Sa78. Entretiens avec un ermite de la sainte Montagne
sur la prière du cœur, *par Hiérothée Vlachos*
Sa79. Mythes perses, *par Vesta Sarkhosh Curtis*
Sa80. Sur le vrai bouddhisme de la Terre Pure, *par Shinran*
Sa81. Le Tabernacle des Lumières, *par Ghazâlî*
Sa82. Le Miroir du cœur. Tantra du Dzogchen
traduit du tibétain et commenté par Philippe Cornu
Sa83. Yoga, *par Tara Michaël*
Sa84. La Pensée hindoue, *par Émile Gathier*
Sa85. Bardo. Au-delà de la folie, *par Chögyam Trungpa*
Sa86. Mythes aztèques et mayas, *par Karl Taube*
Sa87. Partition rouge, *par Florence Delay et Jacques Roubaud*
Sa88. Traité du Milieu, *par Nagarjuna*
Sa89. Construction d'un château, *par Robert Misrahi*
Sa90. Mythes romains, *par Jane F. Gardner*
Sa91. Le Cantique spirituel, *par saint Jean de la Croix*
Sa92. La Vive Flamme d'amour, *par saint Jean de la Croix*
Sa93. Philosopher par le Feu, *par Françoise Bonardel*
Sa94. Le Nouvel Homme, *par Thomas Merton*
Sa95. Vivre en bonne entente avec Dieu, *par Baal-Shem-Tov*
paroles recueillies par Martin Buber
Sa96. Être plus, *par Pierre Teilhard de Chardin*
Sa97. Hymnes de la religion d'Aton
traduits de l'égyptien et présentés par Pierre Grandet
Sa98. Mythes celtiques, *par Miranda Jane Green*
Sa99. Le Soûtra de l'estrade du Sixième Patriarche Houei-neng
par Fa-hai

Sa100. Vie écrite par elle-même, *par Thérèse d'Avila*
Sa101. Seul à seul avec Dieu, *par Janusz Korczak*
Sa102. L'Abeille turquoise, *par Tsangyang Gyatso*
chants d'amour présentés et traduits par Zéno Bianu
Sa103. La Perfection de sagesse
traduit du tibétain par Georges Driessens
sous la direction de Yonten Gyatso
Sa104. Le Sentier de rectitude, *par Moïse Hayyim Luzzatto*
Sa105. Tantra. La voie de l'ultime, *par Chögyam Trungpa*
Sa106. Les Symboles chrétiens primitifs, *par Jean Daniélou*
Sa107. Le Trésor du cœur des êtres éveillés, *par Dilgo Khyentsé*
Sa108. La Flamme de l'attention, *par Krishnamurti*
Sa109. Proverbes chinois, *par Roger Darrobers*
Sa110. Les Récits hassidiques, tome 1, *par Martin Buber*
Sa111. Les Traités, *par Maître Eckhart*
Sa112. Krishnamurti, *par Zéno Bianu*
Sa113. Les Récits hassidiques, tome 2, *par Martin Buber*
Sa114. Ibn Arabî et le Voyage sans retour, *par Claude Addas*
Sa115. Abraham ou l'Invention de la foi, *par Guy Lafon*
Sa116. Padmasambhava, *par Philippe Cornu*
Sa117. Socrate, *par Micheline Sauvage*
Sa118. Jeu d'illusion, *par Chögyam Trungpa*
Sa119. La Pratique de l'éveil de Tipola à Trungpa
par Fabrice Midal
Sa120. Cent Éléphants sur un brin d'herbe, *par le Dalaï-Lama*
Sa121. Tantra de l'union secrète, *par Yonten Gyatso*
Sa122. Le Chant du Messie, *par Michel Bouttier*
Sa123. Sermons et Oraisons funèbres, *par Bossuet*
Sa124. Qu'est-ce que le hassidisme ?, *par Haïm Nisenbaum*
Sa125. Dernier Journal, *par Krishnamurti*
Sa126. L'Art de vivre. Méditation Vipassaná
enseignée par S. N. Goenka, *par William Hart*
Sa127. Le Château de l'âme, *par Thérèse d'Avila*
Sa128. Sur le Bonheur / Sur l'Amour
par Pierre Teilhard de Chardin
Sa129. L'Entraînement de l'esprit
et l'Apprentissage de la bienveillance
par Chögyam Trungpa
Sa130. Petite Histoire du Tchan, *par Nguên Huu Khoa*
Sa131. Le Livre de la piété filiale, *par Confucius*
Sa132. Le Coran, *traduit par Jean Grosjean*
Sa133. L'Ennuagement du cœur, *par Rûzbehân*
Sa134. Les Plus Belles Légendes juives, *par Victor Malka*
Sa135. La Fin'amor, *par Jean-Claude Marol*
Sa136. L'Expérience de l'éveil, *par Nan Huai-Chin*

Sa137. La Légende dorée, *par Jacques de Voragine*
Sa138. Paroles d'un soufi, *par Kharaqânî*
Sa139. Jérémie, *par André Neher*
Sa140. Comment je crois, *par Pierre Teilhard de Chardin*
Sa141. Man-Fei-tse ou le Tao du prince
par Han Fei
Sa142. Connaître, soigner, aimer, *par Hippocrate*
Sa143. La parole est un monde, *par Anne Stamm*
Sa144. El Dorado, *par Zéno Bianu et Luis Mizón*
Sa145. Les Alchimistes
par Michel Caron et Serge Hutin
Sa146. Le Livre de la Cour Jaune, *par Patrick Carré*
Sa147. Du bonheur de vivre et de mourir en paix
par Sa Sainteté le Dalaï-Lama
Sa149. L'Enseignement de Sri Aurobindo
par Madhav P. Pandit
Sa150. Le Traité de Bodhidharma
anonyme, traduit et commenté par Bernard Faure
Sa151. Les Prodiges de l'esprit naturel,
par Tenzin Wangyal
Sa152. Mythes et Dieux tibétains, *par Fabrice Midal*

Collection Points

SÉRIE ESSAIS

DERNIERS TITRES PARUS

230. Essais sur l'individualisme, *par Louis Dumont*
231. Histoire de l'architecture et de l'urbanisme modernes
     1. Idéologies et pionniers (1800-1910), *par Michel Ragon*
232. Histoire de l'architecture et de l'urbanisme modernes
     2. Naissance de la cité moderne (1900-1940)
     par Michel Ragon
233. Histoire de l'architecture et de l'urbanisme modernes
     3. De Brasilia au post-modernisme (1940-1991)
     par Michel Ragon
234. La Grèce ancienne, tome 2
     par Jean-Pierre Vernant et Pierre Vidal-Naquet
235. Quand dire, c'est faire, *par J. L. Austin*
236. La Méthode
     3. La Connaissance de la Connaissance, *par Edgar Morin*
237. Pour comprendre *Hamlet*, *par John Dover Wilson*
238. Une place pour le père, *par Aldo Naouri*
239. L'Obvie et l'Obtus, *par Roland Barthes*
241. L'Idéologie, *par Raymond Boudon*
242. L'Art de se persuader, *par Raymond Boudon*
243. La Crise de l'État-providence, *par Pierre Rosanvallon*
244. L'État, *par Georges Burdeau*
245. L'Homme qui prenait sa femme pour un chapeau
     par Oliver Sacks
246. Les Grecs ont-ils cru à leurs mythes ?, *par Paul Veyne*
247. La Danse de la vie, *par Edward T. Hall*
248. L'Acteur et le Système
     par Michel Crozier et Erhard Friedberg
249. Esthétique et Poétique, *collectif*
250. Nous et les Autres, *par Tzvetan Todorov*
251. L'Image inconsciente du corps, *par Françoise Dolto*
252. Van Gogh ou l'Enterrement dans les blés
     par Viviane Forrester
253. George Sand ou le Scandale de la liberté, *par Joseph Barry*
254. Critique de la communication, *par Lucien Sfez*
255. Les Partis politiques, *par Maurice Duverger*
256. La Grèce ancienne, tome 3
     par Jean-Pierre Vernant et Pierre Vidal-Naquet
257. Palimpsestes, *par Gérard Genette*

258. Le Bruissement de la langue, *par Roland Barthes*
259. Relations internationales
 1. Questions régionales, *par Philippe Moreau Defarges*
260. Relations internationales
 2. Questions mondiales, *par Philippe Moreau Defarges*
261. Voici le temps du monde fini, *par Albert Jacquard*
262. Les Anciens Grecs, *par Moses I. Finley*
263. L'Éveil, *par Oliver Sacks*
264. La Vie politique en France, *ouvrage collectif*
265. La Dissémination, *par Jacques Derrida*
266. Un enfant psychotique, *par Anny Cordié*
267. La Culture au pluriel, *par Michel de Certeau*
268. La Logique de l'honneur, *par Philippe d'Iribarne*
269. Bloc-notes, tome 1 (1952-1957), *par François Mauriac*
270. Bloc-notes, tome 2 (1958-1960), *par François Mauriac*
271. Bloc-notes, tome 3 (1961-1964), *par François Mauriac*
272. Bloc-notes, tome 4 (1965-1967), *par François Mauriac*
273. Bloc-notes, tome 5 (1968-1970), *par François Mauriac*
274. Face au racisme
 1. Les moyens d'agir
 sous la direction de Pierre-André Taguieff
275. Face au racisme
 2. Analyses, hypothèses, perspectives
 sous la direction de Pierre-André Taguieff
276. Sociologie, *par Edgar Morin*
277. Les Sommets de l'État, *par Pierre Birnbaum*
278. Lire aux éclats, *par Marc-Alain Ouaknin*
279. L'Entreprise à l'écoute, *par Michel Crozier*
280. Nouveau Code pénal
 présentation et notes de Me Henri Leclerc
281. La Prise de parole, *par Michel de Certeau*
282. Mahomet, *par Maxime Rodinson*
283. Autocritique, *par Edgar Morin*
284. Être chrétien, *par Hans Küng*
285. A quoi rêvent les années 90 ?, *par Pascale Weil*
286. La Laïcité française, *par Jean Boussinesq*
287. L'Invention du social, *par Jacques Donzelot*
288. L'Union européenne, *par Pascal Fontaine*
289. La Société contre nature, *par Serge Moscovici*
290. Les Régimes politiques occidentaux
 par Jean-Louis Quermonne
291. Éducation impossible, *par Maud Mannoni*
292. Introduction à la géopolitique, *par Philippe Moreau Defarges*
293. Les Grandes Crises internationales et le Droit
 par Gilbert Guillaume

294. Les Langues du Paradis, *par Maurice Olender*
295. Face à l'extrême, *par Tzvetan Todorov*
296. Écrits logiques et philosophiques, *par Gottlob Frege*
297. Recherches rhétoriques, Communications 16
ouvrage collectif
298. De l'interprétation, *par Paul Ricœur*
299. De la parole comme d'une molécule, *par Boris Cyrulnik*
300. Introduction à une science du langage
par Jean-Claude Milner
301. Les Juifs, la Mémoire et le Présent, *par Pierre Vidal-Naquet*
302. Les Assassins de la mémoire, *par Pierre Vidal-Naquet*
303. La Méthode
4. Les idées, *par Edgar Morin*
304. Pour lire Jacques Lacan, *par Philippe Julien*
305. Événements I
Psychopathologie du quotidien, *par Daniel Sibony*
306. Événements II
Psychopathologie du quotidien, *par Daniel Sibony*
307. Les Origines du totalitarisme
Le système totalitaire, *par Hannah Arendt*
308. La Sociologie des entreprises, *par Philippe Bernoux*
309. Vers une écologie de l'esprit 1.
par Gregory Bateson
310. Les Démocraties, *par Olivier Duhamel*
311. Histoire constitutionnelle de la France, *par Olivier Duhamel*
312. Droit constitutionnel, *par Olivier Duhamel*
313. Que veut une femme ?, *par Serge André*
314. Histoire de la révolution russe
1. Février, *par Léon Trotsky*
315. Histoire de la révolution russe
2. Octobre, *par Léon Trotsky*
316. La Société bloquée, *par Michel Crozier*
317. Le Corps, *par Michel Bernard*
318. Introduction à l'étude de la parenté, *par Christian Ghasarian*
319. La Constitution, *introduction et commentaires*
par Guy Carcassonne
320. Introduction à la politique
par Dominique Chagnollaud
321. L'Invention de l'Europe, *par Emmanuel Todd*
322. La Naissance de l'histoire (tome 1), *par François Châtelet*
323. La Naissance de l'histoire (tome 2), *par François Châtelet*
324. L'Art de bâtir les villes, *par Camillo Sitte*
325. L'Invention de la réalité
sous la direction de Paul Watzlawick
326. Le Pacte autobiographique, *par Philippe Lejeune*

327. L'Imprescriptible, *par Vladimir Jankélévitch*
328. Libertés et Droits fondamentaux
sous la direction de Mireille Delmas-Marty
et Claude Lucas de Leyssac
329. Penser au Moyen Age, *par Alain de Libera*
330. Soi-Même comme un autre, *par Paul Ricœur*
331. Raisons pratiques, *par Pierre Bourdieu*
332. L'Écriture poétique chinoise, *par François Cheng*
333. Machiavel et la Fragilité du politique
par Paul Valadier
334. Code de déontologie médicale, *par Louis René*
335. Lumière, Commencement, Liberté
par Robert Misrahi
336. Les Miettes philosophiques, *par Søren Kierkegaard*
337. Des yeux pour entendre, *par Oliver Sacks*
338. De la liberté du chrétien *et* Préfaces à la Bible
par Martin Luther (bilingue)
339. L'Être et l'Essence
par Thomas d'Aquin et Dietrich de Freiberg (bilingue)
340. Les Deux États, *par Bertrand Badie*
341. Le Pouvoir et la Règle, *par Erhard Friedberg*
342. Introduction élémentaire au droit, *par Jean-Pierre Hue*
343. Science politique
1. La Démocratie, *par Philippe Braud*
344. Science politique
2. L'État, *par Philippe Braud*
345. Le Destin des immigrés, *par Emmanuel Todd*
346. La Psychologie sociale, *par Gustave-Nicolas Fischer*
347. La Métaphore vive, *par Paul Ricœur*
348. Les Trois Monothéismes, *par Daniel Sibony*
349. Éloge du quotidien. Essai sur la peinture
hollandaise du XVIIIe siècle, *par Tzvetan Todorov*
350. Le Temps du désir. Essai sur le corps et la parole
par Denis Vasse
351. La Recherche de la langue parfaite dans la culture européenne
par Umberto Eco
352. Esquisses pyrrhoniennes, *par Pierre Pellegrin*
353. De l'ontologie, *par Jeremy Bentham*
354. Théorie de la justice, *par John Rawls*
355. De la naissance des dieux à la naissance du Christ
par Eugen Drewermann
356. L'Impérialisme, *par Hannah Arendt*
357. Entre-Deux, *par Daniel Sibony*
358. Paul Ricœur, *par Olivier Mongin*
359. La Nouvelle Question sociale, *par Pierre Rosanvallon*

360. Sur l'antisémitisme, *par Hannah Arendt*
361. La Crise de l'intelligence, *par Michel Crozier*
362. L'Urbanisme face aux villes anciennes
par Gustavo Giovannoni
363. Le Pardon, *collectif dirigé par Olivier Abel*
364. La Tolérance, *collectif dirigé par Claude Sahel*
365. Introduction à la sociologie politique
par Jean Baudouin
366. Séminaire, livre I : les écrits techniques de Freud
par Jacques Lacan
367. Identité et Différence, *par John Locke*
368. Sur la nature ou sur l'étant,
la langue de l'être ?, *par Parménide*
369. Les Carrefours du labyrinthe, I, *par Cornelius Castoriadis*
370. Les Règles de l'art, *par Pierre Bourdieu*
371. La Pragmatique aujourd'hui,
une nouvelle science de la communication
par Anne Reboul et Jacques Moeschler
372. La Poétique de Dostoïevski, *par Mikhaïl Bakhtine*
373. L'Amérique latine, *par Alain Rouquié*
374. La Fidélité, *collectif dirigé par Cécile Wajsbrot*
375. Le Courage, *collectif dirigé par Pierre Michel Klein*
376. Le Nouvel Age des inégalités
par Jean-Paul Fitoussi et Pierre Rosanvallon
377. Du texte à l'action, essais d'herméneutique II
par Paul Ricœur
378. Madame du Deffand et son monde
par Benedetta Craveri
379. Rompre les charmes, *par Serge Leclaire*
380. Éthique, *par Spinoza*
381. Introduction à une politique de l'homme,
par Edgar Morin
382. Lectures 1. Autour du politique
par Paul Ricœur
383. L'Institution imaginaire de la société
par Cornelius Castoriadis
384. Essai d'autocritique et autres préfaces, *par Nietzsche*
385. Le Capitalisme utopique, *par Pierre Rosanvallon*
386. Mimologiques, *par Gérard Genette*
387. La Jouissance de l'hystérique, *par Lucien Israël*
388. L'Histoire d'Homère à Augustin
préfaces et textes d'historiens antiques
réunis et commentés par François Hartog
389. Études sur le romantisme, *par Jean-Pierre Richard*
390. Le Respect, *collectif dirigé par Catherine Audard*

391. La Justice, *collectif dirigé par William Baranès et Marie-Anne Frison Roche*
392. L'Ombilic et la Voix, *par Denis Vasse*
393. La Théorie comme fiction, *par Maud Mannoni*
394. Don Quichotte ou le roman d'un Juif masqué *par Ruth Reichelberg*
395. Le Grain de la voix, *par Roland Barthes*
396. Critique et Vérité, *par Roland Barthes*
397. Nouveau Dictionnaire encyclopédique des sciences du langage *par Oswald Ducrot et Jean-Marie Schaeffer*
398. Encore, *par Jacques Lacan*
399. Domaines de l'homme, *par Cornelius Castoriadis*
400. La Force d'attraction, *par J.-B. Pontalis*
401. Lectures 2, *par Paul Ricœur*
402. Des différentes méthodes du traduire *par Friedrich D. E. Schleiermacher*
403. Histoire de la philosophie au XXe siècle *par Christian Delacampagne*
404. L'Harmonie des langues, *par Leibniz*
405. Esquisse d'une théorie de la pratique, *par Pierre Bourdieu*
406. Le XVIIe siècle des moralistes, *par Bérengère Parmentier*
407. Littérature et engagement, de Pascal à Sartre *par Benoît Denis*
408. Marx, une critique de la philosophie, *par Isabelle Garo*
409. Amour et Désespoir, *par Michel Terestchenko*
410. Les Pratiques de gestion des ressources humaines *par François Pichault et Jean Mizet*
411. Précis de sémiotique générale, *par Jean-Marie Klinkenberg*
412. Écrits sur le personnalisme, *par Emmanuel Mounier*
413. Refaire la Renaissance, *par Emmanuel Mounier*
414. Droit constitutionnel, 2. Les démocraties *par Olivier Duhamel*
415. Droit humanitaire, *par Mario Bettati*
416. La Violence et la Paix, *par Pierre Hassner*
417. Descartes, *par John Cottingham*
418. Kant, *par Ralph Walker*
419. Marx, *par Terry Eagleton*
420. Socrate, *par Anthony Gottlieb*
421. Platon, *par Bernard Williams*
422. Nietzsche, *par Ronald Hayman*
423. Les Cheveux du baron de Münchhausen, *par Paul Watzlawick*
424. Husserl et l'énigme du monde, *par Emmanuel Housset*
426. La Cour pénale internationale, *par William Bourdon*
427. Justice et Démocratie, *par John Rawls*